Mise Raiftearaí

An Fíodóir Focal

Mise Raiftearaí

An Fíodóir Focal

Tadhg Mac Dhonnagáin

Futa Fata
An Spidéal

Foilsithe den chéad uair ag Futa Fata,
An Spidéal, Co. Na Gaillimhe

An Chéad Chló – 2015

Innéacs: Róisín Nic Cóil
Mapaí: Steve Cannon
Dearadh, idir chlúdach agus téacs: Anú Design, Teamhair na Rí

Foras na Gaeilge

Tá Futa Fata buíoch d'Fhoras na Gaeilge (Clár na Leabhar) faoin tacaíocht airgid.

Fuair an t-údar tacaíocht airgid ó Scéim na gCoimisiún,
Clár na Leabhar, Foras na Gaeilge, rud a thug deis dó díriú
ar an saothar seo a chur i gcrích.

Futa Fata,
An Spidéal,
Co. na Gaillimhe,
Éire
www.futafata.ie

ISBN: 978-1-906907-90-7

BROLLACH

'If there's a book that you want to read, but it hasn't been written yet,' a chomhairligh an scríbhneoir Meiriceánach Toni Morrisson, 'then you must write it.' Iarracht atá sa leabhar seo ar an gcomhairle sin a chur i gcrích. Ní hé nach raibh cuid mhaith scríofa cheana féin faoi shaol agus faoi shaothar Raiftearaí. Agus ní inniú ná inné a cuireadh tús leis an bpeannaireacht; tá cuntais éagsúla breactha ag Dubhghlas de hÍde, Lady Augusta Gregory, W B Yeats, Seán Ó Ceallaigh, Criostóir Ó Floinn, Nollaig Ó Muraíle, Gearóid Denvir, Colette Nic Aodha, Vincent Morley agus daoine go leor eile faoi ghnéithe éagsúla de shaol agus de shaothar an fhile. An ceann is cuimsithí ar fad ná an taighde críochnúil a rinne Ciarán Ó Coigligh ar chúlra na ndánta, féachaint le leaganacha údarásacha a chur ar fáil ó na lámhscríbhinní is sine agus is údarásaí dá bhfuil ann.

An leabhar nach raibh scríofa, an leabhar a raibh suim mhór agam féin a léamh ná scéal Raiftearaí ó bhreith go bás. Ach is deacair an leabhar sin a scríobh mar go bhfuil a laghad sin ar eolas againn go cinnte faoina shaol. An réiteach a fuair mé ar an deacracht sin ná aithris a dhéanamh ar athair an fhile agus ceird na fíodóireachta a tharraingt chugam féin, féachaint le scéal Raiftearaí a shníomh ó na snátha éagsúla a bhí ar fáil. Is iad na snátha atá i gceist ná an seanchas atá bailithe faoina shaol agus a chuid filíochta, an cúlra a bhaineann lena cheird mar fhile, an t-eolas atá againn ó lucht na staire faoi na

v

heachtraí agus na pearsana ar chum sé véarsaí fúthu agus, ar ndóigh, a chuid filíochta féin.

Cé go raibh comhairle Toni Morrisson ina réalta eolais agam ar feadh an bhealaigh agus mé ag cur an scéil i dtoll a chéile, ní bheadh aistear ar bith déanta murach an té a sheol chun bóthair mé – an scannánóir, Seán Ó Cualáin. Is é siúd a thug cuireadh dom bheith páirteach sa scannán teilifíse ar bhaist muid *Mise Raiftearaí an Fíodóir Focal* air, clár a léirigh sé féin agus a dheartháir Éamonn dá gcomhlacht Sónta i Loch Con Aortha, Conamara. Craoladh an scannán den chéad uair ar TG4 i ndeireadh na bliana 2010 agus bhí an taighde a rinneadh don togra sin ina bhunchloch don leabhar. D'fhoghlaim mé go leor faoin bhfile ó rannpháirtithe an chláir, agus tá an t-eolas a roinn siad liom curtha san áireamh anseo. Ina measc, bhí Séamas Ó Neachtain i mBrooklyn Nua-Eabhraic, eagarthóir na hirise *An Gael* (nó *An Gaodhal*, mar a tugadh i dtús a saoil uirthi); an scoláire Gearóid Denvir, an scríbhneoir agus eagarthóir Lochlainn Ó Tuairisg, an fonnadóir agus craoltóir Máirtín Tom Sheáinín Mac Donncha, an craoltóir, aisteoir agus scéalaí Máirtín Jamsie Ó Flatharta, an fonnadóir Treasa Ní Cheannabháin, an file Colette Nic Aodha, agus Pádhraig Ó Ceallaigh, mac Sheáin, an té a scríobh *Filíocht na gCallanán*. Mo bhuíochas leo ar fad.

Thug beirt a ghlac páirt sa gclár cúnamh breise dom: an staraí áitiúil, Betty Solan, a roinn a chuid eolais liom ar an seanchas atá ar fáil i gceantar Choillte Mach faoin bhfile agus a thug dom roinnt cáipéisí a bhí ina seilbh aici; ina measc, altanna neamhfhoilsithe faoin bhfile a scríobh staraí áitiúil eile, a dearthráir Joe Solan, nach maireann.

Tá focal buíochais ar leith ag dul do Nollaig Ó Muraíle, rannpháirtí sa scannán, scoláire agus fear a chuir dua mór air féin le scríbhinn an leabhair seo a léamh go mion is le comhairle an-luachmhar a chur orm ina taobh. Mo bhuíochas ó chroí le Liam Mac Con Iomaire a chuir comhairle chomh maith orm, le Lillis Ó Laoire faoin spreagadh, le Terry McDonagh, file as Cill Liadáin, a thug ar chamchuairt an-taitneamhach thart ar bhaile dúchais Raiftearaí mé agus a roinn a chuid eolais go fial liom ar feadh an bhealaigh.

Má tá lúb ar bith ar lár in áit ar bith sa gcuntas, is ormsa amháin atá an locht.

Thug daoine éagsúla cead dom ábhar a foilsíodh cheana a chur san áireamh anseo agus gabhaim buíochas leo faoin gcead sin: le Micheál Ó Conghaile, Cló Iar-Chonnacht agus An Clóchomhar, a thug cead ábhar ó na leabhair seo a leanas a úsáid: Raiftearaí, Amhráin agus Dánta, Ciarán Ó Coigligh, An Clóchomhar, 1987; An File, Dáithí Ó hÓgáin, An Clóchomhar, 1982; Clár Amhrán an Achréidh, Proinnsias Ní Dhorchaí, An Clóchomhar, 1974; Filíocht na gCallanán, Seán Ó Ceallaigh, An Clóchomhar, 1967; Riocard Bairéad, Amhráin, Nicholas Williams, 1978; An Grá in Amhráin na nDaoine, Seán Ó Tuama, An Clóchomhar, 1960, Religio Poetae agus Aistí Eile, Eoghan Ó Tuairisc, eag. Máirín Nic Eoin, An Clóchomhar, 1987, agus Ó Bhaile go Baile, Learaí Ó Fínneadha, Cló Iar-Chonnacht, 1987.

Mo bhuíochas le Feargus Ó Snodaigh agus Coiscéim faoin gcead ábhar ón leabhar Ó Chéitinn go Raiftearaí, Vincent Morley, Coiscéim, 2011 a úsáid; le Ríonach Uí Ógáin, Cnuasach Bhéaloideas Éireann, a thug cead ábhar ó Bhailiúchán na Scol a breacadh in oirthear Mhaigh Eo a chur i gcló anseo agus a chuir cóipeanna de lámhscríbhinní ón gCnuasach ar fáil; agus le Dónal Clancy, mac Liam, an t-amhránaí mór, a thug cead dom píosa cainte a úsáid a rinne Liam Clancy faoin amhrán Eanach Dhúin ag ceolchoirm a reáchtáladh in ómós do Sheosamh Ó hÉanaí, i mBaile Átha Cliath, i 1994.

Tá mé buíoch chomh maith de Chlár na Leabhar, Foras na Gaeilge, a bhronn coimisiún orm leis an saothar seo a chur i gcrích agus a bhí thar a bheith foighdeach agus iad ag fanacht le toradh na hoibre a fheiceáil. Is in Ionad Tyrone Guthrie in Eanach Mhic Dheirg, Contae Mhuineacháin, a scríobhadh cuid mhaith den leabhar; mo bhuíochas le foireann an ionaid faoin bhfáilte chroíúil a chuirtear romham i gcónaí ann. Ar deireadh, ba mhaith liom buíochas ar leith a ghlacadh le mo chlann atá bodhraithe agam le fada an lá le scéalta fíorspéisiúla faoi Raiftearaí, agus le mo bhean

Cris, a thacaigh liom go fial agus go foighdeach ar feadh an ama, go háirithe ar laethanta a raibh mé ag dul i bhfostú sa bhfíodóireacht.

Tadhg Mac Dhonnagáin
Baile an Dónalláin,
Grianstad an tSamhraidh 2015

Sin mar chuir Raiftearaí síos ar Éirinn
é féin is an sceach i bpáirt a chéile.
Seanchas na Sceiche

I ndílchuimhne ar Mháirín agus ar Mháire

CLÁR

Contae Mhaigh Eo

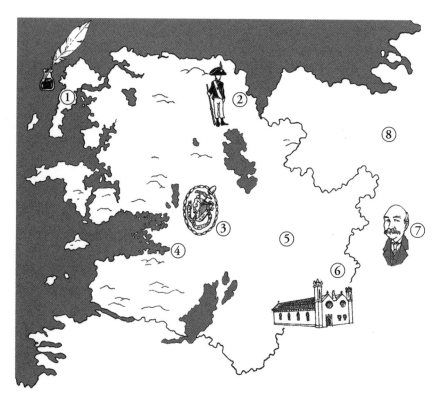

Láithreacha:

Ceantar Chill Liadáin

Both Chomhla

Cill Liadáin agus Lios Ard

Sliabh Cairn

An Pollach

Coillte Mach

Béal an Átha Mhóir

Balla

Clár Chlainne Mhuiris

Contae na Gaillimhe

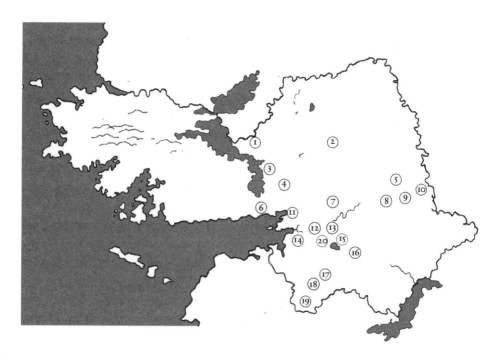

Láithreacha:

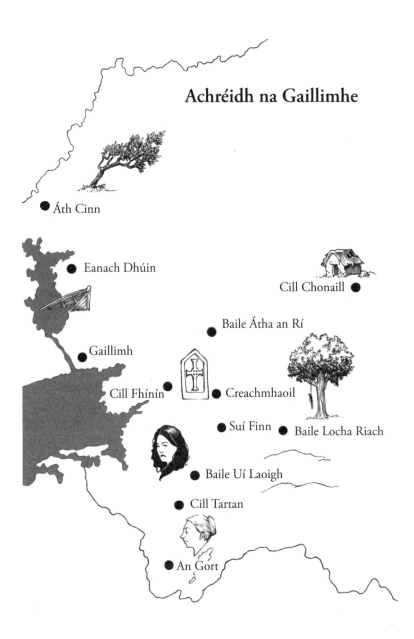

Achréidh na Gaillimhe

Áth Cinn

Eanach Dhúin

Cill Chonaill

Baile Átha an Rí

Gaillimh

Cill Fhínín

Creachmhaoil

Suí Finn

Baile Locha Riach

Baile Uí Laoigh

Cill Tartan

An Gort

1

MHÚCH SOLAS AGUS THÁINIG ÉICLIPS

Sladaí an bás a charnas ríthe
prionsaí arda is tiarnaí tíre
bheir sé an t-óg leis, an mór is an críonna
le fastó scóige os comhair na ndaoine.

ACHAINÍ RAIFTEARAÍ AR ÍOSA CRÍOST

BHÍ CHUILE SHÓRT go breá go dtí gur bhuail an tubaiste iad. Ní daoine saibhre a bhí iontu, ach ní raibh siad beo bocht ach oiread. Fíodóir a bhí sa Reachtabhrach. Ceardaí a bhí ann, fear a raibh beagáinín beag stádais sa saol aige, le hais spailpíní agus feilméaraí beaga an cheantair. Níor ghá do dhuine mar é a bheith ag streachailt go síoraí le drochaimsir agus le talamh bocht Oirthear Mhaigh Eo. Ní hionann agus an t-oibrí siúil, bhí údar áirithe ag an Reachtabhrach a bheith dóchasach as an todhchaí a bhí roimhe féin a bhean agus a gclann óg. Níor thuig sé fós gur bás tobann a bhí i ndán do na gasúir agus briseadh croí a bhí ag fanacht leis féin agus lena bhean.

Naonúr de mhuirín a bhí ar mhuintir Uí Reachtabhraigh. In ainneoin go mbíodh ocras ar na gasúir ag dul a chodladh dóibh anois is arís, ní raibh an drochshláinte ag cur as mórán don chomhluadar. Bhíodh srón ag sileadh anseo agus casachtach chléibh ansiúd ina measc, cinnte; bhíodh sciortáin ag gabháil dóibh sa samhradh dá mba sa bhfraoch a bhí siad ag spraoi. Dhódh na neantóga a gcosa

I

nochta. Bhaineadh seangáin agus míoltóga corrphlaic astu. Ach thairis sin, bhí siad ag cruachan leo, an cailín ba shine ag tabhairt cúnaimh leis an bpáiste nuabheirthe, an dá mhac ba láidre ag cabhrú leis an gcuradóireacht san earrach agus ag gróigeadh móna le teas an tsamhraidh.

Ach le teacht an tinnis, am éicint i gcaitheamh na bliana 1784, tháinig cor mór i gcinniúint an líon tí sin ar an Seanbhaile, le taobh an Tí Mhóir, ar bhaile Chill Liadáin. Agus níorbh é an t-aon teaghlach amháin é ar tháinig plá marfach dá shórt thar tairseach isteach ann.

An galar breac a thugtaí ar an tinneas in áiteacha. Galar breac na spéire a bhí chomh maith air, nó an bholgach, nó bolgach Dé. Ach cibé cén t-ainm a bhí ag daoine air, bhí an faitíos céanna ar an uile dhuine roimhe, agus ní gan chúis.

Ón uair a raibh sé tagtha chun solais sa domhan thoir trí mhíle éigin bliain roimhe sin, bhí faitíos a mbáis ar dhaoine roimh an ngalar breac. Ar feadh na gcéadta bliain, leathnaíodh ráigeanna den ghalar mar néal míthrócaireach thar dhroim an domhain. Mharaigh sé na milliúin daoine. Agus níorbh iad na bochtáin amháin a bhí thíos leis. Is é an galar breac a mharaigh Máire ll, Banríon Shasana sa mbliain 1694. Sa mbliain 1730, sciob sé leis Peadar ll, Impire óg na Rúise is gan aige ach cúig bliana déag d'aois. Leag sé Seosamh l, Impire na hOstaire, i 1711. Is é ba chionsiocair báis d'Ulrike, Banríon na Sualainne agus do Louis XV, Rí na Fraince, araon. Ní háibhéil a rá gur chuir galar breac na spéire cor i stair an chine dhaonna ar chúpla ócáid.

Casachtach a chuir tús leis an tubaiste tigh Raiftearaí. Ar dtús, shíl bean an tí nach raibh ann ach slaghdán a bhí ar an leaidín ab óige. Ina dhiaidh sin féin, bhí amhras uirthi. Nuair a bhuail an fiabhras é, tháinig buairt uirthi. Agus nuair a thosaigh an cailín ba shine ag éagaoin go géar faoi thinneas droma, scanraigh sí. Thosaigh sí ar na horthaí a aithris, na seanphaidreacha leighis a bhí aici óna hathair, duine de mhuintir Uí Bhraonáin ó bhun Shliabh Chairn, an cnoc taobh thiar de bhaile Choillte Mach. Ba ghearr go raibh an Ortha ar Thinneas Droma le cloisteáil uaithi i ndorchadas na hoíche:

> Go dtóga Peadar, go dtóga Pól,
> Go dtóga, Micheál, go dtóga Eoin,
> Go dtóga, Molaise, go dtóga Maolra
> An bhorbphian seo as do dhroim.

Bhailigh sí buaircíní ón gcrann iúir ar chúl an Tí Mhóir agus chuir sí trí cinn acu le caoldroim a hiníne, in onóir don Athair, don Mhac agus don Spiorad Naomh. Ach níor chuir an méid sin féin an saol ina cheart. Faoi cheann lá nó dhó eile, bhí beirt eile de na gasúir ag éagaoin le tinneas cinn. Bhí teocht an-ard tagtha ar dhuine eile. Scaip an fiabhras mar a bheadh loscadh sléibhe ann ó dhuine go duine. Ansin, faoi cheann dhá lá eile, tháinig deireadh leis. Chonaic bean an tí loinnir bheag dóchais i súile Antaine, an leaidín cúig bliana d'aois. Choinnigh sí uirthi leis na paidreacha, í ag súil ar feadh an ama go gcasfadh an taoille. Faoin am seo, bhí an fíodóir é féin chomh buartha céanna lena bhean. Thosaigh sé ar na horthaí a aithris ina cuideachta:

> Aspal Fionn do do leigheas
> Aspal Donn do do leigheas
> Aspal Aonmhic Dé do do leigheas

Ach in ainneoin na bpaidreacha agus na n-orthaí, in ainneoin na bpisreog agus na ndeasghnátha, ní raibh aon leigheas i ndán do na gasúir. Tháinig gríos ar éadan Antaine, gríos a chuir tochas aisteach air. Ba ghearr go raibh sé ar bhos a lámh aige. Faoi cheann cúpla lá, bhí na gasúir ar fad clúdaithe leis.

Trí lá ina dhiaidh sin arís, bhí ochtar de naonúr muirín an fhíodóra sínte ar urlár na cistine, fuar marbh. Duine amháin a bhí fanta beo, más ar éigean féin é. Bhí éadan Antaine leonta le marcanna breaca

3

an tinnis. Ach níos measa go mór fada ná na marcanna a bhí ar fud a chraicinn, bhí radharc na súl bainte de.

2

MISE RAIFTEIRÍ AN FILE

Ach anois níl gar ag trácht air,
tá an t-oidhre i bhfad ó bhaile,
agus ní fhillfidh sé go brách,
an fhad is bheas Gaeilge i nGaillimh.

AMHRÁN CHILL CHLUAINE

CÉ GO BHFUIL EOLAS MAITH ar ainm Raiftearaí mar fhile, tá
deacrachtaí ar leith ag baint le scéal a bheatha a scríobh. Is ag
brath ar thrí chineál foinse atá muid le heolas a chur air: ar
chumadóireacht an fhile féin, de réir mar a tháinig sí anuas chugainn
ó lámhscríbhinní a breacadh sa leithchéad bliain i ndiaidh a bháis; ar
an traidisiún béil, a chuireann leaganacha dá chuid cumadóireachta
ar fáil, chomh maith le seanchas faoi shaol an fhile; agus ar chuntais
scríofa a bhreac daoine a raibh aithne phearsanta acu air.

Níl ach trí cinn ar fad de chuntais againn ó dhaoine a mhair
lena linn: ceann amháin ná dán a chum file darbh ainm Marcas Ó
Callanáin, dán a d'fhéach le Raiftearaí a mhaslú agus a náiriú os comhair
an tsaoil. Ceann eile ná alt an-ghearr a bhreac an staraí Gaillimheach
James Hardiman faoin bhfile, an t-aon chuntas comhaimseartha a
scríobhadh faoi i mBéarla.

Cuntas de chineál eile é an tríú ceann, ach ó tharla gurb é an
ceann is mó atá tar éis dul i bhfeidhm ar an tuiscint atá ag muintir
na hÉireann trí chéile ar shaol agus ar phearsantacht an fhile, is fiú

féachaint go grinn air. Tuairisc atá ann ar chomhrá gearr a bhí ag an té a scríobh é le Raiftearaí féin. In 1882 a breacadh ar phár a thuairisc, sé bliana agus dhá scór i ndiaidh don fhile bás a fháil i scioból i gCreachmhaoil, baile atá suite cúig chiliméadar agus fiche taobh thoir de chathair na Gaillimhe. Agus is i bhfad ó Chreachmhaoil a scríobhadh an tuairisc seo: i mbaile Oswego, áit atá thart ar cheithre chéad seasca ciliméadar siar ó thuaidh de chathair Nua-Eabhraic.

Baile cúlráideach é Oswego, baile calafoirt atá suite ar Loch Mór Ontario. Sa lá atá inniu ann, tá sé thart ar an méid céanna le Baile Átha Luain. Is ann a bhíonn tarraingt ar bháid mhóra lastais, ag breith leo earraí ó chuile aird den domhan, isteach ón Atlantach, anoir trí Loch Mór Ontario. Ar an taobh thoir theas den loch mór atá Oswego suite. Sníomhann teorainn na Stát agus Ceanada trí uiscí doimhne an locha – ar an mbruach thiar thuaidh atá cathair mhór Toronto.

'Sceitheadh' is brí leis an bhfocal 'oswego' agus is ón teanga bhundúchasach Iroquois a thagann sé, teanga, nó grúpa teangacha le bheith cruinn, a labhraítear i gcónaí in áiteacha i dTuaisceart Stát Nua-Eabhraic.

Ach is ar theanga bhundúchasach eile a bhí a aird ag fear amháin a tháinig chun cónaithe in Oswego, am éicint i ndiaidh Ghorta Mór na hÉireann, sa dara leath den naoú haois déag. Bhí a fhód dúchais, lámh le Baile Locha Riach in oirthear Chontae na Gaillimhe fágtha ag Seaghán Ó Cealla suim blianta roimhe sin, le saol nua a dhéanamh dó féin san Oileán Úr. Ach má bhí, thug a chroí taitneamh i gcónaí do theanga a mhuintire. Bhí máistreacht ag an gCeallach ar léamh agus ar scríobh na Gaeilge, scil nach raibh an uair sin chomh coitianta is atá ar na saolta deireanacha seo.

Sa mbliain 1881, cuireadh tús le togra úrnua i saol na Gaeilge, togra nach raibh a leithéid feicthe go dtí sin in Éirinn féin: bunaíodh irisleabhar míosúil Gaeilge. *An Gaodhal* an teideal a bhí ar an iris, a raibh ráiteas misin breá uaillmhianach aici:

leabharaithris míosamhail, tabhartha chum an teanga

6

Ghaeidhilge a chosnadh agus a shaorthughadh agus
chum féin-riaghla Cinidh na hÉireann

Micheál Ó Lócháin ab ainm don bhunaitheoir agus, ach an oiread
le Seághan Ó Cealla, ba Gaillimheach é. I gCurach an Doire, lámh
le Baile an Mhuilinn in oirthuaisceart an chontae, a rugadh é. I
mBrooklyn Nua-Eabhrac a bhí Ó Lócháin lonnaithe: faoin am ar
bhunaigh sé *An Gaodhal,* bhí sé ag obair mar ghníomhaire eastáit
réadaigh agus seal tugtha roimhe sin aige ina phríomhoide ar scoil
Our Lady of Victory i mBrooklyn.

Ba ghearr go raibh eolas curtha ag Seaghan Ó Cealla ar a chomh
Ghaillimheach sa gcathair mhór agus ar an iris Ghaelach a bhí
bunaithe aige. Thosaigh an Ceallach ar chorrphíosa ceapadóireachta
á chur faoi bhráid an eagarthóra.

Is de bharr obair na beirte seo a mhaireann beo ceann de na
píosaí filíochta is cáiliúla a leagtar ar mhac dall an fhíodóra ó Chill
Liadáin, an fear a bhfuil aithne ar fud na hÉireann air as an liric
ghearr chéanna, *Mise Raifteirí an File.*

Bhí an té a bhí luaite leis, an file pobail Antaine Ó Reachtabhra,
tar éis bháis Oíche Nollag na bliana 1835, i scioból Dhairbí Uí
Chluanáin, lámh le Creachmhaoil, in oirthear na Gaillimhe. Sé
bliana le cois an leithchéid a bhí aige nuair a cailleadh é. Agus cé
nach raibh léamh ná scríobh ag an bhfile é féin, bhí eolas forleathan
go maith i gConnachta, agus i gContae na Gaillimhe go mórmhór,
ar na hamhráin agus ar na dánta a chum sé lena linn. Faoin uair
ar scríobh Seaghán Ó Cealla a litir chuig *An Gaodhal,* bhí roinnt
díograiseoirí in Éirinn ag bailiú véarsaíocht Raiftearaí ón seandream
in oirthear na Gaillimhe a raibh cuimhne acu ar an bhfile féin nó
ón iliomad duine a raibh a chuid amhrán agus dánta tugtha leo acu
ón nglúin a chuaigh rompu. Bhí corrdhuine i Meiriceá i mbun na
hoibre sin freisin faoin tráth sin, ag scríobh síos véarsaí an fhile óna
gcuimhne féin.

Ach ar chúis éigin, bhí an liric bheag amháin sin *Mise Raifteirí
an File* fágtha gan bhreacadh ag duine ar bith den iliomad scríobhaí

a d'fhéach le véarsaíocht Raiftearaí a bhuanú do na glúnta a bhí fós
gan bhreith. Murach gur tharraing Seaghán Ó Cealla peann agus
pár chuige féin, é ina shuí ag bord na cistine in Oswego, breis agus
trí mhíle míle bealaigh ón gceantar inar chaith Raiftearaí a shaol
cumadóireachta, ní bheadh eolas againn ar an tseoidín bheag seo
de dhán. Is mar seo a chuir Ó Cealla an dán i láthair eagarthóir
na hirise *An Gaodhal*, sa litir a sheol sé go Brooklyn i samhradh na
bliana 1882:

> Oswego, an t-ochtú lá déag de
> mhí seo Iúil, míle ocht gcéad dá
> agus ceithre fichid

D'Fhear Eagair an Ghaodhail:

A Dhuine Uasail,
Cuirim an beagán seo chugat, mar do chuala mé Raiftearaí ag
teach damhsa, in áit a raibh sé ag seinm cheoil. D'fhiafraigh
duine cé hé an ceoltóir; d'fhreagair Raiftearaí:

> Mise Raifteiri an file,
> Lán dóchais agus grádh',
> Le súilibh gan solus
> Ciúineas gan chrádh.

> Dul siar ar m'aistear
> Le solus mo chroidhe,
> Fann agus tuirseach
> Go deireadh na slighe.

> Tá mé anois
> Agus m'aghaidh ar bhalla
> Ag seinnm ceóil
> Do phócaibh falamh'.

B'as Contae Mhaigh Eo do mháthair Mhichíl Uí Lócháin, agus ó tharla gur fhás sé féin suas ar fheirm bheag a bhí buailte le teorann an chontae sin, is mór an seans go raibh eolas aige roimhe sin ar Raiftearaí; mar sin bhí bá ar leith aige leis an ábhar.

Fear é Ó Lócháin ar ghoill íomhá na nGael i Meiriceá air. Bhí droch-cháil tarraingthe ar a thír dhúchais ag na teifigh a tháinig go Meiriceá ina bplódanna aimsir an Ghorta Mhóir, an tubaiste a bhuail Éire deich mbliana i ndiaidh don fhile dall a bheith sínte i gcré na cille. Dream cráite a bhí i gcuid mhaith de na chéad imircigh Éireannacha sin. Bhí siad ar bheagán oideachais agus ar bheagán féinsmachta. Luigh siad isteach ar an ólachán lena gcroíthe briste a leigheas. Bhí siad achrannach, ciotrúnta. B'iad a chruthaigh an íomhá sin de na hÉireannaigh a mhaireann go tréan i gcónaí i Meiriceá: gur dream iad atá an-tugtha don ól. B'iad a spreag fostóirí agus lucht tithe lóistín leis an bhfógra 'No Irish Need Apply' a chrochadh i bhfuinneoga i Nua-Eabhrac agus i mBoston.

Ach níorbh in an cineál duine é Micheál Ó Lócháin. D'oibrigh sé go dúthrachtach agus é i mbun na hirise, ar chuid í den obair a raibh sé sáite inti le blianta maithe roimhe sin, le teanga na nGael a chur chun cinn i measc na n-imirceach Éireannach. Mar dhuine a raibh féith na múinteoireachta ann, theastaigh uaidh a chur i gcuimhne do Ghaeil Mheiriceá gur bhain siad le dream a raibh foghlaim orthu, dream a mbíodh baird ghairmiúla ag saothrú ina measc tráth, dream a raibh bunús domhain, saibhir lena gcultúr.

Foilsíodh litir fhear Oswego in eagrán mhí Iúil, 1882, de *An Gaodhal*, faoin ainm cleite *Baile Chraoch*. Dar le Ciarán Ó Coigligh, údár an tsaothair *Raiftearaí, Amhráin agus Dánta*, is leagan den logainm 'Baile Locha Riach' atá i gceist leis an ainm cleite a roghnaigh an Ceallach. Ba mhór i gceist na hainmneacha cleite ag Gaeil na hAthbheochana – leithéidí '*Tórna*', an fear a spreag Máirtín Ó Direáin chun filíochta lá níos faide anonn; '*Fionn mac Cumhaill*', an té a scríobh *Na Rosa go Brách* agus '*An Craoibhín Aoibhinn*', an *nom de plume* a roghnaigh Gael eile a raibh baint mhór aige le scéal Raiftearaí.

Mar cé gurbh é Seághan Ó Cealla a thug slán an dán ón díchuimhne, agus Micheál Ó Lócháin a chuir i gcló den chéad uair i mBrooklyn é, is é an Craoibhín Aoibhinn céanna a chuir go mór le cáil an dáin. Murach é siúd, seans go mbeadh an liric ligthe i ndearmad arís, in ainneoin iarrachtaí na beirte i Meiriceá aird a tharraingt air.

Douglas Hyde a baisteadh an chéad lá ar an gCraoibhín Aoibhinn. Ba mhac é le ministir de chuid Eaglais na hÉireann, Arthur Hyde, a bhí lonnaithe i nDún Gar, sráidbhaile atá suite thart ar dhá chiliméadar déag soir ó Bhealach an Doirín, in iarthuaisceart Chontae Ros Comáin. Chomh maith leis an ainm cleite maisiúil a roghnaigh sé, chuir Douglas an leagan Gaeilge dá ainm, Dubhghlas de hÍde, le cuid mhór dá shaothar scríbhneoireachta i gcaitheamh a shaoil. Is duine é a d'oibrigh go dian ar feadh na mblianta le haird a tharraingt ar Raiftearaí agus ar a chuid véarsaíochta, i ndiaidh dó eolas a chur ar véarsaíocht an fhile agus é ina leaid óg i Ros Comáin.

Tuairim is sé bliana déag d'aois a bhí mac an mhinistir an chéad uair a chuala sé líne ar bith de chuid Raiftearaí, lá geimhridh thart ar an mbliain 1875. Duine é Douglas óg a raibh nádúr ar leith aige leis an gcosmhuintir Chaitliceach ina thimpeall agus lena dteanga Ghaeilge, a bhí á labhairt i gcónaí thart ar a fhód dúchais. Bhí isteach is amach le dhá scór bliain caite ó bhásaigh file Chill Liadáin faoin lá cinniúnach ar chuala Hyde óg a chuid filíochta den chéad uair. Is mar seo a chuireann sé féin síos ar an lá sin:

D'éirígheas amach, lá breágh seaca san ngeimhreadh, mo ghadhairdín le mo chois agus mo ghunna ar mo ghualainn, agus níorbh' fhada chuaidh mé nó go gcuala mé an seanfhear ag doras a bhotháin agus é ag gabháil go binn dó féin...

Is é an t-amhrán rithimiúil *Contae Mhaigh Eo* a bhí á rá ag an seanfhear. Is cosúil nach raibh a fhios aige siúd cé a chum an t-amhrán ach d'iarr mac an mhinistir ar an seanfhonnadóir an dá véarsa a bhí aige a mhúineadh dó, rud a rinne. Ní bhfuair Hyde amach go ceann

cúig bliana déag ina dhiaidh sin arís gurbh é Raiftearaí a chum is
a cheap an t-amhrán. Is ag póirseáil i measc seanlámhscríbhinní i
gcartlann Acadamh Ríoga na hÉireann i mBaile Átha Cliath a bhí sé
nuair a tháinig sé ar cheann a raibh *Contae Mhaigh Eo* air, agus riar
maith píosaí eile de chuid Raiftearaí breactha ann.

I mblianta deireanacha an naoú haois déag, le linn dó bheith ag
déanamh taighde don chnuasach dátheangach *Abhráin atá Leagtha
ar an Reachtúire* nó *Songs Ascribed to Raftery*, is cosúil gur leag de
hÍde súil ar an eagran áirithe sin de *An Gaodhal*. Thaitin an dáinín
agus cuntas Sheághain Uí Chealla go mór leis. Chuir sé an liric san
áireamh sa díolaim dhátheangach de shaothar Raiftearaí a tháinig
uaidh sa mbliain 1903. Is mar seo a chuir sé síos air:

Is beag de neithibh, dar liom-sa, a chorruigheas an croidhe
mar an freagradh do thug sé [Raiftearaí] ar dhuine éicint do
chonnairc é ag seinnm, agus nár aithnigh é. D'fhiafruigh
an fear so d'ós árd, 'Cia hé an ceoltóir?' agus d'fhreagar an
bheidhleaidóir dall....

Tá difríochtaí beaga ann idir leagan Bhaile Chraoch agus an leagan
a cuireadh i gcló i leabhar an Chraoibhín: *'le súile gan solas, ciúnas
gan crá'*, atá ag de hÍde, cuir i gcás, gan 'le' roimh an bhfocal 'ciúnas';
'Tá mé anois le m'aghaidh ar bhalla' atá aige in ionad *'Féach anois mé
agus m'aghaidh ar bhalla'*. Ach seachas na mionphointí sin, is mar a
chéile an dá leagan.

Thaitin an léargas íogair, séimh atá ar fáil sa liric de Raiftearaí,
an file siúil, leis an bpobal in Éirinn, díreach mar a thaitin sé leis an
gCraoibhín Aoibhinn agus le Micheál Ó Lócháin, an chéad uair ar
léigh seisean an dán i mBrooklyn i samhradh na bliana 1882. Chuir
muintir na Gaillimhe suim ar leith ann, mar cé go raibh dánta,
amhráin agus agallaimh bheirte go leor de chuid Raiftearaí fós beo
beathaíoch ar bhéal na ndaoine, ní raibh eolas ar bith ar an liric a
tháinig ó fhear Oswego Nua-Eabhraic.

De bharr gur eagrán dátheangach a bhí sa gcnuasach a tháinig ó pheann de hÍde in 1903, chuaigh an leabhar i gcion go mór chomh maith ar an dream ealaíontóirí ar tugadh ina dhiaidh sin An Ghluaiseacht Angla-Éireannach orthu, dream nach raibh eolas ag a bhformhór ar an nGaeilge.

Duine acu sin ba ea Lady Augusta Gregory, bean de chuid na n-uaisle Protastúnacha a rugadh i dTeach Mór Roxborough House, i gCill Chríost, lámh le hArd Raithin i ndeisceart Chontae na Gaillimhe. Perrse a bhí ar a muintir féin: sa mbliain 1880, phós sí Sir William Gregory, iarGhobharnóir Ceylon agus úinéir Theach Mór na Cúile, lámh leis an nGort, i ndeisceart na Gaillimhe. Nuair a cailleadh a fear céile sa mbliain 1892, tháinig Lady Gregory chun cónaithe sa gCúil agus de réir a chéile, chuir sí an-suim i gcultúr Gaelach an cheantair.

Cé nár éirigh léi an mháistreacht chéanna a fháil ar theanga na nGael lena dlúthchara, de hÍde, chuir an Bhantiarna Gregory an-suim go deo i scéal Raiftearaí ach go háirithe: ba chuairteoir rialta an file siúil ar cheantar Chill Chríost tráth, agus bhí neart seanchais fós ar fáil sa gceantar faoi nuair a thosaigh Lady Gregory ag cur a thuairisce. Chuir an Bhantiarna stró nach beag uirthi féin go pearsanta agus í ag siúl chúlbhóithre Oirthear na Gaillimhe agus Oirthear Mhaigh Eo araon, ag bailiú scéalta ó bhéal na ndaoine faoi Raiftearaí agus ag cur eolas maith ar shaothar an fhile. Agus í ag déanamh iontais faoina laghad féintrua atá le sonrú ina shaothar, (cé go mba fear é Raiftearaí a raibh údar go leor aige le bheith ag déanamh trua dó féin,) tá an méid seo le rá aici:

..there is a little sadness in the verses he made in some house, when a stranger asked who he was:
'I am Raftery the poet, full of hope and love; with eyes without light, with gentleness without misery.
'Going west on my journey with the light of my heart; weak and tired to the end of my road.
'I am now, and my back to a wall, playing music to empty pockets.'

Spéisiúil go leor, sa leabhar céanna óna peann inar foilsíodh an sliocht sin, *Poets and Dreamers*, tá píosa eile cumadóireachta ar fáil a bhfuil cosúlachtaí móra idir é agus roinnt de na línte thuas. Ach ní ar fhile Chill Liadáin atá na véarsaí eile seo leagtha ach ar fhile darbh ainm Seán de Búrca. Bhí aithne mhaith ag Raiftearaí ar an mBúrcach céanna. Bhíodh sé ag caitheamh spallaí leis agus iad ag tabhairt dúshláin a chéile, i bhfoirm véarsaíochta go minic, nuair a chastaí ar a chéile iad ag aontaí agus ar bhainiseacha ar fud an Achréidh.

Is ar lá aonaigh i gCeapaigh an tSeagail, lámh le hEachroim in oirthear na Gaillimhe a cumadh na línte a bhfuil tuairisc ag an mBantiarna Gregory orthu ina leabhar *Poets and Dreamers,* de réir na gcuntas béil a bhailigh sí féin i mblianta deireanacha an naoú haois déag. Casadh an Búrcach agus Raiftearaí ar a chéile i dteach leanna ar an mbaile agus thosaigh siad ag sacadh faoina chéile mar ba dhual dóibh. Seo leagan Béarla Gregory den sáiteán a chaith an Búrcach le file Mhaigh Eo:

'Raftery a poet, and he with bracked shins, And he playing music with catgut; Raftery the poet, and his back to the wall, And he playing music for empty pockets. There's no one cares for his music at all, but he does be always craving money.'

Cuireann Gregory an t-aguisín seo leis na línte véarsaíochta.

For he [Raiftearaí] was sometimes accused of love of money.

Coinníonn sí uirthi ansin, agus tuairisc dhíreach aici ar an méid a dúirt duine ón gceantar léi faoin eachtra:

'he [Raiftearaí] wouldn't play for empty pockets, and he'd make the plate rattle at the end of a dance.'

Aisteach go leor, cé nach bhfuil dé ná deatach ar leagan Uí Chealla den liric *Mise Raifteirí* i mórán lámhscríbhinn ar bith de chuid an naoú haois déag, tá bunleagan Gaeilge de chuid de línte Sheáin de Búrca ar fáil:

> Rafteridh an poet agus a lurgan breac
> Ag seinm ceoil le stéigeachaibh cat.
>
> Rafteridh caoch agus a chúl le balla
> Ag seinm ceoil le pócaidh falamh.

Scríobh an Bhantiarna Gregory síos an tuairisc seo a leanas ó dhuine áitiúil:

> '...John Burke...was a good poet too; he and Raftery would meet at fairs and weddings, and be trying which would put down the other.'

Más file maith féin a bhí sa mBúrcach, is cosúil nár mhair a cháil go forleathan i ndiaidh a bháis. Is é an dán is mó a choinníonn a ainm beo sa lá atá inniu ann ná píosa fada dar teideal *Fiach Sheáin Bhradaigh*. Tá dhá chéad tríocha líne ar fad sa dán, é leagtha amach ina véarsaí ceithre líne – seacht véarsa agus caoga ar fad. Ach níorbh é an Búrcach a chum, ach Raiftearaí. Ionsaí binbeach atá sa saothar ar Sheán de Búrca féin, ní hamháin ar a chumas mar fhile ach ar a mhianach mar dhuine. Gadaí gan náire atá sa mBúrcach, dar le Raiftearaí:

> Níl maith á cheilt ná ag déanamh rúin air
> ós caint í a dúradh is a chuaigh i gcrosard,
> gach ní dá ngoidtear ó Áth Cinn go Tuamhain
> go bhfaighfeá a thuairisc in ualach Sheáin.

Má bhí croí Raiftearaí *'lán dóchais is grádh'*, an oíche ar casadh Seaghán Ó Cealla air agus é siúd ina leaidín óg, ní shin an spion a bhí air agus é ag cumadh a dháin faoi Sheán de Búrca:

Na cosa go gcaille tú ó na glúine,
radharc na súl agus lúth na lámh,
Loibhre Ióib go dtaga anuas ort,
an eachma, an rua agus easbaidh bhrád.

Fiabhras creathach, fail is tocht fuail ort,
sin go luath agus galar an bháis,
an ghruaig go dtite de do mhalaí gruama
is ná raibh ort cluasa ach amháin a n-áit.

Cá bhfágann an méid sin 'Mise Raifteirí an File' an dán a chuir an file i láthair mar fhear séimh, grámhar, ciúin? An fíor do Sheán Ó Cealla gur píosa filíochta é a chuir an file uaidh nuair a chuala sé an fear óg ag fiafraí cérbh é féin? An comhtharlúint atá ann go bhfuil cosúlacht mhór idir é agus na línte a chum an Búrcach, más fíor, le bheith ag caitheamh anuas ar fhear Chill Liadáin? Nó an athleagan measúil, sibhialta atá sa liric de na línte maslacha a chum Seán de Búrca, athleagan a cuireadh i dtoll a chéile ar bhruach Loch Mór Ontario, b'fhéidir, am éicint roimh an 18ú Iúil, 1882?

Tá an dá thuairim ann faoin dán. Táthar ann a chreideann gurbh é Raiftearaí a chum – an tuairim atá ag cuid mhaith daoine a bhful cuimhne acu ar an dán óna laethanta scoile. Ina measc, tá an scríbhneoir Criostóir Ó Floinn, fear a bhfuil obair mhór déanta aige féin le Raiftearaí a choinneáil i mbéal an phobail. Chomh maith leis an dráma cumasach faisnéise uaidh, *Mise Raifteirí an File*, tháinig leabhar breá i mBéarla ó Mhac Uí Fhloinn sa mbliain 1998, *Blind Raftery*. Sa leabhar sin, tugann sé dúshlán tráchtairí áirithe - '.... *scholars more pedantic than Hyde, [who] have decided that the piece was not composed by Raftery at all.*'

Déanann Ó Floinn amach go mbaineann *Mise Raifteirí* leis an réimse sin de shaothar an fhile a dtugann sé *'incidental utterances'* orthu, píosaí atá ar aon dul le roinnt *occasional quatrains* eile atá san áireamh ina leabhar aige. Tugann lucht an bhéaloidis 'rannscéalta' ar a leithéid: scéilíní faoi charachtar a bhfuil cáil ar leith air sa traidisiún agus eachtra éigin a bhain leis. Is minic gur scéal barrúil atá ann, nó scéal a léiríonn géire intinne agus tráthúlacht chainte an charachtair atá i gceist. Mar shampla, insítear an scéal seo faoi lá ar dhiúltaigh bean feilméara greim dinnéir do Raiftearaí, cé go raibh torann an phota cloiste ag Raiftearaí agus boladh na beatha faighte aige sular bhuail sé cnag ar dhoras an tí:

> Cluinim an torann
> Ach ní fheicim an bia:
> An té 'dhéanfas leathchuma orm
> Nár fheice sí Dia.

Nó an ceann seo a leagtar ar Raiftearaí agus é ag gearán faoi chaighdeán a lóistín, oíche ar cuireadh ina luí ar ghabháil fraoigh é:

> Tá mé ar an saol seo le míle mí,
> Buailim go caoin ar gach port,
> Ach níor dearnadh riamh díom coileach fraoigh
> Go dtáinig mé go dtí an teach seo anocht.

Nó an ceathrú seo a thug sé mar fhreagra, más fíor, ar Bhíoblóir a bhí ag iarraidh é a chasadh ar an gcreideamh Protastúnach:

> Fág uaim d'Eaglais Ghallda
> Is do chreideamh gan bhonn gan bhrí
> Mar gurb é is cloch bhonn dóibh
> Magairlí Anraí Rí.

Nó an píosa seo, a chuir sé uaidh sé os comhair cúirte, más fíor, nuair a d'fhiafraigh an Giúistís dó cá raibh cónaí air:

> In Órán Mór atá mé i mo chónaí
> I nGaillimh atá mo theach
> I mBleá an Rí a bhím go síoraí

Is i dTuaim a dhéanaim mo chac.

Bhí traidisiún saibhir ann den chineál sin rannaireachta, stíl a chuirfeadh an tobchumadóireacht a bhíonn ar siúl ag *rappers* an lae inniu i gcuimhne, agus iad i mbun na reacaireachta a dtugann siad 'freestyling' air. Deirtear go raibh scil ar leith ag an Muimhneach, Eoghan Rua Ó Súilleabháin sa tobchumadóireacht sin: ráitis ghonta, ghasta a bhíodh i gceist, ráitis a dhearbhódh go raibh oiread máistreachta ag an bhfile ar a theanga go bhféadfadh sé rann a thabhairt uaidh i bpreab na súl a chuirfeadh a mhísásamh, nó a dhánaíocht, nó a dheisbhéalacht in iúl i véarsaíocht rithimiúil, shlachtmhar. Dar le húdar *The Hidden Ireland*, Dónal Ó Corcara, bhí traidisiún na filíochta chomh tréan sin i Sliabh Luachra, ceantar dúchais Uí Shúilleabháin, go raibh cuid mhaith daoine sa bpobal in ann ceathrú snasta a chur díobh ar an toirt:

...no day would pass over those fields about his house without impromptu verses having been made, the labourers flinging them out almost as readily as the schoolmasters.

Ach an snoíonn *Mise Raifteirí an File* isteach leis an stíl tráthúil dheisbhéalach sin? Cé go bhfuil gach ceann de na rannta gonta thuas atá leagtha ar Raiftearaí ag teacht le glór an fhile mar is eol dúinn é ó na dánta fada eile a chum sé, an féidir an rud céanna a rá faoi *Mise Raifteirí an File*?

Duine eile a chreid gurbh é Raiftearaí a chum ná Dermot MacManus, cé go bhfuil tuairim eile ar fad aige faoin mbunús a bhí leis an dán. Scríbhneoir é MacManus a tógadh i Sasana ach a raibh ceangal láidir aige le fód dúchais Raiftearaí: cheannaigh a sheanathair Teach Mór Chill Liadáin thart ar lár na bliana 1860 agus le linn óige Dermot, bhí aint leis, Lottie MacManus, úrscéalaí aitheanta Béarla agus díograiseoir ar son chultúr na nGael, ina cónaí sa teach. Thagadh Dermot anall ó Shasana ann go tráthrialta agus chuir sé an-suim i seanchas an cheantair. Bhí cáil ar an leabhar a tháinig uaidh féin, *The Middle Kingdom,* leabhar a chuir síos ar an mbéaloideas a bhain leis an slua sí i gceantar Chill Liadáin. Cara le file mór na hathbheochana AnglaÉireannaí, WB Yeats, a bhí i MacManus agus an-suim ag an mbeirt acu i gcúrsaí osréalachais.

Dar leis siúd, is le teann cantail, agus ní le teann dóchais is grá a cumadh *Mise Raifteirí an File.* Seo é an seanchas a bhí cloiste aige siúd i gceantar dúchais an fhile:

> He learned to play the violin and to sing and recite, and tradition has it that what is perhaps his most famous composition 'Mise Raifterí' was delivered in frustration in the granary in Killedan House when he regarded his performance as inadequately rewarded at a Harvest dance or 'céilí'.

Ach más cantal a spreag an dán, is go séimh, cineálta a chuireann an file in iúl é, rud ab annamh leis a dhéanamh, mar a fheiceann muid ó na samplaí a luann Criostóir O'Flynn, ar chaoi ar bith. Ní cruthúnas ann féin é sin, ar ndóigh, nach leis an bhfile an dán. Is iomaí cineál véarsa a chuireann cumadóir ar bith uaidh i gcaitheamh a shaoil.

Tá an chuma ó thaobh glóir de ar an liric bheag ghearr nach leis an bhfile siúil a bhaineann sé ach le scríbhneoir a tháinig faoi anáil ghluaiseacht na Rómánsach – stíl nua liteartha a tháinig chun cinn i gcaitheamh an ochtú haois déag san Eoraip. Ar ndóigh, bhí níos mó i gceist le cur chuige na Rómánsach ná stíl – tuiscint iomlán nua a bhí ann ar an ealaíontóir aonair agus ar thábhacht a chuid mothúchán agus a fhís shainiúil mar fhoinse na healaíne.

Chuir na Rómánsaigh réablóid smaointeoireachta ar bun, réabhlóid a d'athraigh tuiscint an phobail ar an gcruthaitheacht. B'iad na Rómánsaigh an chéad dream leis an nóisean a chur chun cinn gur inspioráid ba bhunús leis an gcruthaitheacht ealaíne, seachas sárcheardaíocht. Is iad siúd a chuir chun cinn an tuiscint go mba gheall le splanc thintrí fórsa na hinspioráide, splanc a bhuaileadh an t-ealaíontóir gan choinne agus a spreagadh é le dán nó dráma nó dealbh a chruthú. Leagan nua a bhí ansin den tseantuiscint, a mbeidh trácht ar ball air, a leag amach go raibh baint ag an bhfile le fórsaí osnádúrtha: deir seanchas oirthear Mhaigh Eo, cuir i gcás, gur ón slua sí a fuair Raiftearaí bua na filíochta. Tá glacadh forleathan go dtí an lá inniu féin le coincheap Rómánsach na hinspioráide, fiú sa gcultúr saolta ina bhfeidhmíonn cuid mhaith d'ealaíontóirí iarthar an domhain inniu.

Is iad na Rómánsaigh chomh maith a dhírigh an t-ealaíontóir air féin mar ábhar cumadóireachta: go dtí sin, ceapadh gur rud leithleasach é an iomarca airde a bheith ag duine air féin. Ach chreid lucht na gluaiseachta nua gur trí thuiscint a fháil air féin mar dhuine a d'fhéadfadh an t-ealaíontóir tuiscint a fháil ar an saol ina thimpeall.

Tagann *Mise Raifteirí an file* leis an gcur chuige Rómánsach - tuairisc ar shaol inmheánach an fhile atá ann. Déantar léiriú ann ar shaol mothúchánach Raiftearaí mar dhuine dall; aonarán nach bhfuil mar lóchrann aige ach solas a chroí, é ag imeacht siar ar bhóithrín na smaointe, ar aistear inmheánach a thugann a bheatha chun cuimhne dó. Duine é a mhaireann ar an imeall ach a bhfuil léargas de chineál spioradálta aige, léargas a chothaíonn é, in ainneoin a chuid deacrachtaí agus é ag déileáil le cruatan an tsaoil: is carachtar Rómánsach é go bunúsach. Cé go bhfuil míshásamh á chur in iúl aige sa dán, níl mórtas ná binib le haireachtáil sa ngearán. Ach seachas rud ar bith, is é an glór príobháideach, pearsanta atá in uachtar.

An fíor mar sin an cuntas a bhreac Seaghán Ó Cealla in Oswego cois locha maidir leis an dán *Mise Raifteirí an File*? Is é an chuma atá ar an scéal nach fíor. Ní cosúil gur *incidental utterance* de chuid an fhile atá ann ach athleagan ar na línte díspeagúla a leagtar ar Sheán de Búrca. Athleagan Rómánsach atá ann, athleagan measúil, meánaicmeach, fiú: athleagan a chuir Seán Ó Cealla i dtoll a chéile le híomhá ní ba shéimhe, ní ba dhearfaí, ní ba shibhialta a bheith luaite leis an bhfile siúil agus leis an gcultúr Gaelach lenar bhain sé. Mar Ghael sibhialta, foghlamtha é féin, bhí fonn air an íomhá sin a chur in iúl dá phobal léite i Meiriceá agus bhí an fonn céanna ar fhoilsitheoir an dáin, an díograiseoir measúil, cultúrtha, Micheál Ó Lócháin.

I gCill Liadáin agus i gCoillte Mach na linne seo agus in Éirinn trí chéile, go deimhin, is í an tuiscint is coitianta atá ag daoine ar phearsantacht Raiftearaí agus ar an bhfilíocht a shíolraigh ón bpearsantacht sin ná an cur síos ar an dall séimh siúlach atá ar fáil sa dá líne dhéag de *Mise Raifteirí an File*. Ach leis an bhfile casta, cantalach, cumasach a thuiscint, ní mór a scéal a chloisteáil ón tús. Leis an liriceoir lánfhásta a mheas, ní mór athchuairt a thabhairt ar theach an fhíodóra i gCill Liadáin. Ní mór iarracht a dhéanamh beagán aithne a chur ar an bpáiste a d'fhás suas ina fhile siúil. Ní mór an ciúnas gan chrá a cheistiú.

3

Áras Dorcha gan Solas gan Léargas

Níl pósae in aon ghairdín,
is tá fáth caointe ag duilliúr na gcrann,
a bheith ag titim le fána,
is níl bláth glas ar bharra na dtom.

TOMÁS Ó DÁLAIGH

LE TAOBH UAIGH RAIFTEARAÍ, i reilig Chill Fhínín, baile fearainn atá suite ar bhóthar cúng a shníomhann idir baile Chill Cholgáin agus baile Chreachmhaoil in oirthear Chontae na Gaillimhe, tabharfaidh an cuairteoir dhá phíosa eolais faoi deara a bhréagnaíonn a chéile. Greanta ar leac aolchloiche tá an chéad véarsa den dán *Mise Raifteirí an file,* agus faoina bhun, tugtar dáta breithe agus báis an fhile: 1779-1835.

Tuairim is méadar os cionn na haolchloiche, taobh istigh de fhráma gloine, tá painéal clóbhuailte a chuireann síos, i nGaeilge agus i mBéarla, ar shaol an fhile. 1784-1835 na dátaí atá luaite ansiúd.

Tá an dá dháta sin, 1779 agus 1784, luaite ar fud na bhfud mar bhliain breithe an fhile. 1779 atá greannta in íochtar na deilbhe eibhir a sheasann i lár sráidbhaile Chreachmhaoil. 1784 atá luaite ar an dealbh cré-umha leis an ealaíontóir Meiriceánach Sally McKenna a nocht an Taoiseach Enda Kenny i gcearnóg bhaile Choillte Mach i gContae Mhaigh Eo sa mbliain 2011.

Mar a luadh roimhe seo, is tearc iad na cuntais scríofa atá ar fáil faoi Raiftearaí ó dhaoine a raibh aithne phearsanta acu air. Is ón staraí Séamas Ó hArgadáin a rugadh i gCathair na Mart, Co. Mhaigh Eo, ach ar fearr aithne air faoin leagan Béarla dá ainm, James Hardiman, a fhaigheann muid an tuairisc ghonta seo ar dháta breithe agus báis an fhile, ar an daille, ar an tslí bheatha a bhí aige agus ar nádúr an duine féin:

Anthony Rafferty who composed the following poems and songs was blind from the age of five years. He was born on 30 March 1779 at Culte-Magh, Co. Mayo, died 25 December 1835 near Loughrea, Co. Galway. He was a minstrel by profession; and played the violin tolerably; and was accustomed to recite his poems, as well as other old Irish compositions. He sang his own songs accompanied by the music of his violin. I knew him. He was an honest man.

Cén bunús atá leis an mbliain 1784 mar dháta breithe, mar sin? Tá míniú ag Ciarán Ó Coigligh ar an scéal. B'é siúd an chéad duine le saothar iomlán Raiftearaí a chur in eagar de réir chaighdeán scríofa na teanga atá i bhfeidhm ó na 1950idí i leith. Rinne Ó Coigligh taighde cuimsitheach ar na lámhscríbhinní de shaothar Raiftearaí atá ar fáil i leabharlanna éagsúla in Éirinn agus sa mBreatain agus is le linn dó an taighde sin a dhéanamh a fuair sé amach cén fáth a luaitear 1784 mar dháta breithe ag an bhfile. Agus é ag póirseáil trí lámhscríbhinní an naoú haois déag in Acadamh Ríoga na hÉireann i mBaile Átha Cliath, tháinig sé ar cheann a bhfuil pictiúr den fhile tarraingthe ann. Faoi bhun an phictiúir tá na focail seo a leanas: *Anthony Raftery, Irish Minstrel, died Oct. 1835. Aet 51.* Is cosúil go bhfaca céad eagarthóir Raiftearaí, Dubhghlas de hÍde, an lámhscríbhinn chéanna agus é siúd ag obair ar an bhfilíocht i mblianta deireanacha an naoú haois déag. Ghlac sé leis go raibh bliain le cois an leithchéid slánaithe ag an bhfile faoin uair a cailleadh é sa mbliain 1835. Chomhair sé siar bliain agus leithchéad agus is ar an mbliain 1784 a thuirling sé. *'Timcheall na bliana 1784'* a luann sé le breith an fhile ina leabhar féin, *Abhráin agus Dánta an Reachtabhraigh,* a foilsíodh sa mbliain 1903. Mar is léir ón nglacadh a bhí ag an liric a bhreac Seághan Ó Cealla in Oswego Mheiriceá, chuaigh leabhar de hÍde i gcion go mór ar mhuintir na hÉireann agus dá bharr sin, glacadh go forleathan leis an dáta 1784 mar bhliain breithe Raiftearaí.

Má tá comhartha ceiste ann faoi dháta breithe an fhile, tá ceann eile le cur i ndiaidh a shloinne. Ní sloinne é 'Raiftearaí' a bhfuil fáil go coitianta air in oirthear Mhaigh Eo. An chúis atá leis sin ná gur stráinséir a bhí in athair Antaine i gceantar Chill Liadáin. B'as an gCéis, lámh le Baile an Mhóta i gContae Shligigh, dó: ní fios cén t-ainm baiste a bhí air. Tháinig sé chun cónaithe i gCill Liadáin le dul i mbun oibre mar fhíodóir do mhuintir an Tí Mhóir, muintir Taaffe. Bhí brainse eile de na Táfaigh ina gcónaí i mBaile an Mhóta; mar sin tá seans ann gur chuir Táfaigh Chill Liadáin tuairisc fíodóra lena ngaolta i mBaile an Mhóta agus gur cuireadh seanRaiftearaí, athair an fhile, suas chomh fada leo.

Tá sé suimiúil gur 'Rafferty' an leagan den sloinne a luann James Hardiman leis an bhfile, cé gur 'Raiftearaí' an leagan a bhfuil glacadh leis ar fud Achréidh na Gaillimhe: is é atá ar fáil sna lámhscríbhinní chomh maith céanna. Agus í ar cuairt, blianta ó shin, ar Bhaile an Mhóta, chuala an staraí áitiúil as Coillte Mach, Betty Solan, gur 'Rafferty' a thugtaí ar mhuintir an fhile sa gceantar sin seachas Raiftearaí, agus go raibh muintir Rafferty ag cur fúthu i gcónaí ar an gCéis.

Tá siad ann go dtí an lá inniu, go deimhin: luann eolaí teileafóin Eircom triúr fear i gceantar Bhaile an Mhóta a bhfuil an sloinne sin orthu. Más fíor don staraí James Hardiman agus don duine a casadh ar Bhetty Solan, tá seans go bhfuil gaol i bhfad amach ag na daoine sin leis an bhfile siúlach, scéalach.

De réir an Internet Surname Database, is dhá shloinne ar leith iad Ó Raiftearaí/Raftery agus Ó Raifeartaigh/Rafferty: Ó Reachtaire an bunleagan Gaeilge, atá le Raiftearaí, dar leo: Ó Raithbheartaigh an bunús atá leis an sloinne a bhfuil Rafferty mar leagan Béarla sa lá inniu air. Sloinne é a bhaineann le Contae Dhún na nGall.

I ndaonáireamh na bliana 1901, an ceann is luaithe a dhéanann clúdach maith ar an tír, bhí an sloinne 'Raftery' i bhfad níos coitianta i gContae na Gaillimhe ná 'Rafferty'. 127 'Rafferty' atá san áireamh i bhfigiúir na Gaillimhe, chomh maith le beirt 'Raferty'. 517 'Raftery' atá liostáilte. Ach nuair a bhreathnaítear ar liosta na sloinnte a bhaineann le Sligeach, contae dúchais athair an fhile, tá sé suntasach nach raibh oiread agus 'Raftery' amháin ag cur faoi sa gcontae i 1901: 30 duine den sloinne 'Rafferty' a bhí ar fáil ann.

Mura raibh Raiftearaí ar bith i Sligeach i dtús na fichiú haoise, agus muintir Raifeartaigh líonmhar go maith ann, an mar sin a bhí céad caoga bliain roimhe sin arís? An é gur Raifeartaigh a bhí ar an bhfile i dtús a shaoil ach gur ghlac sé an sloinne Raiftearaí ag pointe éicint níos faide anonn? Nó an é an t-athair a d'athraigh an sloinne i ndiaidh dó Contae Shligigh a fhágáil? Is deacair a rá, ach is cosúil gur Raiftearaí a tugadh riamh ar mhac an fhíodóra i gContae na Gaillimhe agus is cosúil gurbh in a thugadh sé air féin. An dul amú a bhí ar James Hardiman nuair a bhreac sé an leagan Rafferty, nó an cruinneas an staraí dhíograisigh is bunús leis? Ní bheidh a fhios againn go brách.

Cibé cén sloinne a bhí ar athair an fhile, nuair a leandáil fíodóir na Céise i gCill Liadáin, chuir sé faoi ar an Seanbhaile, lámh leis an Teach Mór. Dar le hathair Betty Solan, an múinteoir scoile agus staraí áitiúil as Cill Liadáin Dudley Solan, nach maireann, bhí comhluadar ceardaithe ag cur fúthu ar an Seanbhaile an uair sin. Phós an fíodóir bean áitiúil, duine de mhuintir Bhraonáin, bean a raibh gaol aici le muintir Rachtnaoin, teaghlach áitiúil eile, de réir an eolais a bhailigh Dubhghlas de hÍde ag casadh na fichiú haoise. Tá an dá shloinne sin fós ar fáil i gceantar Choillte Mach: chuaigh an t-údar seo ar scoil ann le daoine den dá shloinne sna seachtóidí. Más fíor don seanchas a bhailigh de hÍde, tá seans go bhfuil gaol i bhfad amach ag na Braonáin agus na Rachtnaoin chomh maith le file Chill Liadáin.

Níl mórán eolais eile againn faoi mhuintir Raiftearaí seachas gur bhain tragóid na bolgaí dóibh, gur cailleadh ochtar gasúr orthu agus gur fágadh Antaine ina chadhan aonraic, agus é dall: in aois a chúig bliana, de réir thuairisc James Hardiman, a raibh aithne phearsanta aige ar an bhfile. Tá siad ann chomh maith a cheapann gur naoi mbliana a bhí ag an mbuachaill óg nuair a chaill sé radharc na súl. Ní fios go cruinn ach oiread cén uair a thosaigh Raifteraí ag cumadh filíochta. An bhliain 1820 an dáta is luaithe is féidir a lua go cinnte le dán ar bith dá chuid: is ar Aoine an Chéasta na bliana sin a crochadh Anthony Daly, fear a cuireadh chun báis de bharr gníomh foréigneach a cuireadh ina leith féin agus na heagraíochta rúnda lenar bhain sé, na Fir Ribín. Luadh an eachtra i nuachtáin na tréimhse. Bhí Raifteraí bliain le cois an dá scór nuair a chum sé an caoineadh do Daly agus is cosúil go raibh Cill Liadáin fágtha aige blianta maithe roimhe sin. Luaitear caoineadh eile leis, ar Hyacinth Daly a chaith seal ina mhéara ar Ghaillimh. Tá an dáta 1807 luaite sa dán. Tá éiginnteacht ann gur le Raifteraí an dán, ach más leis, is é sin an dán is luaithe dá chuid a tháinig anuas chugainn. Is rímhór an seans gur chum sé amhráin agus dánta go leor roimh an mbliain 1820, agus riar roimh 1807, b'fhéidir, ach níl a fhios againn cén uair go díreach.

Cibé cén uair ar tháinig tréith na filíochta chun cinn ann, is cinnte go ndeachaigh a óige chorrach i gcion go mór air mar fhile. Sa lá atá inniu ann, tá an-suim i saol inmheánach an pháiste agus tuiscint mhór againn ar an tionchar a bhíonn ag an saol mothúchánach a chaitheann an duine i dtús a óige ar a iompar lá níos faide anonn is é ina dhuine fásta. Is cinnte gur mhúnlaigh tubaiste na bolgaí pearsantacht chasta Raifteraí.

Níl a fhios againn cén chaoi ar dhéileáil tuismitheoirí Antaine lena mbris, ach chaithfeadh sé go raibh athrú mór ar shaol an teaghlaigh i ndiaidh don ochtar gasúr bás a fháil. Chaithfeadh sé go raibh atmaisféar an tí athraithe ó bhonn.

San áit a mbíodh an gleo, bhí tost mór dorcha anois ann. San áit a mbíodh gáire agus scréachaíl, ciúnas a bhí i réim feasta. Ach níorbh aon chiúnas gan chrá é. Nuair a bhí an t-ochtar gasúr sínte i gcré na cille, bhí saol nua i réim sa teach. Chneasaigh craiceann Antaine de réir a chéile. Cé go raibh a éadan leonta le marcanna breaca na bolgaí, cé go raibh na marcanna céanna ar a ghéaga agus ar lorgain a chos, níor thada iad le hais an leonadh míthrócaireach a bhí déanta ar a chroí istigh.

Aonarán a bhí anois ann, leaidín a mbíodh muintir an bhaile ag breathnú air le teann trua, seans, lá ar bith a bhuailidís isteach le burla snátha a fhágáil ag an bhfíodóir. Cén sórt saoil a bhí i ndán feasta do bhuachaillín le súile gan solas?

Agus cé go raibh an t-aer tar éis titim ar an talamh ar Antaine, ar a athair agus ar a mháthair, lean an saol ar aghaidh. Cé go raibh a gcroí ina smidiríní cumha ina gcléibh istigh, lean na croíthe céanna sin ag bualadh. Níor tháinig deireadh le rithim na beatha.

Tríd an tost, is í obair rithimiúil na fíodóireachta a chuir cruth ar laethanta ciúine an chomhluadair. Dá mbeadh Antaine in ann súile a athar a fheiceáil anois, d'aithneodh sé go raibh solas múchta iontu siúd chomh maith. Bhí radharc na súl fanta ag an bhfíodóir, ach má bhí, bhí an splanc imithe astu. Ba gheall le hinneall amháin díbheo anois an fíodóir is a sheol. Shuíodh an buachaill óg caoch cois tine, ag éisteacht le rithim na fíodóireachta. Is léir go ndeachaigh obair a athar i gcion ar an ngasúr – lá níos faide anonn, rinne sé cur síos ceolmhar rithimiúil ar threallamh oibre an fhíodóra:

> Molfad go deo an crann eagar is an seol,
> An tslinn a bheir ligean don chúrsa;
> An úim is an spól is an lámhchlár, níor mhór;
> Garmna, runners is tuirne.

Dé réir mar a chas rothaí móra an tsaoil, séideadh duilleoga donna de chraobhacha na gcrann. Satlaíodh ina gclábar faoi chosa na ndaoine is crúba na mbeithíoch iad. Reoigh an clábar. Nuair a leáigh sé in athuair, thosaigh duilleoga úra á mbrú féin amach as bachlóga ataithe, iad á gcothú i dtús a ré ghléghlas ag na glúnta duilleog marbh a chuaigh rompu.

Is ansin a d'airíodh Antaine boige ag teacht sa ngaoth a lascadh a éadan. D'airíodh sé an clábar ag casadh ina shlabar faoi mhéaracha a chos. Maidneacha Bealtaine, agus sioscadh an duilliúir arís sna crainn mhóra seiceamair thart ar an Seanbhaile, bhí ceiliúr na gcéadta éan ceoil le cloisteáil chomh maith ann, fuaim a bhain le deireadh an earraigh leis na céadta míle bliain.

Cé na fuaimeanna eile a chloiseadh sé agus é fós ina leaid óg ? An gcloiseadh sé a athair ag achrann lena mháthair i ndiaidh dó an oíche a chaitheamh i síbín i mBoth Chomhla nó i gCoillte Mach ? B'fhéidir go gcloiseadh. Ar luigh an dá thuismitheoir isteach ar an ól ó thráth go chéile ? B'fhéidir gur luigh, agus má rinne, ba dheacair milleán a chur orthu. An mbuaileadh taomanna feirge an buachaill óg féin agus é ag iarraidh déileáil lena bhris ? An ndúisíodh an sceon i lár na hoíche é agus fuarallas leis, é ag cuimhneamh ar an mbás míthrócaireach ar éalaigh sé uaidh, ar éigean? I mblianta deireanacha a shaoil, bhí an bás fós ina spreagadh scáfar dá shamhlaíocht :

> Bhí ceann dubh catach air mar thortán sléibhe,
> a ghrua ba fuaire ná stoc dá ghéire,
> a chosa faoi mar thairní cléithe,
> is ba ní gan fháil samhail dá mhéara.
> Bhí a dhreach is a ghnúis gan snua gan aon rud,
> a chnámha trua gan earra gan éadach,
> Chuirfeadh a bhreathnú criothnú ar chéadta,
> sleá aige fostaithe agus é ag gabháil i m'éadan.

Ní heol dúinn ach oiread ar saolaíodh páistí eile do mháthair Antaine i ndiaidh na tubaiste. B'fhéidir gur saolaíodh agus b'fhéidir gur chuir fuarchaoineachán an pháiste le fuaim na nglórtha a bhí ag achrann ina thimpeall.

Cibé cén gleo a bhí nó nach raibh ina thimpeall, is mór an seans gur chas an daille an leaid óg isteach ann féin oiread áirithe. Mar ní rud diúltach amach is amach a bhí san éagumas radhairc a d'fhág an galar breac air. Ach an oiread le go leor daoine dalla roimhe agus ina dhiaidh, thug an t-éagumas a bronnadh gan iarraidh air deis d'Antaine an spéis a bhí aige sa véarsaíocht a fhorbairt. Ó tharla nach raibh léamh ná scríobh aige, bhí deis aige scileanna na cuimhne a threisiú, agus stráicí móra filíochta a chur de ghlanmheabhair. Bhí deis anois aige cur lena stór amhrán, rannta, paidreacha agus orthaí, agus aitheantas a fháil ón bpobal uair ar bith ar chuir sé amhrán nó dán breá fada uaidh.

Seachas obair rithimiúil a athar, bhí cúraimí eile ar mhuintir an tí, cúraimí a bhain le rithim leanúnach na bliana ina dtimpeall. Bhí fataí fós le sciolladh i ndeireadh an gheimhridh. Nuair a thagadh an tEarrach, bhíodh goirt le glanadh agus iomairí le socrú. Bhí móin le gróigeadh agus féar le sábháil le teas an tsamhraidh. Le teacht an Fhómhair agus gaimhín in athuair sa ngaoth, bhí úlla le piocadh.

I ndorchadas an gheimhridh, choinnigh an fíodóir air ag a sheol. Dhírigh máthair Antaine ar a cuid oibre sise, ag cniotáil, ag beiriú fataí do na muca, ag cur paistí ar sheantreabhsar fhear an tí. Agus an obair fhisiciúil seo ar bun aici, cé na smaointe a bhí á n-ionramháil ina ceann aici? Ar chaith sí a cuid ama ag paidreoireacht ar son anamacha na marbh? Os íseal, i ngan fhios dá mac, ar iarr sí ar Mhac an Rí aire a thabhairt d'Antaine, é a choinneáil slán i gcónaí, anois agus é fós beag, agus lá níos faide anonn, nuair a bheadh sí féin agus a fear caillte; nuair a d'fheicfeadh siad beirt in athuair éadain gheala na n-ochtar eile a bhí imithe rompu; nuair a bheadh deireadh go deo lena bhfánaíocht chráite trí ghleann na ndeor is na neantóg, trí bhearna an bhaoil agus an bhróin?

Agus é ag oibriú an tseoil, seans go mbíodh an fíodóir ag déanamh imní faoina aonmhac chomh maith céanna. Dá mbeadh radharc na súl fanta ann, ní bheadh oiread údar buartha faoi. Bheadh an seol ann i gcónaí le fágáil le huacht aige agus ceird na fíodóireachta le tabhairt ar aghaidh chuige mar shlí bheatha, scil luachmhar a choinneodh ón gcruatan lá níos faide anonn é. Ach ba dheacair a bheith dóchasach anois as an mbóthar crua a bhí roimh Antaine, agus é sáinnithe i ndomhan dorcha an daill.

Ach is fada an bóthar gan casadh, fiú más ag sníomh trí ghleann na ndeor féin atá an cosán céanna. Bhí sé tuillte agus tuillte go dóite ag Antaine agus ag a mhuintir go mbeadh an t-ádh leo ar bhealach éicint – agus bhí. Bhí duine ann a thuig a mbris. Duine a raibh cumhacht aige. Duine a bhí in ann tacú leo. Fear fial, flaithiúil, cé nár mhinic cáil na carthanachta ar an aicme daoine lenar bhain an fear céanna. B'shin é Frank Taaffe. An tiarna talún.

4

AN BAILE A BHFÁSANN GACH NÍ ANN

Is é deireadh na cainte: saol fada ag Frank Taaffe ann,
sliocht shinsir Ghaidéalas nár choigil an fial.

CILL LIADÁIN

TIARNA TALÚN. Tá meáchan mór ag roinnt leis an teideal sin i gcultúr na hÉireann agus i gcultúr na nGael ach go háirithe. Duine acu *siúd* a bhí sa tiarna talún. Boc mór. Duine de shliocht Gallda, an dream a chuir an tír faoi chois, a sciob an talamh uainne, na Gaeil; duine den dream a chaith go míthrócaireach riamh anall lenár sinsir, a chaith teaghlaigh bhochta amach ar mhullach a gcinn, as botháin shuaracha a bhí ag titim as a chéile; duine den dream a lig do Ghaeil bhochta bás a fháil ar thaobh an bhóthair, tráth a raibh coirce, eorna agus cruithneacht, uain agus caoirigh, muca agus beithígh á dtabhairt chun bealaigh ag saighdiúirí Gallda, ar son cíos éagórach a íoc ar thalamh a bhain ó cheart linne, an chosmhuintir Ghaelach.

Tá cuid mhaith den fhírinne sa gcuntas thuas ar an gcaidreamh a bhí ag cuid mhaith de na Gaeil le cuid mhaith de na tiarnaí talún san am a caitheadh. Ach tá an fhírinne iomlán ábhar níos casta ná sin.

Bhí an t-ádh ar Antaine óg gur tiarna talún a bhí mar fhostóir ag a athair. Ach le bheith go hiomlán cruinn, ní tiarna talún a bhí i bhFrank Taaffe i dtosach ré an fhíodóra i gCill Liadáin, ach gníomhaire. Ag muintir Knox, tiarnaí talún a bhí lonnaithe i gceantar Bhéal an Átha, a bhí sé ag gníomhú. Ceapadh athair Frank, Pat Taaffe, ina ghníomhaire ar eastát Chill Liadáin an chéad lá riamh agus nuair a cailleadh é siúd, sé a mhac, Frank, a chuaigh i mbun na háite.

De réir Dermot MacManus, mainistir Phroinsiasach a bhí san áit roimh ré mhuintir Knox ach gur tháinig deireadh tubaisteach lena ré, thart ar cheithre scór bliain sular rugadh Antaine:

> At the end of the seventeenth century, these monks were exterminated by the Williamites, the church destroyed and the land given to a branch of the Knoxes, a powerful Anglo-Irish (Cromwellian) family from Sligo. The Taaffes, an old Norman-Irish Catholic family, bought the place about 1780 or a little later.

Is thart ar na blianta sin a cuireadh deireadh le cuid de na péindlíthe, an réimeas reachtaíochta a chuir cosc ar Chaitlicigh níos mó ná giodán beag talún a bheith ina seilbh acu. Caitlicigh a bhí i muintir Taaffe agus Gaeilgeoirí le cois. Anois bhí cead acu an t-eastát a cheannach ó na tiarnaí talún, teaghlach Protastúnach Knox. Fágann sé sin go raibh athrú mór chun feabhais tagtha ar sheasamh mhuintir Taaffe san áit, díreach sular rugadh Antaine, mac an fhíodóra. Tá an t-eolas breise seo ag Dermot McManus:

> The first Taaffe, Patrick, built the Garden House in the big orchard. He was a great duellist and after killing a man in a duel, had to flee...But shortly after this Patrick was himself killed in a quarrel and his son, Frank, succeeded him.

Tá tuairimí éagsúla ann i gceantar Choillte Mach maidir le pearsantacht agus nádúr Frank Taaffe. Tá tábhacht leis an eolas seo, mar a fheicfidh muid ar ball agus na cúiseanna a d'fhág Raiftearaí an ceantar á bplé. Is é seo an cur síos atá ag McManus ar an mbealach a bhí leis:

He kept a pack of hounds – one of his kennels still exists –
and also drank and swore vigorously.

In ainneoin a ghrá don deoch mheisciúil agus don chaint neamh-
Pharlaiminteach, más fíor, is cosúil gur fostóir gnaíúil a bhí i bhFrank
Taaffe. Ní hionann agus cuid mhaith de na tiarnaí talún a gcuirfí
ina gcoinne i gContae Mhaigh Eo céad bliain níos faide anonn,
ní i dteach mór thall i mBuckinghamshire ná i gcearnóg mhaisiúil i
mBloomsbury Londan a bhí cónaí ar Taaffe, ach i gCill Liadáin féin.
Ba bheag a cheangal le Sasana: le hais cuid de bhoic mhóra na tíre, ní
raibh sé chomh maith sin as. Ó tharla gur Caitliceach a bhí ann agus
cainteoir Gaeilge le cois, bhí ceangal ar leith aige leis an gcosmhuintir
mar go raibh tuiscint aige ar a dteanga agus ar a gcultúr.

Is cosúil go raibh caidreamh maith idir úinéir an Tí Mhóir agus
athair Antaine. I ndiaidh tubaiste na bolgaí, chaith Taaffe go cneasta
lena fhostaí agus a bhean chéile chráite. Chuir sé suim ar leith i gcás
a mic. Seans gur tharla sé sin mar gur éirigh le hAntaine óg é féin a
chur in iúl don tiarna talún ar bhealach a spreag spéis Taaffe ann. Mar
is léir ón leithchéad amhrán agus dánta a chum sé blianta ina dhiaidh
sin, bhí Antaine Ó Reachtabhra go maith in ann é féin a chur in iúl.

Tacaíonn an béaloideas leis an tuairim sin. Tá roinnt seanchais
ar fáil i gceantar Chill Liadáin faoin saol a chaith Antaine ann mar
pháiste dall, ach is deacair a rá cén búnús fírinneach atá leis na
scéilíní atá ar fáil. Léargas spraíúil aerach a thugann siad go minic
ar óige an fhile, iad ag tabhairt le fios ar feadh an ama gur duine
meabhrach, deisbhéalach, ceanndána atá ann. Ó tharla gur léirigh
an file na tréithe sin ar fad ina dhuine fásta dó, is féidir a rá go bhfuil
cuid den scéalaíocht sin dílis do spiorad an duine, fiú mura bhfuil
aon bhunús inti sa saol a chaith an leaid óg.

Sampla amháin é an scéal a bhailigh Dubhghlas de hÍde sa
gceantar agus é ar cuairt ann thart ar chasadh na fichiú haoise. Tá
cur síos aige ar fhear darbh ainm Conchubhar Ó Liadáin as ceantar
Chill Liadáin a chuaigh ar aonach Choillte Mach uair ag díol muc.
Cheannaigh fear banbh uaidh ar ocht scillinge, agus gheall sé go

dtabharfadh sé an t-airgead do Chonchubhar taobh istigh de chúpla lá. D'imigh an cúpla lá, agus seachtain agus ba ghearr go raibh mí caite is gan aon dé ar na hocht scillinge. Chuir an Liadánach a mhac chomh fada le teach an fhir leis an mbanbh a thabhairt leis abhaile. Dúirt sé leis breith ar an mbanbh agus ceangal súgáin a chur thart ar a mhuineál lena thabhairt abhaile go Cill Liadáin. Ar an mbealach abhaile dó, chuaigh mac an Liadánaigh thar dhream gasúr agus iad ag caitheamh cnaipí. Ina measc, bhí Antaine, mac an fhíodóra. Nuair a chuala seisean scéal an bhainbh, dúirt an dall óg nár cheart an muicín a thógáil ar ais, mar nárbh é an t-ainmhí céanna níos mó é: bhí díol míosa de bheatha faighte aige ó lá an aonaigh i leith, agus ba leis an gceannaitheoir luach na maitheasa a bhí déanta ag an mbanbh i gcaitheamh na míosa. Mar seo a leanas a chríochnaíonn de hÍde an scéal:

Shaoil sé [Raiftearaí] breith ar an súgán, acht rith an Liadánach óg uaidh. Lean an Reachtabhrach é agus bhí sé teacht suas leis, óir má bhí sé 'na dhall, bhí sé an-ghasta. Nuair chonnaic an buachaill eile sin do sheas sé go ciúin gan corughadh cois taoibhe an bhóthair, agus leig sé do'n Reachtabhrach rith a bhfad thairis. Do sheas an Reachtabhrach agus chuir sé cluas air, agus nuair nár chuala sé dadaidh, ghlaodh sé amach 'hurrais! hurrais!'. D'fhreagair an mhuc é. Chuala sé sin, rith sé chuici, rug sé ar an rópa, agus níor sheas gur chuir sé an banbh ar ais arís in san gcró as a dtáinig sé.

Tá móitíf sin an daille le fáil i scéalta eile a insítear faoin bhfile agus é ina leaid óg i gCill Liadáin: féachtar le bob a bhualadh air ó tharla é bheith caoch, ach is iondúil go mbíonn an lámh in uachtar ag Raiftearaí óg. Dá thaitneamhaí iad mar scéalta, is mór an seans gur cumadóireacht ar a laghad cuid acu. Bhí scéal atá roinnt cosúil leis an gceann thuas ag an seanchaí Ciarraíoch Bab Feirtéar, mar shampla, ach an file Muimhneach Aogán Ó Rathaille an laoch cliste a bhí aici siúd, seachas Raiftearaí.

Ba mhinic Antaine ag tarraingt ar an teach mór, de réir an tseanchais. Deirtear chomh maith gur eagraigh Taaffe ceachtanna veidhlín dó, féachaint le scil a chothú ann, scil a thabharfadh slán ón mbochtanas é, b'fhéidir, nuair nach mbeadh a athair ná a mháthair ann le greim a choinneáil ina bhéal.

Tá meascán fianaise againn faoin gcaighdeán ceoltóireachta a bhain Antaine amach. Dár le seanbhean a chuala an Bhantiarna Gregory ag cur síos air lá i dTeach na mBocht i nGort Inse Guaire, bhí an-cheol aige:

Raftery hadn't a stím of sight; and he travelled the whole nation; and he was the best poet that ever was, and the best fiddler.

Ní raibh an staraí James Hardiman chomh tógtha céanna le fidléireacht an fhile, mar a luadh cheana:

He was a minstrel by profession; and played the violin tolerably ... I knew him. He was an honest man.

Shílfeá nach ardmholadh í an aidiacht chúramach sin *tolerably* agus léirmheas á dhéanamh ag Hardiman ar cheol Raiftearaí. Agus an méid sin ráite, más go measartha féin a thug Raiftearaí leis an fhidléireacht agus é á foghlaim mar dhéagóir, is cinnte go raibh a scil sa gceol an-úsáideach dó lá níos faide anonn, nuair nach raibh tacaíocht mhuintir an Tí Mhóir aige ní ba mhó.

Chomh maith le hoiliúint a chur air i gceird an cheoil, tá sé sa seanchas áitiúil i gCoillte Mach gur chuir Frank Taaffe mac an fhíodóra ar scoil scairte, i mBoth Chomhla, thart ar dhá mhíle ón Seanbhaile. Baile é Both Chomhla a raibh meas ar leith ar na scoileanna scairte a bhí lonnaithe ann; lá níos faide anonn bhreac Samuel Lewis, an té a scríobh *The Topographical Dictionary of Ireland* an t-eolas seo a leanas faoin rath a bhí ar chúrsaí oideachais ann faoin mbliain 1837:

There are two hedge schools, in which about 190 boys and 80 girls are educated.

Fear darbh ainm Kilgallon a bhí i mbun na scoile ar fhreastail Raiftearaí uirthi, de réir an tseanchais, agus tá sé ráite go raibh caighdeán ar leith ag baint leis an scolaíocht a bhí ar fáil sa scoil chéanna. Scoláire cáiliúil eile a luaitear sa seanchas leis an scoil, ná leaid óg a chuaigh ina dhiaidh sin le sagartóireacht agus a bhain cáil amach agus é ina ArdEaspag ar ard-deoise Thuama – b'shin é Seán Mac Éil, nó Leon an Iarthair mar a tugadh lá níos faide anonn air. Bhí sé cloiste ag Betty Solan gur fhreastail an t-ábhar file agus an t-ábhar easpaig ar an scoil ag an am céanna, cé go bhfuil amhras uirthi faoin scéal. Sa mbliain 1791 a rugadh Mac Éil, rud a d'fhág go raibh sé dhá bhliain déag níos óige ná Raiftearaí. Ach ba mhinic réimse an-leathan aoisghrúpaí ag tarraingt ar scoil scairte, mar a thug an scríbhneoir Sasanach Arthur Young faoi deara agus é ag taisteal na tíre idir na blianta 1776 agus 1779:

Some degree of education is also general; hedge-schools (they might as well be termed ditch, for I have seen many a ditch full of scholars) are everywhere to be met, where reading and writing are taught: schools are also common for men: I have seen a dozen great fellows at schools and was told they were educated with the intention of being priests.

Agus an méid sin ráite, tá Tobar na bhFiann, fód dúchais Sheáin Mhic Éil, breis agus tríocha ciliméadar bealaigh ó Bhoth Chomhla. Cé gur deas an t-ábhar ardeaspaig agus an t-ábhar file a shamhlú ina suí gualainn ar ghualainn agus iad ag éisteacht le briathra na seanGhréagach á ríomh ag an Máistir Kilgallon, seans maith nach mar sin a tharla.

Córas príobháideach amach is amach, dá bhféadfaí córas a thabhairt air, a bhí in earnáil na scoileanna scairte. Fir ar fad, is cosúil, a bhíodh ina mbun, fir a raibh scileanna litearthachta agus matamaitice thar an gcoiteann acu. Bhíodh sagairt i mbun na hoibre, agus iad ag cur oideachais ar fhir óga cumasacha a bhí le réiteach don tsagartóireacht, mar a luann Arthur Young. Bhíodh scoláirí amaitéaracha a raibh suim sa seanléann acu ina máistrí chomh maith, fir a chaitheadh cuid dá gcuid ama ag cóipeáil lámhscríbhinní agus ag cumadh filíochta agus amhrán.

Ag an am sin chomh maith, bhí ardmheas i gcónaí ag lucht oideachais ar sheanlítríochtaí na hEorpa, an tSeanGhréigis agus an Laidin. Ní chuile mháistir scoil scairte a raibh caint na hAithine agus na Róimhe ar a thoil aige, ach bhí smeadar maith de na teangacha clasaiceacha ag cuid acu. Is léir gur chas Raiftearaí ar mháistir nó beirt a raibh scil acu i miotaseolaíocht na Gréige agus na Róimhe. Tharraing sé ar an eolas sin agus é ag cumadh amhrán ar feadh a shaoil. Go deimhin, tá dán amháin dá chuid, *An Dia darbh ainm Iúpatar,* ar geall le *Bluffer's Guide* do na seandéithe Eorpacha é:

An dia darbh ainm Iúpatar is mór a thit i bpeaca leis,
bhí bean aige ins gach bealach ar an talamh agus sa spéir,
Neiptiún is fada a dúradh gur stiúradh an lán mara leis,
Mars a bhíodh is gach *battle* is don chlaíomh a ceapadh é.
An triúr a deir na húdair ar caitheadh an t-úll síos eatarthu:
Páras is mór a mealladh é le Héilin in sa Ghréig,
Úiliséas is a chumhachtaí, lena stuaim gur mheall sé Aicilléas
a ghearr an Traí go talamh leis, is ní saor a d'imigh an Ghréig.

Ní fios an raibh scil ag Raiftearaí sa nGréigis ná sa Laidin féin, ach mura raibh, is léir óna shaothar go raibh eolas aige ar an miotaseolaíocht, ar na scéalta, ar na déithe agus ar an gcaidreamh a bhí acu lena chéile sa gcosmas lenar bhain siad. Is cinnte gur chuir an spreagadh intleachtúil a fuair an déagóir dall ó na scoileanna scairte lena chumas véarsaíochta, ó thaobh ábhair de agus ó thaobh an chumais a léiríonn sé ina shaothar tagairtí léannta nó leathléannta a tharraingt anuas.

In alt nuachtáin a foilsíodh i nuachtán an *Western People* am éicint sna seachtóidí a bhfuil cóip de ina seilbh ag Betty Solan, tá seanchas breise ag an Athair Johnny Coleman S.M.A. maidir le hoideachas Raiftearaí. Dar leis siúd, fuair an t-ábhar file oiliúint sna clasaicigh agus eile ó dheartháir nó uncail le Frank Taaffe, ní fios cé acu. James Taaffe a bhí air siúd agus manach de chuid Ord na nAibhistíneach a bhí ann. Ord é a bhí seanbhunaithe ó na meánaoiseanna i leith in Oirthear Mhaigh Eo agus mainistir láidir faoi bhláth aige, tráth, i mBéal Átha hAmhnais:

> Fr. James had come to live in Killedan by permission of his superiors shortly after his Ordination in the xviii Century and before the restoration of the Ballyhaunis Friary... this kind friar took the blind boy into his care and orally instructed him as far as possible...This idea of Rafteri's classical education may be worth considering.

Duine eile a raibh cion ar leith aici ar Antaine ná máthair Frank Taaffe. Tá sé sa seanchas chomh maith go raibh searbhónta mná ag obair sa teach darbh ainm di Brídín Bhreathnach. Ní mó ná sásta a bhíodh sí siúd leis an aird a bhí an buachaill dall a fháil ó bhean an Tí Mhóir. Ag Joe Solan, deartháir Bhetty, nach maireann, a bhí an cur síos a leanas ar an gcoimhlint:

> Perhaps it was Raftery's special position with Mrs. Taaffe that incurred the wrath of the housekeeper, Brídín Bhreathnach, who scolded him at every opportunity. While Raftery was away visiting relatives in Co. Sligo, Brídín died and when Raftery heard of her death he located her grave, threw himself on top of it and, instead of the expected prayer, addressed the grave stone:

> Maím thú a leac
> Gan Bríd a ligeann amach
> Ghiorraigh sí ár ndeoch

Agus náirigh sí ár dteach
Agus anois a Bhríd ó tharla tusa i bhfeart
Triomach síoraí ort agus tart!

Tá leagan den scéal sin ag de híde chomh maith agus ina leagan siúd,
ní leaid óg é Raiftearaí ach duine níos sine, a bhfuil tús curtha lena
chuid fánaíochta aige. Tá bean an tí fós ag iarraidh bheith á bheathú
agus ní thaitníonn sé sin leis an gcócaire Bríd:

Níor mhian léi, ná leis na searbhfhóghantaibh eile, go
mbéadh an tsean-mháighistreás chomh fádbharach sin do
fhear seachráin mar sin.

Más fíor ceachtar leagan den scéal, agus is mór an seans nach fíor, tá
an blúire sin filíochta ar cheann de na píosaí is luaithe de véarsaíocht
Raiftearaí atá tagtha anuas chugainn. Bailíodh leagan de i mBaile
Chláir na Gaillimhe sa mbliain 1955 agus bhí an cainteoir, Micheál
Ó Murchadha, den tuairim gurbh é Raiftearaí a chum. Ach bailíodh
leaganacha eile de in áiteacha eile i gConnachta agus tá leagan eile den
rann céanna leagtha ar fhile agus ceoltóir eile ar bhain an bholgach
radharc na súl de: an cruitire Toirdhealbhach Ó Cearbhalláin.
Agus é ag druidim le deireadh na ndéaga, breathnaíonn sé go
raibh tús curtha ag Raiftearaí leis an gcúrsa fada oideachais a thug sé
air féin ar feadh a shaoil; cúrsa a bhain le stairsheanchas a thíre, leis
an traidisiún cumadóireachta amhrán lenar tógadh é agus le cúrsaí
polaitíochta na hÉireann. Bhí scil mheasartha ceoil aige, agus cumas
ann portanna damhsa a chasadh ar an veidhlín ag ócáidí sóisialta de
chuid an Tí Mhóir. Bhí a phearsantacht mhisniúil, dheisbhéalach á cur
féin in iúl.
Ceist nach bhfuil chomh héasca le freagairt ná cén uair agus cá
háit ar thosaigh Raiftearaí ag cumadh véarsaíochta. Mar cé go luann
tráchtairí Béarla an focal 'bard' leis sa lá atá inniu ann, is i bhfad i
ndiaidh ré na mbard proifisiúnta a rugadh file Chill Liadáin. Faoin
am ar tháinig sé ar an saol, bhí deireadh le ré na mbard gairmiúil

i gConnachta agus deireadh go deo leis an gcóras fada oiliúna a bhíodh ar fáil roimhe sin i scoileanna na mbard. Faoin am go raibh an t-óganach Maigh Eoch ag teacht in inmhe fir, bhí tréimhse anchorraithe curtha díobh ag Gaeil na hÉireann, tréimhse a bhí mar ábhar véarsaíochta ag an bhfile ar feadh a shaoil.

5

FEAR GAN RADHARC GAN LÉANN A MHÍNÍOS DAOIBH AN SCÉAL

Tosód thíos le Bréachmhaigh
Is rachad go Loch Éirne,
ó Shligeach go bun Céise,
bhéarfaidh mé mo scríob.

BRÍDÍN BHÉASAÍ

SA GCÚPLA BLIAIN SULAR rugadh Raiftearaí, tháinig athrú as cuimse ar leagan amach na cumhachta in Éirinn agus ar stádas na nGael agus na Gaeilge féin dá bharr. Ceann de na dreamanna ba mhó a chaill a stádas ná na filí. I gcaitheamh na meánaoiseanna, bhí filí na hÉireann ar chuid de na daoine ba mhó stádas sa tír. Faoin am a rugadh Raiftearaí, cumadóirí páirtaimseartha a bhí iontu agus bhí laghdú tubaisteach tagtha ar an gcaigdeán oideachais a bhí bainte amach acu. Go deimhin, ceann de na rudaí ba shuntasaí faoi fhile Chill Liadáin ná gur éirigh leis a shaol a chaitheamh ag gabháil don véarsaíocht mar cheird.

Is iomaí dáta tábhachtach a luaitear i scéal an athruithe sin ó aimsir na bhfilí gairmiúla, gradamúla anuas go haimsir na bhfilí bochta bóthair. Ceann de na dátaí is tábhachtaí ar fad ná an bhliain 1601: i Nollaig na bliana sin a troideadh Cath Chionn tSáile, cath a chuir tús leis an athrú taoille a d'fhág na Gaeil faoi dheireadh ar an trá fholamh.

Ba chuid de streachailt fhada achrannach idir na taoisigh Ghaelacha agus fórsaí na corónach i Londain an cath cinniúnach sin i gCionn tSáile. Shín sé siar mar scéal go dtí aimsir Anraí VIII agus an t-athrú creidimh, scéal a bheadh ina ábhar rialta véarsaíochta ag Raiftearaí agus é i mbarr a réime mar fhile. Tá tagairtí ar fud a shaothair aige d'Anraí VIII agus de phearsana áirithe eile a a raibh tionchar mór acu ar chúrsa na staire in Éirinn agus san Eoraip sna trí chéad bliain sular rugadh é féin. Is fiú mar sin cur síos achoimreach a dhéanamh ar chuid de na pearsana agus na heachtraí is mó a luann an cumadóir, ar an tionchar a bhí ag na daoine sin ar Éirinn trí chéile agus ar an gcaoi a rinne a gcuid gníomhartha laghdú ar stádas na bhfilí ach go háirithe.

Sa mbliain 1497 a rugadh Anraí VIII, agus is iomaí líne fheargach a chum Raiftearaí faoi agus faoin mbail a d'fhág a oidhreacht pholaitiúil ar an nGael bocht Caitliceach. Caitríona Aragón, iníon Ferdinand agus Isabella na Spáinne, a bhí mar chéad bhean ag Anraí. Sé a athair, Anraí VII, a d'eagraigh an pósadh an chéad lá riamh, ar mhaithe le síocháin a dhéanamh idir na Sasanaigh agus na Spáinnigh.

I ndiaidh dá athair bás a fháil agus é féin a bheith insealbhaithe mar rí, theastaigh mac ó Anraí; prionsa a thiocfadh i gcomharbacht air féin lá níos faide anonn. Cailleadh beirt mhac air féin agus ar Chaitríona ina bpáistí óga dóibh, agus chaill Caitríona ar a laghad triúr páistí eile go hanabaí. Ar deireadh rugadh iníon, Máire, agus tháinig sise slán.

Faoin am seo, bhí Martin Luther, nó Mártan Liútar mar a thugadh Raiftearaí air, tar éis tús a chur le héirí amach fealsúnachta sa nGearmáin, éirí amach ar baisteadh an Reifirméisean air le himeacht ama. Ar feadh i bhfad roimhe sin, bhí Eaglais na Róimhe tar éis a haird a dhíriú ar a cumhacht pholaitiúil a threisiú agus ar a saibhreas saolta a mhéadú. Faoin mbliain 1517, bhí sé ina ghéarchéim. Chuir Luther tús le scoilt san Eaglais, féachaint le cúrsaí cumhachta agus polaitíochta a chur ar leataobh agus teachtaireacht Chríost a leanacht ar bhonn níos dílse.

Faoin am seo, bhí Anraí VIII fós dílis d'údarás an Phápa. Nuair nach raibh ag éirí lena bhanríon mac a thabhairt dó, d'iarr Anraí cead ón bPápa colscaradh a fháil ó Chaitríona. Nuair a diúltaíodh dá iarratas, shocraigh sé údarás na hEaglaise Caitlicí sa mBreatain agus in Éirinn a bhaint den Phápa. In ainneoin gur pósadh sé huaire ar fad é, níor tháinig mac ar bith de chuid Anraí slán. Nuair a tháinig Éilis, iníon Anraí, i gcomharbacht air mar bhanríon i ndiaidh bhás an rí, rinne sise buanú ar údarás na corónach ar Eaglais Shasana. Dúnadh mainistreacha agus ghlac an choróin chuici féin na tailte agus an saibhreas a bhain léi leis na céadta bliain roimhe sin. Ritheadh dlíthe a chuir le stádas Eaglais Shasana agus Eaglais na hÉireann agus rialaíodh go mbeadh ar an bpobal ar fad cánacha a íoc leo feasta: ceist eile a bheadh ina údar véarsaí feargacha ó Raiftearaí.

In Éirinn, ní hé an oiread sin smachta a bhí ag an gcoróin ar na taoisigh taobh amuigh den Pháil agus de na bailte móra cosanta, mar sin níor glacadh go forleathan leis an athrú creidimh. De réir mar a scar coróin Shasana le húdarás na Róimhe, d'airigh na taoisigh Ghaelacha ceangal níos láidre leis na ríochtaí a d'fhan dílis don Róimh, muintir na Spáinne agus na Fraince go mórmhór. D'aithin údaráis Londan an ceangal sin, agus thuig siad go raibh contúirt slándála ag baint leis mar cheangal. Le bheith cinnte nach mbeadh pobal na hÉireann ag taobhú le naimhde na corónach i gceann ar bith den iliomad cogaí a bhíodh á dtroid san Eoraip ag an am, tuigeadh gur ghá cumhacht na gceannairí Gaelacha a bhriseadh.

Nuair a d'éirigh Aodh Ó Néill agus Aodh Rua Ó Dónaill, beirt thaoiseach Ultacha, amach in aghaidh na corónach sa mbliain 1595, scanraigh muintir London. Nuair a thug fórsaí na nUltach an lá leo ag cath Bhéal an Átha Bhuí i gContae Ard Mhacha sa mbliain 1598, ba léir go raibh géarchéim buailte leis an gcoróin maidir lena smacht ar oileán na hÉireann. Scaip scéal an bhua ar fud chríoch Fodhla – ba ghearr go raibh sé ina éirí amach forleathan ar fud an oileáin. Thacaigh an Pápa Clement VIII le feachtas na nUltach agus i mí Mheán Fómhair na bliana 1601, tháinig fórsa ceithre mhíle saighdiúir Spáinneach i dtír i gCionn tSáile. Bhuail an dá cheannaire Ultach agus a lucht tacaíochta ó dheas le tacú leis na Spáinnigh. Ach bhí bua caithréimeach ag fórsaí na Sasanach ag an gcath a troideadh ann i mí na Nollag an bhliain sin.

Cé gur ceadaíodh do na hUltaigh a gcuid tailte a choinneáil i ndiaidh an chatha, bhí srianta móra anois orthu, srianta nár fhéad siad glacadh leo. I bhfómhar na bliana 1607, thug Ó Néill, Ó Dónaill agus tuairim is céad dá lucht leanúna an fharraige orthu féin is iad ag seoladh i dtreo na Spáinne. Níor fhill siad riamh ar thalamh na hÉireann.

Le cinntiú nach dtarlódh a leithéid d'éirí amach in Ulaidh arís, thapaigh an choróin an deis seilbh a ghlacadh ar thailte ó thuaidh agus bronnadh iad ar dhaoine a bhféadfaí brath orthu bheith dílis do Londain – Preisbitéaraigh ó Albain, cuid mhaith. Díbríodh go leor de na 'Tadhganna' amach as tailte a sinsear agus bhog cuid acu siar go Connachta, an ceantar ba bhoichte talamh ar an oileán. Leandáil cuid acu ina dteifigh i gceantar dúchais Raiftearaí – creideann an t-údar seo go mb'fhéidir go raibh a shinsir féin ina measc. Bhí tús curtha le próiséas a d'athraigh ó bhonn an stádas a bhí ag na Gaeil Chaitliceacha agus a dteanga in Éirinn.

Roimh Chath Chionn tSáile agus na hathruithe a d'eascair uaidh, bhí saol i bhfad níos iomláine ag teanga Raiftearaí ag chuile leibhéal cumhachta in Éirinn, i gcuid mhaith den tír taobh amuigh de chathair Bhaile Átha Cliath agus an Pháil, ceantar a shín ó thuaidh chomh fada le Droichead Átha. Fiú taobh istigh de bhallaí na Páile, is í an Ghaeilge, cuid mhaith, a labhair an chosmhuintir. Is í a labhair na taoisigh Ghaelacha agus is í a shaothraigh na baird ghairmiúla, an dream a d'fhostaigh na taoisigh le hiad féin a mholadh i bhfoirm véarsaíochta. Is ar scoileanna ar leith a d'fhoghlaim na baird a gceird.

Ach nuair a briseadh ar na taoisigh Ghaelacha i gCionn tSáile, agus nuair a chaill siad níos mó agus níos mó dá gcumhacht le himeacht aimsire, chuaigh sé deacair ar na baird ghairmiúla pátrún a aimsiú a d'íocfadh as a gcuid dánta moltacha. Nuair nach raibh éileamh ar a gcuid seirbhísí, tháinig deireadh, thar thréimhse céad bliain go leith nó mar sin, le scoileanna na mBard. I gcaitheamh na tréimhse sin, thriail na teaghlaigh a bhí i mbun na scoileanna an córas a choinneáil sa tsiúl. Ní fhéadfaidis glacadh le saol gan scoil bard, gan an bhairdne a chumadh na filí. Cén chaoi a bhféadfadh saol sibhialta de chineál ar bith a bheith ann gan bard a bheith le taobh a thaoisigh, á mholadh is á mhóradh le friotal fuinte a chuid bairdne, í á haithris os ard ag reacaire le tionlacan cruitire? Is mar sin a mhair a muintir rompu, mar chuid de thraidisiún seanbhunaithe, traidisiún a shín siar na céadta bliain.

Agus ní mar shearbhónta umhal, ar aon leibhéal leis an gceoltóir ná an geocach grinn a d'fheidhmíodh an bard i gcúirt an Taoisigh. Sa tsochaí Ghaelach, bhí stádas an-ard ag an mbard lánoilte. Ba duine é a raibh scil mhór aige san obair a bhí idir lámha aige. Is mar seo a chuir Eoghan Ó Tuairisc síos ar an ngairm san aiste uaidh, *Religio Poetae*:

> Sa tsibhialtacht Cheilteach ar an oileán seo ba ionann an téarma File agus an téarma Ollamh. Bhí an File ina mháistir nó ina ollamh ar ealaín na Teanga ina hiomláine, ar an stair, ar an seanchas, ar an scéalaíocht, ar an eolaíocht, ar an dinnseanchas, ar an fhinscéalaíocht agus míniú na miotas, ar an fhealsúnacht Cheilteach, ar an ghramadach agus (O nota bene!) ar an mheadaracht.

Scil amháin eile a raibh tábhacht ar leith léi ná eolas ar chúrsaí ginealaigh, agus cumas a bheith ann ginealach an taoisigh nó an phátrúin a ríomh, ag cur leis na fíricí go minic, ag síneadh siar san am le gaol an taoisigh le pearsana ón mBíobla a chur in iúl, fiú.

Mar a mhíníonn James Carney, ollamh le SeanGhaeilge, agus, mar a tharlaíonn, col ceathrar le staraí Choillte Mach, Betty Solan:

> Poets..had to know Irish genealogy, Irish history and pseudo-history: they had to know so many stories that no situation could arise in their own professional career but they would have a convenient analogy from the past to apply to the present.

Ní thar oíche a bhaintí amach stádas an ollaimh, an chéim ba airde ar dhréimire na duanaireachta. Is iondúil go dtógfadh sé seacht mbliana air, mar a mhíníonn Ó Tuairisc:

Sula raibh sé i dteideal File a ghairm de féin bhí seacht gcéim le sárú aige, mar atá seacht n-ord le sárú ag an ábhar sagairt. Mar seo a bhí na céimeanna: an fochlach, an mac fuirmhidh, an dos, an cana, an clí, an t-ánradh agus an t-ollamh nó an File.

Ar ndóigh, cé go mbíodh traenáil fhada i gceist don té a bhí ag dul le gairm na filíochta, ní hionann sin is a rá go raibh chuile bhard ina fhile iontach agus gur chuir chuile fhear éigse ar bhealach suntasach le cultúr na hÉireann agus an domhain mhóir. Ach an oiread le gairm ar bith, bhí cuid de na baird i bhfad níos cumasaí ná a chéile. Chomh maith leis sin, ní córas daonlathach a bhí i gceist maidir le hábhair filí a roghnú: bhain an ghairm le teaghlaigh ar leith, agus bhí teaghlaigh ar leith i mbun scoileanna chomh maith céanna.

Ní hé, ach oiread, gur mhair na baird agus na taoisigh a thacaigh leo i sochaí ídéalach, sibhialta: ach an oiread le dream ar bith, bhí éad agus saint agus uabhar agus uisce faoi thalamh i gceist chomh tréan céanna i measc na nGael is a bhí i gcomhluadar ar bith ar domhan.

Cé go raibh saol gradamúil, compordach ag an mbard Connachtach Tadhg Dall Ó hUiginn, bás foréigneach a fuair sé. Murab ionann agus Raiftearaí, ní dall a bhí sé, ach ar leathshúil. B'as an gceantar céanna le hathair Raiftearaí é Tadhg Dall, agus sa taobh sin tíre, in iardheisceart Chontae Shligigh, a mhair sé formhór a shaoil. Ach ní do phobal áitiúil ina cheantar dúchais a shaothraigh an bard: bhí eolas agus aithne air mar fhile sárchumasach i gcéin is i gcóngar: chuireadh taoisigh fáilte roimhe chomh fada ó bhaile le hInis Eoghain agus le hInis Ceithleann. Bhí liosta fada pátrún aige: Clann Dálaigh, Uí Néill, Clann Uidhir, Uí Chonchubhair Shligigh, Clann Uilliam Íochtair, Clann Suibhne, Clann Domhnaill, Uí Dhochartaigh, Uí Ruairc, Uí Bhroin, agus Uí Eadhra. Ach cé go raibh saol an-rathúil aige, bhí teorainn lena stádas. Nuair a chuir sé olc ar mhuintir Eadhra de bharr dán dá chuid a chuir gadaíocht ina leith, ionsaíodh go míthrócaireach é féin agus a chomhluadar. Maraíodh a bhean agus páiste leis, agus gearradh an teanga amach as a chloigeann féin. Is de bharr na heachtra sin a cailleadh é, ar an lá deireanach de mhí na Márta, 1591.

Cé go raibh drochdheireadh le Tadhg Dall, ba duine é a raibh ardmheas air agus é i mbarr a réime. Ach i ndiaidh Chath Chionn tSáile, bhí saol gradamúil sin an bhaird ag druidim chun deiridh. Tháinig leá an tseaca ar ghréasán na bpátrún agus, in imeacht ama, ar ghairm an bhaird féin. Le breathnú ar an athrú a tháinig, céim ar chéim, ar stádas an fhile agus na filíochta ón uair a raibh baird ghairmiúla i mbun oibre anuas go dtí aimsir Raiftearaí, is fiú cúpla file a lua a bhí ag cumadóireacht idir na blianta 1607 agus 1779, bliain breithe an fhile siúil.

Is é Dáibhí Ó Bruadair is fearr a chuireann síos ar chás an bhaird a raibh córas na bpátrún ag titim as a chéile air agus é ag teacht in inmhe. Cé gur rugadh é thart ar an mbliain 1625, ceithre bliana fichead i ndiaidh Chath Chionn tSáile, d'éirigh leis oiliúint mhaith a fháil ar an tseanfhilíocht, ar an nGaeilge Chlasaiceach a gcumadh na baird a gcuid dánta inti agus ar na meadarachtaí a bhíodh á saothrú acu. Thriail sé imeacht le filíocht mar ghairm agus bhí tréimhsí ina shaol agus é ina fhear óg go raibh ag éirí leis. Ach b'éigean dó sealanna eile a chaitheamh ag spailpínteacht, agus chonaic sé saol crua an bhochtanais i ndeireadh a shaoil. Bhí an ghráin aige ar an dream nua a bhí i réim feasta, na plandóirí Gallda ar bronnadh talamh na Seantaoiseach Gaelach orthu i ndiaidh do Chromail bheith ag réabadh tríd an tír sna blianta 1649-50.

Ní mór an meas a bhí ag Ó Bruadair ar an gcosmhuintir ach oiread agus ghoill sé go mór air go mb'éigean dó maireachtáil ina bhochtán ina measc i ndeireadh a shaoil. Níor thuig siad dó, ná dá chuid ealaíne: go deimhin níor thuig siad an cineál Gaeilge a shaothraigh sé, ar meascán í de theanga chlasaiceach na mbard, caint na ndaoine agus foclóir dá chuid féin. Bhí sé de nós ag Ó Bruadair focail, comhfhocail go minic, dá chuid féin a chumadh, díreach mar a rinne Seán Ó Riordáin agus é ag scríobh sa bhfichiú haois. Ach ní seanmheadarachtaí ná Gaeilge chlasaiceach a raibh dúil ag an gcosmhuintir iontu ach amhráin. Ba iad na hamhráin sin popcheol na linne. Bhí idir throm agus éadrom ar fáil iontu: amhráin faoin ngrá, faoin mbriseadh croí a leanadh é, faoi mhná óga a bhí sáinnithe i gcleamhas míshásta le seanfhir ghránna, amhráin a mholfadh fód dúchais an té a chum, amhráin faoin bpolaitíocht, faoi chúrsaí creidimh agus amhráin a chuir le cáil na ngaiscíoch spóirt agus ceoil.

Dánta a bhfuil véarsaí ceithre líne iontu a bhíonn i gceist le dán baird: *an dán díreach* a thugtar ar an stíl. Tá tábhacht ag baint le líon na siollaí i ngach líne agus ar líon na siollaí sa bhfocal deireanach den líne. Thart ar dhosaen meadaracht éagsúla a chleachtaíodh na baird.

Difríocht mhór amháin idir dán díreach agus amhrán ná go bhfuil an-tábhacht san amhrán le cúrsaí béime. Tá béim an-soiléir le haithint ar na línte seo a chum Raiftearaí i mbarr a réime, cuir i gcás:

Má fhaighimse **sláinte** is fada a bheas **tráchtadh**
Ar an méid a **báthadh** as Eanach **Dhúin**

Is cosúil go gcumadh cuid de na baird ghairmiúla dánta i meadarachtaí amhrán chomh maith, mar chaitheamh aimsire agus mar chumadóireacht phearsanta. Bhí tuairimí ag an scoláire Osborn Ó hAimhirgín faoin gceist sin:

..tá samplaí bailithe ag an Ollamh Ó hAimhirgín a thaispeánann nach ndearnadh faillí go hiomlán sna meadarachtaí béimithe le linn ré na Scoileanna. Is é tuairim an Ollaimh go mbaintí feidhm as na meadarachtaí sin sa saothar a chumtaí don ghnáthphobal agus go raibh eolas ag na filí acadúla orthu freisin cé nár bhéas leo iad a chleachtadh ina saothar oifigiúil féin.

De réir mar a theip go tubaisteach ar an éileamh ar dhánta díreacha, dhírigh na filí de réir a chéile ar an ngné neamhoifigiúil sin dá saothar a fhorbairt agus luigh siad isteach ar dhánta a chumadh i meadaracht na n-amhrán.

Duine de na filí deireanacha a bhí báite i seansaol na filíochta ná Muimhneach eile, Aogán Ó Rathaille. Thart ar an mbliain 1670 a rugadh é siúd, agus cé go raibh scaipeadh agus fán cuid mhaith faoin tráth sin ar na seanphátrúin Ghaelacha a thacaigh leis na baird, chreid Ó Rathaille go diongbháilte sa saol sin agus b'é mian a chroí go gcuirfí an saol ina cheart agus go mbeadh meas in athuair ar an bhfile agus ar a cheird.

Agus bhí údar áirithe dóchais ann go bhféadfadh a leithéid tarlú le linn a óige. Sa mbliain 1685, tháinig Séamas II i réim, an chéad rí Caitliceach ar Shasana ó aimsir Anraí VIII i leith. Go deimhin, bhí sé ina rí ar feadh cúpla bliain ghearr ar Shasana, ar Albain agus ar Éirinn in éineacht.

An fáth gur Caitliceach é Séamas II ná gur thiontaigh sé féin ar an gcreideamh sin. Bhí an-dóchas ag na Gaeil as Séamas II agus d'fhás Ó Rathaille suas le linn bhlianta sin an dóchais. Dá n-éireodh leis an rí nua na taoisigh Chaitliceacha a chur ar ais i réim, bheadh rath i ndán don fhile agus don seanléann a bhain leo.

Ar ndóigh, níor thaitin sé le huaisle Protastúnacha Shasana go raibh rí i réim in athuair a raibh dílseacht aige do Phápa na Róimhe. Ach glacadh go síochánta leis an rí Caitliceach ar feadh seal, mar gur leis an gcreideamh Protastúnach a tógadh a iníon, Máire, óna chéad phósadh. Ní raibh aon mhac ag Séamas ón bpósadh sin agus anois agus a bhean caillte, b'í Máire an Protastúnach a bhí le teacht i gcomharbacht air. Nuair a phós Máire rí Uilliam III na hÍsiltíre, ó theach Protastúnach na nOráisteach, chuir an socrú sin móruaisle Londan ar a suaimhneas tuilleadh. Mac deirféar le Séamas a bhí in Uilliam, rud a d'fhág gur col ceathracha iad Uilliam agus Máire: thaitin sé sin thar barr le huaisle Londan, mar gur Phrotastúnaigh an bheirt acu a bhain le traidisiún ríoga Shasana.

Ach ansin phós an rí Séamas Maria Modena, banphrionsa

Caitliceach Iodálach cúig bliana déag d'aois, rud a chuir alltacht
ar mhóruaisle London: bhí contúirt anois ann go mbeadh mac
Caitliceach ag an rí – rud a tharla. I ndiaidh don mhac sin bheith
saolaithe, spreagadh Uilliam III a theacht ón Ísiltír leis an gcoróin
a bhaint d'athair a chéile, rud a rinne sé. Chuir na hOráistigh agus
a lucht tacaíochta Protastúnach cogadh ar Shéamas agus a dhream
siúd, Gaeil Chaitliceacha ina measc.

Tháinig an scéal chun buaice in Éirinn ag cath na Bóinne ar an
12 Iúil 1690, áit ar thug Uilliam an lá leis. Deirtear gur thréig Séamas
a chuid saighdiúirí ar pháirc an áir agus gur theith sé ón gcath, rud
a thuill dó an leasainm díspeagúil 'Séamas an chaca', ainm a luaigh
Raiftearaí leis lá níos faide anonn. Bhailigh Séamas leis chun na
Fraince agus níor fhill sé riamh ar Éirinn ná ar Shasana ina dhiaidh
sin, cé gur mhaígh sé ar feadh an ama gurbh eisean an rí, dá mbeadh
a cheart ag chuile dhuine.

Thart ar scór bliain d'aois a bhí Aogán Ó Rathaille nuair a
troideadh cath na Bóinne, sa mbliain 1690. An bhliain dar gcionn,
troideadh cath fuilteach eile, lámh le hEachroim, in oirthear chontae
na Gaillimhe – ceantar a mbeadh an-eolas ag Raiftearaí air, lá níos
faide anonn. Bhí an bua arís ag fórsaí Uilliam na nOráisteach.

An fómhar sin, síníodh conradh Luimnigh agus mar chuid de
na socruithe a d'eascair as, d'fhág 14,000 saighdiúir Éireannach le
tabhairt faoi shaol nua sa Spáinn agus sa bhFrainc. Gealladh do
na huaisle Gaelacha a bhí fós fanta sa tír nach mbainfí lena gcuid
tailte ach móid dílseachta a ghlacadh don rí Protastúnach Uilliam.
Thit an socrú sin as a chéile ina dhiaidh sin, agus leis na Caitlicigh
chontúirteacha a choinneáil faoi chois, ritheadh réimse reachtaíochta
ar baisteadh 'na péindlíthe' orthu, dlíthe a d'fhéach le seilbh na talún
a bhaint, oiread agus ab fhéidir, de na Caitlicigh agus é a fhágáil faoi
na Protastúin, dream a bhféadfadh údaráis London iad a thrust.

Mhair Aogán Ó Rathaille an tríocha bliain deireanach dá shaol
faoi ualach na bpéindlíthe. Ba léir dó sna blianta sin go raibh rás na
seanfhilíochta rite. Bochtanas agus neamhaird a bhí i ndán feasta
don fhile Gaelach. Bhí an tseanfhilíocht á ligint i ndearmad, ceal

pátrún nó lucht éisteachta ná léite. Chum an Rathailleach dánta iontacha ag cur síos ar an díomá, ar an gcrá, agus ar an mbriseadh croí a bhain le bheith ina Oisín i ndiaidh na Féinne. Tá an fhearg agus an cantal a bhí ar Ó Bruadair roimhe le cloisteáil uaidh ach tá an brón go mór i gceist chomh maith - brón agus uaigneas an té a bhfuil dóchas caillte aige.

Duine de na filí léannta deireanacha a shaothraigh i gConnachta ná Seán Ó Gadhra as Cnoc Reamhar i gContae Shligigh, fear a chum filíocht i nGaeilge agus i Laidin agus a raibh scil chomh maith sa mBéarla aige. I ndán amháin leis, déanann sé cur síos ar fhilí agus aos léinn an iarthair lena linn: ach an oiread le filí na Mumhan, airíonn sé go mbaineann sé féin agus a chomhfhilí Connachtacha le deireadh ré. Treisíonn sé atmaisféar an éadóchais agus an cuntas scríofa aige san aimsir chaite :

> Is i gConnacht bhí an chuideachta dhéidheannach
> Bhí cumasach i dtuigse na Gaedhilge,
> Do chruinnigh gan tuirse gach saethar,
> Is do scrúdadh na hughdair go fréamha,
> Ruaidhrí Ó Flaithbheartaigh scafaire an léighinn
> Tadhg Ó Roduighe, scoluidhe tréitheach,
> Is Seán Ó Gadhra nár sháraigh éanstair
> I Laidin is Scoitis ioná i mBéarla.

Thart ar an mbliain 1720 a cailleadh Seán Ó Gadhra. Sé bliana dár gcionn, bhreac Gaillimheach, an file agus scríobhaí Seán Ó Catháin, cuntas ar a dheacra is a bhí sé coinneáil leis an léann agus an fhilíocht i ndeireadh a shaoil agus an bochtanas ag brú isteach air. Sna Forbacha, i gCois Fharraige, a bhí an Cathánach ag cur faoi, i mbothán a raibh braon anuas ann, cóiríocht nár fheil go maith do sheanduine a bhí ag iarraidh bheith ag cóipeáil lámhscríbhinní. Gabhann sé leithscéal faoin obair atá curtha i gcrích aige bheith lochtach:

> go bhrígh go raibhe siubhal rofadadh air fhear m'aoise

(i. os cionn seasca blieghain) a gcúram mhór ionnus nach
iomdha duine do gheabhadh do laimh a scríobh ar aón cor
a mbothan shileanach súigidh a gceann gach toirmisg eile
dár bhain dámh maille lé teinnios uathbhásach tairis soin
thugas fa dearadh began locht do bheith um dhiaidh.

Má bhí gairm an bhaird agus na filí a chleachtaigh í ag imeacht den
saol, bhí ré nua ag breacadh, más go stadach féin é. Bhí daoine ann
fós ag déanamh staidéir ar na seanlámhscríbhinní agus ag iarraidh
an seanléann a choinneáil beo go háirithe i gCúige Mumhan. Ach
ní taoisigh Ghaelacha a thacaigh le cumadh na véarsaíochta níos mó
ach an chosmhuintir bhocht Chaitliceach.

Is i gCúige Mumhan a tháinig duine de na chéad chumadóirí
aitheanta a bhí ag díriú ar an gcosmhuintir mar phobal éisteachta.
B'shin é Eoghan Rua Ó Súilleabháin, nó 'Eoghan an bhéil bhinn'
mar a bhaist an béaloideas air. Sna Mínteoga, cúpla míle taobh
ó thuaidh de Ghníomh go Leith, in oirthear Chontae Chiarraí a
rugadh é. Faoin uair ar tháinig sé ar an saol, sa mbliain 1748, ní raibh
mórán duine ar bith ag súil go bhféadfaí slí bheatha faoi mheas agus
faoi ghradam a bhaint amach mar bhard.

De réir a chéile, ligeadh na meadarachtaí casta a chleacht na baird
agus cuid mhaith den ársacht teanga a bhain lena gceird i ndearmad.
Bhí scoláirí amaitéaracha agus scríobhaithe ann a raibh suim i gcónaí
acu sa tseanfhilíocht, ach ba mhionlach beag iad le himeacht aimsire.
Ó thaobh na cumadóireachta, bhí deireadh ar fad leis an dán díreach
agus an seantraidisiún lenar bhain sé: an t-amhrán a bhí i réim feasta.

Tá go leor cosúlachtaí idir an Súilleabhánach agus Raiftearaí,
a rugadh tríocha bliain ina dhiaidh sin arís: ach an oiread le fear
Mhaigh Eo, pearsa béaloideasa ann féin é Eoghan Rua. Ní hionann
agus na baird a chuaigh rompu, bhí gné láidir siamsaíochta ag baint
le cur i láthair na beirte – rud a bhí i gceist go mór i gcás Raiftearaí,
mar gur ag brath go hiomlán ar a chumas teacht i láthair i measc na
cosmhuintire a bhí sé siúd.

Bhí scileanna eile ag an Súilleabhánach seachas an fhilíocht –

chaith sé sealanna ina mhairnéalach, ina mháistir scoile agus ina spailpín feirme, chomh maith le bheith ag cumadh véarsaí. Ó tharla go raibh léamh agus scríobh aige, bhí eolas maith aige ar na lámhscríbhinní a raibh fáil níos coitianta orthu i gCúige Mumhan ná mar a bhí i gConnachta. Bhíodh Eoghan páirteach chomh maith ó thráth go céile i gcúirteanna filíochta na Mumhan, grúpaí filí a thagadh le chéile thall is abhus tríd an tír ar bhonn *ad hoc*, le traidisiún ársa na véarsaíochta a choinneáil ag imeacht chomh maith agus ab fhéidir i ndiaidh do scoileanna na mbard titim as a chéile. Ní hionann agus Raiftearaí, fuair an Súilleabhánach deis go minic a chuid véarsaíochta a phlé le filí eile agus léirmheasanna a fháil ó dhaoine a raibh eolas ar an gceird acu. Bhíodh sé ag cóipeáil lámhscríbhinní chomh maith, agus i mbun filíocht agus ábhair eile a mhúineadh: ag aois an-óg a thosaigh sé ar an obair sin. Tá an cuntas seo ag Daniel Corkery air sa leabhar *The Hidden Ireland*:

> When he was eighteen he opened a school on his own
> account at Gneeveguilla, a place two miles to the north
> of Meentogues. A contemporary of his, out of bitter
> experience, had called schoolmastering an empty trade,
> yet all his life through, whenever his fortunes were hopeless,
> on this empty trade Eoghan was to fall back.

Bás óg a fuair Eoghan Rua, i ndiaidh dó buille de thlú a fháil sa gcloigeann agus é ag troid le linn babhta ólacháin.

Is féidir a rá gur bhain Ó Súilleabháin go pointe áirithe le traidisiún léinn a chuaigh siar chuig aimsir na mbard : bhí macallaí den saol sin fós le haireachtáil lena linn i measc sléibhte Chontae Chiarraí.

Maidir le Raiftearaí, faoin am a rugadh é siúd i gCill Liadáin, in iargúl Chúige Chonnacht, ba chuid den tseanstair na scoileanna bard. Ach más fíor don seanchas a luadh roimhe seo faoi scoil scairte Bhoth Chomhla agus faoi chúnamh an Bhráthar Taaffe, bhí sé d'ádh air oideachas a fháil nach bhfuair mórán den chosmhuintir lena linn. Ach de bharr é a bheith dall, ní raibh sé in ann an teanga scríofa a shaothrú, nó fiú bheith ag obair mar scríobhaí, ag cóipeáil lámhscríbhinní ar bhonn páirtaimseartha. Ach mar a fheicfeas muid ar ball, bhí suim aige ar feadh a shaoil sa traidisiún liteartha agus tá tagairtí ar fáil thall is abhus ina chuid dánta a léiríonn go raibh eolas aige ar chuid den fhilíocht agus den phrós a scríobhadh sa 16ú agus sa 17ú haois. Deirtear sa seanchas go mbíodh lámhscríbhinní thíos ina mhála ó thráth go céile aige agus é ag taisteal: d'iarradh sé ar dhaoine a raibh léamh acu an t-ábhar a bhí ar fáil iontu a aithris os ard dó. Chuala Lady Augusta Gregory an seanchas sin agus í i mbun taighde in oirthear Chontae na Gaillimhe:

> He used to carry a book with him – a Pantheon – about the heathen gods and goddesses; and whoever he'd get that was able to read, he'd get him to read it to him, and then he'd keep them in his mind and use them as he wanted them.

Ach ní saothar liteartha ná miotaseolaíoch an chéad dán dá chuid atá tagtha anuas chugainn, ach ábhar éadrom siamsaíochta. De réir tráchtairí éagsúla, ina measc staraithe áitiúla arb as ceantar Chill Liadáin iad, bhí an file tosaithe ar véarsaíocht a chumadh sular fhág sé a cheantar duchais agus dar leo, tá trí cinn de phíosaí dá chuid tagtha anuas chugainn ón tréimhse sin.

Is é an chéad cheann a luaitear le 'tréimhse Chill Liadáin' ná an píosa a luadh roimhe seo, an rannscéal faoi Bhrídín Bhreathnach, an searbhónta mná i dTeach Mór Chill Liadáin a raibh an ghráin ag Raiftearaí uirthi, más fíor. Tá amhras ann gurbh é Raiftearaí a chum, mar gur rannscéal é a luaitear sa mbéaloideas le pearsana aitheanta eile, an cumadóir ceoil Toirdhealbhach Ó Cearbhalláin ina measc.

Is é an darna píosa a luaitear le Raiftearaí ná an píosa spraíúil a dtugann Ciarán Ó Coigligh 'An Fear ar Goideadh a Hata Uaidh' air: an chéad amhrán iomlán a chum sé, más fíor don seanchas. Dhá theideal éagsúla atá ar fáil air sna leaganacha i Roinn Bhéaloideas Éireann: *An Rógaire a Ghoid mo Hata* agus *An Síogaí.* Níor éirigh le Dubhghlas de hÍde teacht ar an dán féin agus é i mbun taighde, cé go bhfuair sé a thuairisc i gceantar Chill Liadáin. Is ann a bhailigh sé scéal a dhéanann ceangal beag idir an t-amhrán agus tiarna talún na háite:

'Sé an chéad abhrán do rinne sé, do réir muinntire Chill Aodáin, abhrán ar hata do goideadh ó fhear éigin do bhí ag cur coirce do Franc Taafe. Nuair chuaidh sé isteach chum a dhinnéir d'fhág an fear so a hata crochta ar mhaide chum na préacháin do sgannrughadh. D'iarr Reachtabhra óg ar dhuine éigin an hata do thabhairt leis, nuair bhí an fear eile istigh ag a dhinnéar, le greann do dhéanamh dhó féin, agus rinne sé amhrán ar an hata, d'á rádh gurbh' iad na daoine maithe do thóg leó é, agus chuir sé in san abhrán gur lean an fear so iad go Cruach Mheadh' agus as sin soir go Roscomáin, ar thóir a hata, agus an méad tharla dhó.

Cibé cén áit a cumadh an t-amhrán, is cosúil go raibh sé á rá go poiblí ag Raiftearaí minic go leor i ndiaidh dó Contae na Gaillimhe a bhaint amach agus gur mhair dhá leagan de i dtraidisiún béil an chontae isteach go lár na fichiú haoise. Tá fáil ar an dá leagan i mbailiúchán Roinn Bhéaloideas Éireann i mBaile Átha Cliath agus is orthu a bhunaigh Ciarán Ó Coigligh an leagan a chuir sé siúd in eagar.

Ní dúiche mhór lámhscríbhinní ná cúirteanna filíochta a bhí in oirthear Mhaigh Eo le linn óige Raiftearaí, is cosúil, ach mar sin féin, is fiú cuimhneamh gur tógadh an file i gcontae a raibh an chumadóireacht amhrán á cleachtadh go tréan ann ag gnáthdhaoine nach raibh mórán de chúlra liteartha acu. Tá toradh saothar na gcumadóirí anaithnide sin fós beo beathaíoch ar bhéil fonnadóirí amhrán i nGaeltacht Chonamara anuas go dtí an lá inniu féin agus meastar gur idir na blianta 1650 agus 1850 a cumadh formhór a gcuid véarsaí. Díreach mar a dhéanann muintir na hÉireann sa lá atá inniu ann a gcuid féin d'amhráin Mheirceánacha a luann áiteacha ar nós Memphis, Reno agus San Antonio, tá glacadh in iomlán ag muintir Chonamara le fada an lá le hamhráin atá suite i mBaile an Róba, in Inis Gé agus i mBéal Átha hAmhnais féin. Is i gContae Mhaigh Eo a cumadh *Liam Ó Raghallaigh, An Caiptín Ó Máille, Cuaichín Ghleann Néifin* agus cuid mhaith píosaí eile, an t-amhrán imirce *Contae Mhaigh Eo* san áireamh. Is mór an seans go raibh cuid éicint de shaibhreas cumadóireachta a chontae dúchais ar eolas ag Raiftearaí de ghlanmheabhair agus is rímhór an seans gur orthu a bhunaigh sé cuid de na chéad iarrachtaí a thug sé uaidh.

Le tuairim a fháil ar a raibh ar siúl ó thaobh na nuachumadóireachta comhaimseartha i gConnachta le linn Raiftearaí, is fiú comparáid ghearr a dhéanamh idir é féin agus file Maigh Eoch eile den tréimhse chéanna. Agus fear Chill Liadáin ag teacht in inmhe in oirthear an chontae, ceithre scór míle siar ó thuaidh uaidh, i gceantar Iorrais, bhí file eile i mbun oibre. B'shin é Riocard Bairéad – nó Dic Bairéad mar a thugtar go fóill in Iorras air. Cé go raibh an Bairéadach comhaimseartha le Raiftearaí, bhí sé níos sine ná é – thart ar 1740 a rugadh é, rud a d'fhágfadh go raibh an dá scór beagnach slánaithe aige faoin am ar tháinig Raiftearaí ar an saol. Sa mbliain 1819 a cailleadh é, agus ní móide gur chas an dá fhile ar a chéile riamh. Is iad na hamhráin is cáiliúla de chuid an Bhairéadaigh ná an t-amhrán ólacháin *Preab san Ól* agus an aoir a scríobh sé ar thiarna talún éagórach, *Eoghan Cóir*.

Ní hionann agus Raiftearaí, nach bhfuil de chuntais scríofa againn ó fhoinsí comhaimseartha ina thaobh ach cúpla abairt ó James Hardiman agus glac véarsaí gangaideacha ó Mharcas Ó Callanáin, tá cuid mhaith tagtha anuas chugainn ó údair chomhaimseartha a chas ar Dic Bairéad. Duine amháin acu sin é an múinteoir Pádraig Ó Loingsigh. Chaith an Loingseach tréimhse ag múineadh i mBéal Feirste – bhí Tomás Ruiséil, dlúthchara de chuid Wolfe Tone, mar scoláire aige. Sa mbliain 1802, thosaigh sé ag taisteal thart ar Chúige Chonnacht, ag bailiú seanamhrán don bhailiteoir ceoil Edward

Bunting. Seo cuid den litir a scríobh sé chuig cara leis i mBéal
Feirste, John McCracken, deartháir le Henry Joy, ceannaire de chuid
na nÉireannach Aontaithe a crochadh i 1798. Ar an 24ú Bealtaine,
1802 a scríobh sé an litir, i ndiaidh dó castáil ar Dic Bairéad:

> Mr. Barrett is certainly a very agreeable companion, and
> I found him exceedingly civil; He keeps a little Academy,
> for the gentlemen's children of the Island. There are a
> great many genteel people, men of landed property in the
> Mullet. I suppose the young men of them had most of
> their education from Mr. Barrett.

I dtuairisc eile ar Dic Bairéad, an ceann seo scríofa ag údar taistil
a casadh air agus file Iorrais ina sheanfhear, tá cur síos spéisiúil a
léiríonn na difríochtaí suntasacha a bhí ann idir é agus Raiftearaí, ó
thaobh taithí saoil agus ioncaim de, agus ó thaobh na cumadóireachta
chomh maith. Is é an scríbhneoir Sasanach J.B. Trotter an t-údar.
Is sa mbliain 1817 a chas sé ar an mBairéadach, dhá bhliain sular
cailleadh an file, in 1819, agus é i bhfoisceacht cúpla mí de na ceithre
scór:

> Mr. Nash introduced us to Mr. Barrett, the venerable poet
> of Erris. He is a fine old man, between seventy and eighty
> years of age, modest, of conciliating manners, having the
> deportment of a plain English country gentleman, with
> all the mildness of polished life. His conversation was
> sensible, and the vivacity of the poet often broke out. He
> sung for us an air of Carolan's, with Irish words, and an
> additional stanza of his own composition, which he sung
> to different airs. Mr. B. was a schoolmaster for some years,
> but found the confinement of that life irksome, and has
> long since given up. He resides on a small farm of his own,
> in simple but genuine independence. He owes nothing,
> and has but few wants: his books are his companions; he

writes poetry in both the English and Irish languages, and
is quite content on five acres of land.

Má bhí aois mhór féin aige, is léir go raibh an tsláinte fós go maith ag
an mBairéadach an uair sin, é fós in ann stéibh amhráin a chur uaidh,
é fós in ann cúrsaí filíochta agus eile a phlé go múinte, i mBéarla
paiteanta, leis an Uasal Trotter. Go deimhin, luann an cuairteoir go
sonrach go raibh an fhilíocht á saothrú ag Dic Bairéad sa mBéarla
agus sa nGaeilge araon. Fear mór léitheoireachta a bhí ann chomh
maith. Bhí eolas maith aige ar shaothar Robbie Burns na hAlban,
cé nach raibh aon ró-mholadh aige dó. Bhí an-dúil go deo aige i
saothar Jonathan Swift. Ba mhinic i gcomhluadar na maithe agus
na móruaisle thart ar cheantar Iorrais é – go deimhin, bhí oideachas
curtha aige ar ghasúir na n-uaisle agus é i mbun an 'Acadaimh'. Ní
hamháin sin, ach ba Phrotastúnach an chéad bhean a bhí aige, Nancy
Tallot, rud neamhchoitianta go leor ag an am. Chum sé amhrán
amháin ag moladh na másún, eagraíocht Phrotastúnach a bhfuil
cosúlachtaí áirithe idir iad agus an tOrd Oráisteach.

Don té a bhfuil eolas ar thíreolaíocht Chontae Mhaigh Eo aige,
tá ceist amháin a dhúisíonn an t-eolas seo atá againn ar Riocard
Bairéad – má bhí Béarla snasta ag file Iorrais, agus é ina chónaí i
gceann de na ceantracha is iargúlta san Eoraip, cén t-eolas a bhí ag
Raiftearaí ar theanga na nGall?

Tá tuairimí ag na staraithe áitiúla faoin gceist sin. Dar le Joe
Solan, bhí smeadar Béarla ag Raiftearaí ón am a bhí caite aige thart
ar Theach Mór Chill Liadáin:

> Apart from his formal schooling in the hedge-school, as a
> hanger-on in Killeadan House he would have learned some
> English; because of his position there as an entertainer it is
> likely that he was exposed to many ideas from table-talk in
> the 'Big House'.

Is léir don té a léifeadh a chuid véarsaíochta go raibh foclóir leathan

Béarla ag Raiftearaí. I measc na bhfocal Béarla a chaitheann sé isteach thall is abhus ina chuid cumadóireachta, tá réimse téarmaí a bhaineann le saol na n-uasal, focail a d'fhéadfadh a bheith cloiste thart ar Theach Mór Chill Liadáin aige:

> decanters, plantations, carpet, muslin, gauze, lawn, beagles, ladies, post-chaise, jaunting car, hunters, tall boy, purse, wallet, jug, mahogany, delph, china, teapot, maiden ray, pitcher, kettle, Blazer, cage, Green, lace, kennel agus feller.

Bhí téarmaíocht Bhéarla a bhain le cúrsaí ceoil aige, foclóir a bhféadfadh cuid ar a laghad de a bheith cloiste i gCill Liadáin chomh maith aige:

> tambourine, French horn, clarinet, fife, flute, flageolet, bow, regulators, reed, drone, hautbuoy, spinet agus dulcimer.

Tá a chuid dánta polaitiúla breac le téarmaí Béarla a chuireann síos ar na ceisteanna sóisialta a bhí i mbéal an phobail lena linn, lá níos faide anonn, tar éis dó Cill Liadáin a fhágáil go deo: New Lights, Orangemen, foundation, revelation, emancipation, Milesians, Pretender, Ribbonmen, peelers, licence, Liberty tree, consecration, battle, tumult, fair play, fine, summons, Israelites, challenge, Anabaptists, Seekers, Quakers, Swadlers, Presbyterians, Cromwellians, relief agus bayonets. Bhí téarmaí chomh maith aige a bhain le cuid den teicneolaíocht agus infrastruchtúr nua a bhí tagtha ar an saol, nó a raibh caint uirthi lena linn: runners, centon cross-bar, tile, air balloon, turnpike, jenny, trap, typers, bandbox, counter-tile agus sockets. Uaireanta, bhaineadh sé úsáid as téarmaí Béarla le cur síos ar na dúile beo ina thimpeall, ar bhealach magúil, go minic: linnet, hop, tortoise, sycamore, beech, logwood, goldfinch, box, dale agus suckers. Agus ó thráth go chéile, luadh sé an leagan Béarla a bhí ar a cheird féin: poet.

Cé gurbh í an Ghaeilge gnáththeanga chumarsáide an lucht éisteachta ar dhírigh Raiftearaí air ar feadh a shaoil, is cinnte go raibh oiread áirithe Béarla le cloisteáil ina thimpeall. Lena linn, bhí cineál nua cumadóireachta a chloistear go minic i bpobail a bhfuil dhá theanga in iomaíocht lena chéile iontu: an t-amhrán macarónach. Is mór an seans gur chuala Raiftearaí véarsaí dátheangacha den chineál agus é ag trial ar aontaí ar an Achréidh lá níos faide anonn:

Dá mba liomsa Port Omna agus Baile Locha Riabhach,
Luimneach na Long agus contae Bhleá Cliath,
Ar do mhuintir a thabharfainn leath agus a thrian,
Ag dúil dul i gcleamhas leat lá fada agus bliain.

If I had Portumna and Louisburgh town,
Limerick with division, and Dublin all round,
I'd part with it all for the sake of you, my dear,
To consult with my darling for a long day and a year.

Bailíodh leaganacha Béarla de chúpla amhrán de chuid Raiftearaí blianta i ndiaidh a bháis, ach má bailíodh, ní cosúil go raibh cathú ar an bhfile féin a chuid véarsaí a chur i láthair go dátheangach, nó amhráin ó bhonn a chumadh i mBéarla. Níor bhain meon an gheiteó leis mar a bhaineann anois is arís le Gaeil na linne seo agus an teanga faoi bhrú céadach ó chuile thaobh. B'fhéidir nach raibh sé sách muiníneach as a chuid Béarla le go dtabharfadh sé faoi véarsaíocht a chumadh sa teanga sin. Nó b'fhéidir gur cinneadh comhfhiosach a bhí ann mar gurbh é an Béarla teanga an namhad. Tá an ceangal sin ar fáil ina chuid filíochta idir an namhaid Gallda agus an teanga a labhair sé:

Trí Mhuine Gall a thriall lucht Béarla,
agus i gCeapaigh na gCeann a rinne siad sléachtadh.

Agus é ag breathnú ar mhac an fhíodóra ag dul i méadaíocht, é ag teacht agus imeacht thart ar Theach Mór Chill Liadáin, caithfidh go raibh Frank Taaffe bródúil as an déagóir cumasach, tráthúil a chonaic sé anois roimhe. Ní raibh leigheas ar bith, ar ndóigh, ar na súile gan solas agus bheadh éadan Antaine breac le máchail na bolgaí go lá a bháis. Ach fear óg neamhspleách, muiníneach a bhí ann, fear a bheadh buíoch go deo don tiarna talún faoin tacaíocht fhial a bhí faighte uaidh.

Tréimhse shocair go maith i stair Chontae Mhaigh Eo a bhí sa gcéad scór bliain de shaol Raiftearaí – nó na chéad ocht mbliana déag, le bheith cruinn. Ach bhí athrú mór le teacht ar an scéal sin. Ar an 30ú Márta, 1798 bhí naoi mbliana déag slánaithe aige. Ba mhillteach na heachtraí a bhí chun titim amach ina chontae dúchais idir an lá sin agus a chéad lá breithe eile. Tá caint go dtí an lá inniu féin ar an sléacht a rinneadh ar chosmhuintir Mhaigh Eo i mbliain chinniúnach 1798. Caitheadh agus sádh agus crochadh fir Mhaigh Eo as éadan an bhliain sin. Éigníodh mná, os comhair a gcuid gasúr go minic. Níl mórán blianta i stair an chontae ar baisteadh ainm ar leith uirthi, ach tá ainm i gContae Mhaigh Eo ar 1798 – Bliain na bhFrancach.

6

Bíodh Claíomh Agus Sleá Agaibh i bhFaobhar Géar

Mar is iomdha buachaill maith a chuir tú thar sáile
a thiocfas anall is cúnamh leo,
faoi chultaí dearga agus hataí lása
is beidh an droma Francach ag seinm leo.

NA BUACHAILLÍ BÁNA

AR AN DARA LÁ FICHEAD de mhí Lúnasa, 1798, cuireadh cor
nua i saol chontae dúchais Raiftearaí. Tríocha míle ó thuaidh
óna bhaile dúchais, ar an lá cinniúnach sin i ndeireadh an
tsamhraidh, tháinig fórsa míle saighdiúir Francach i dtír i gCill Ala,
baile beag ar chósta thuaidh an chontae, faoi orduithe an Ghinearáil
Jean Joseph Amable Humbert.

Bhí naoi mbliana déag slánaithe ag Raiftearaí an tEarrach sin,
agus seans maith gur i gCill Liadáin a bhí sé fós ag cur faoi, cé nach
bhfuiltear cinnte cá raibh cónaí air ag an am. Fiche bliain ina dhiaidh
sin arís, bheadh an file ina bholscaire díocasach ar son gníomhartha
réabhlóideacha in oirthear na Gaillimhe a bhí ar scála i bhfad ní ba
lú ná eachtraí na bliana 1798. Ach i ndeireadh an tsamhraidh sin
agus a óige féin ag druidim chun deiridh, bhí ina chogadh dearg i
gContae Mhaigh Eo.

Trí cinn de fhrigéid a bhí tar éis an fharraige mhór a thabhairt orthu féin ó chalafort La Rochelle ar chósta thiar na Fraince an samhradh sin. Bhí fórsa Humbert ar cheann amháin de thrí cinn de bhuíonta míleata a sheol i dtreo na hÉireann thart ar an am céanna. Bhuail buíon Éireannach Aontaithe chun farraige ó Dunkirk, faoi cheannaireacht Napper Tandy. D'fhág an Ginearál Hardy agus 3,000 fear faoina stiúir calafort Brest na Briotáine – ocht gcinn de fhrigéid agus long stiúrtha a bhí acu siúd. I measc na n-oifigeach ar bord bhí dlíodóir óg Anglacánach ó Bhaile Átha Cliath a raibh aisling aige – poblacht a bhunú in Éirinn a mbeadh fealsúnacht chomhionannach Réabhlóid na Fraince mar bhunchloch aici: theastaigh uaidh go mbeadh deis ag gach Éireannach maireachtáil de réir an mhana Liberté, Egalité, Fraternité: Saoirse, Comhionannas agus Bráithreachas. Bhí an fear sin ar dhuine de na smaointeoirí ba thábhachtaí sna hÉireannaigh Aontaithe, an eagraíocht réabhlóideach Éireannach *du jour*; Theolbald Wolfe Tone ab ainm dó.

Cén fáth go raibh na saighdiúirí Francacha seo ag tarraingt ar Éirinn? Cén spéis a bhí acu san oileán s'againne? Cén gá a bhí lena dteacht ar aon nós, dar le Theobald Wolfe Tone agus a chairde sna hÉireannaigh Aontaithe? Leis an scéal sin a thuiscint, ní mór dul siar píosa agus súil a chaitheamh ar an méid a bhí tar éis tarlú ar feadh céad bliain roimhe sin don chreideamh lenar bhain Raiftearaí. Mar nuair a baisteadh an páiste Maigh Eoch ina Chaitliceach am éicint i ndeireadh an earraigh i 1779, bhain sé ballraíocht amach i gclub nach raibh mórán stádais ag baint leis.

Ó dheireadh an tseachtú haois déag, ón mbliain 1695 i leith le bheith cruinn, bhí an dream lenar bhain muintir Raiftearaí, cosmhuintir Chaitliceach na hÉireann, faoi éagóir mhór. Sa mbliain sin a cuireadh tús le treo nua i gcóras dlithiúil na tíre, féachaint le Caitlicigh na hÉireann a choinneáil faoi chois. Bhí na dlíthe sin bunaithe ar reachtaíocht den chineál céanna a bhí rite roimhe sin i Sasana leis an mionlach Caitliceach thall a choinneáil faoi smacht. Ceann de na hiarsmaí den reachtaíocht sin a mhaireann slán isteach sa 21ú haois ná an riail a chuireann cosc ar bhaill de theaghlach ríoga na Breataine Caitliceach a phósadh.

Is ar mhaithe le cumhacht an Phápa a choinneáil faoi shrian i Sasana a ritheadh na dlíthe frithChaitliceacha i Sasana an chéad lá.

Bhí an aidhm sin i gceist leis na Péindlíthe in Éirinn chomh maith, ach sa tír seo, áit a raibh móramh mór den daonra dílis d'údarás na Róimhe, ceapadh iad leis an gcosmhuintir Chaitliceach a choinneáil faoi chois, agus lena ngreim ar úinéireacht na talún in Éirinn a laghdú oiread agus ab fhéidir. I ndiaidh an mhéid a thit amach aimsir Shéamais II, bhí údaráis Londan ag coinneáil súil an-ghéar ar Chaitlicigh na hÉireann – ní hamháin mar nárbh fhéidir bheith ag brath ar a ndílseacht do choróin Shasana, ach i ngeall ar an nádúr a d'airigh siad lena gcomhChaitlicigh i dtíortha eile na hEorpa a bhí ina mbagairt do na Sasanaigh – An Fhrainc ach go háirithe.

Is iad lucht na dtithe móra, dream Protastúnach den chuid is mó, a tugadh an Ascendancy orthu, a d'fhéach leis na péindlíthe nua a chur i bhfeidhm, lena stádas mar úinéirí na talún a chosaint ó na Caitlicigh.

Féachadh chomh maith le stádas na gCaitliceach a raibh maoin áirithe fanta acu a ísliú. Cuireadh cosc ar Caitlicigh oideachas a fháil, abhus in Éirinn nó thar lear. I 1697, díbríodh chuile easpag Chaitliceach as an tír, leis an gcosmhuintir a fhágáil gan ceannaire creidimh. D'fhág sé sin nach raibh ardeaspag Caitliceach ar bith in Ard Mhacha ar feadh dhá bhliain is fiche, i dtús an ochtú haois déag. B'éigean do shagairt pharóiste clárú leis na húdaráis agus ní raibh cead acu taisteal taobh amuigh dá gcontae féin. Ní raibh cead acu séiplíneach a bheith ag obair in éineacht leo. Cuireadh cosc ar phátrúin agus ar fhéilte eile a bhain leis an gcreideamh Caitliceach i 1704. Is mór an seans gur chuala Raiftearaí caint sa bpobal ar an leatrom seo a imríodh ar an bpobal creidimh inar tógadh é féin.

Ach seachas creideamh na gCaitliceach a chur faoi chois, is ar úinéireacht na talún a díríodh, féachaint lena laghdú oiread agus ab fhéidir. Ní raibh cead ag Caitliceach talamh a bheith ar léas aige níos faide ná aon bhliain déag agus fiche. Nuair a chailltí úinéir talún Caitliceach, b'éigean a chuid talún a roinnt go cothrom i measc a chlann mhac. An t-aon bhealach a bhí ann leis an riail sin a sheachaint ná go dtiontódh an mac ba shine ar an gcreideamh

Protastúnach. Dá ndéanadh sé é sin díreach ar mhaithe leis an riail a shásamh, agus tiontú ar ais ina dhiaidh sin ina Chaitliceach arís, ar mhaithe le fanacht dílis do chreideamh a mhuintire, chuirtí píonós géar air. I gcás den chineál sin, má bhí deartháir eile in ann a chruthú nár cloíodh go dílis leis an dlí i gcúrsaí uachta, bhronntaí an talamh air siúd, ach sárú an achta a chur ar a súile do na húdaráis. An '*discoverer*' a tugadh ar an té sin, agus is iomaí aighneas géar a tharraing sé i measc deartháireacha Caitliceacha. D'fhág an obair sin ar fad nach raibh ach 5% de thalamh na hÉireann in úinéireacht Chaitliceach faoin mbliain 1774.

Mar bharr ar an donas, b'éigean do na Caitlicigh sciar suntasach dá n-ioncam bídeach a thabhairt d'Eaglais na hÉireann, creideamh na mboc mór. Dá dhonacht é na pátrúin agus féilte creidimh na gCaitliceach a bheith curtha faoi chois, dá dhonacht an talamh a bheith á bhaint díobh, is cinnte gur ghoill an cháin sheicteach sin go géar ar an gcosmhuintir.

Bliain nó dhó sular rugadh Raiftearaí, tháinig Arthur Young, scríbhneoir agus taighdeoir Sasanach go hÉirinn le heolas a bhailiú ar mhodhanna talmhaíochta na tíre. Bhain an éagóir a chonaic sé chuile áit siar as. Sa leabhar a tháinig uaidh i 1780, *A Tour in Ireland,* rinne sé cur síos ar chás na cosmhuintire agus ar an gcaidreamh a bhí acu leis na tiarnaí talún, daoine nach raibh an bá céanna acu lena dtionóntaí is a bhí ag muintir Taaffe, tiarnaí talún nua Theach Mór Chill Liadáin. Is léir uaidh a ísle is a bhí an misneach i measc cuid mhaith de na Gaeil, iad sa gcás céanna leis na hAfracaigh a bhí ag sclábhaíocht leo ar fud stáit nuabhunaithe Mheiriceá ag an am:

A landlord in Ireland can scarcely invent an order which a servant labourer or cottar dares to refuse to execute. Nothing satisfies him but an unlimited submission. Disrespect or anything tending towards sauciness he may punish with his cane or his horsewhip with the most perfect security...

Landlords of consequence have assured me, that many of their cottars would think themselves honoured by having their wives or daughters sent to the bed of their master, a mark of slavery that proves the oppression under which such people live.

Ach de réir mar a d'imigh na blianta, bhí sé ag éirí níos soiléire do na húdaráis nárbh fhéidir na Péindlíthe a chur i bhfeidhm go docht. Bhí an móramh Caitliceach rómhór le coinneáil faoi chois chomh dian sin – bhí contúirt ag baint lena míshásamh do na húdaráis, mar go raibh na Caitlicigh chomh mór faoi bhrú gur airigh siad nach mbeadh mórán le cailleadh acu, fiú dá marófaí iad ag troid ar son a gcearta. Ní raibh na hacmhainní ag na húdaráis lena gcuid dlíthe éagóracha a chur i bhfeidhm go héifeachtach. Sa gcás nárbh fhéidir iad a chur i bhfeidhm, fritheadh bealaí timpeall orthu, agus b'éigean don mhionlach Protastúnach a bhí i mbun na gcúirteanna glacadh leis sin. An toradh a bhí leis an gcur chuige solúbtha sin ná meon a thagann chun cinn go minic i measc pobail chóilínithe: laghdaíodh an meas a bhí ar an gcóras dlí agus d'fhás an tuiscint gur bac a bhí sa gcóras ar ghá bealaí a fháil le sleamhnú timpeall air – tuiscint a mhaireann go tréan, is baolach, anuas go dtí an lá inniu in Éirinn.

Ach dá dhonacht an scéal, faoin am go raibh Raiftearaí tagtha ar an saol, bhí cúrsaí ag athrú de bheagán chun feabhais. Bhí an caidreamh a bhí ag an Ascendancy le Sasana ag athrú, díreach mar a bhí tar éis tarlú le cóilinithe Mheiriceá. Bhí rath ar na Protastúnaigh in Éirinn agus theastaigh uathu níos mó smachta a bheith acu ar a gcuid cúrsaí féin. Theastaigh saoirse áirithe ó Londain uathu. Ach má theastaigh, ní raibh mórán ina measc a bhí ag iarraidh saoirse den chineál céanna a bhronnadh ar na Caitlicigh.

Agus níorbh iad na Caitlicigh amháin a bhí thíos le cumhacht na bProtastún. Ba daoine den dara grád iad na Preisbitéaraigh agus na dreamanna éagsúla ar tugadh na *Dissenters* orthu chomh maith. Cé go raibh cead acu siúd talamh a cheannach agus a dhíol, bhí an ceangal céanna orthu tacaíocht airgid a thabhairt d'Eaglais na hÉireann.

Nuair a thosaigh coilíneachtaí Mheiriceá a n-iarracht le saoirse a

bhaint amach sa mbliain 1776, trí bliana sular rugadh file Mhaigh
Eo, spreagadh smaointe réabhlóideacha in Éirinn chomh maith.
Bhí rialtas Londan ag iarraidh greim a choinneáil ar an gcoilíneacht ba
shine a bhí acu, Éire, ach thuig siad gur ghá géilleadh roinnt do
Bhaile Átha Cliath, ar mhaithe le trioblóid a sheachaint. De réir
a chéile, tosaíodh ar na Péindlíthe a leasú: an bhliain sular rugadh
Raiftearaí, tugadh cead do Chaitliceach talamh a cheannach, den
chéad uair le céad bliain. Dhá bhliain ina dhiaidh sin, i 1780, ligeadh
cead do Phreisbitéaraigh páirt a ghlacadh sa bpolaitíocht.

I 1782, d'éirigh le polaiteoirí an Ascendancy, faoi chinnireacht
Henry Grattan, tuilleadh neamhspleáchais a bhaint amach do
Phairlimint Bhaile Átha Cliath i riaradh an oileáin.

Ní hionann agus cuid mhaith dá chomhghleacaithe Protastúnacha,
thuig Henry Grattan go raibh ceist mhorálta ann maidir le cearta
daonna na gCaitliceach agus na bPreisbitéarach nó na hEasontóirí,
na *Dissenters*, mar a tugadh chomh maith orthu. I 1796, mhol sé i
bPairlimint Bhaile Átha Cliath go gceadófaí do Chaitlicigh bheith
ina bhfeisirí pairliminte. Vótáil 19 ar son an rúin agus 143 ina choinne.

Ghoill an leatrom gan náire sin ar Phrotastúnach eile a raibh
coinsias sóisialta aige. Mac le tógálaí cóistí den chreideamh
Anglacánach a bhí in Theobald Wolfe Tone. Leis an dlí a chuaigh sé
i dtosach a shaoil oibre agus glacadh leis ag Barra Bhaile Átha Cliaith
i 1789. Dhá bhliain ina dhiaidh sin, chaith sé cúrsaí dlí in aer le díriú
ar an bpolaitíocht.

Thall i Londain, bhí an Príomhaire, William Pitt, ag éirí
neirbhíseach. Bhí Réabhlóid na Fraince i mbarr a réime agus bhí
sléacht déanta ag an réimeas nua ar an teaghlach ríoga agus ar
chuid mhaith den dream a raibh teidil uaisle acu. Bhí ceangal ag
dul siar i bhfad idir an Fhrainc agus Éirinn, ceangal a bhí tar éis
éirí níos doimhne de bharr na bPéindlíthe. Is i gcoláistí sa bhFrainc
a hoileadh cuid mhaith de shagairt na hÉireann agus is chun na
Fraince a chuirtí fir óga ón dornán beag teaghlach Caitliceach a bhí
fós in acmhainn mac a sheoladh thar lear le hoideachas a chur air.
Bhí Éireannaigh páirteach ag leibhéal ard i saol míleata na Fraince le

blianta fada. Anois, agus dream reibiliúnaithe i mbun cúrsaí i bPáras, bhí bagairt mhór ann do Shasana. Dá n-éireodh leis na Francaigh greim a fháil ar Éirinn, d'fhéadfaí ionsaí a dhéanamh ar oileán na Breataine aniar agus anoir. Le cúrsaí a shuaimhniú in Éirinn, chuir an Príomhaire Pitt an Catholic Relief Act i 1793 chun cinn, le vóta a thabhairt do Chaitlicigh a raibh leibhéal áirithe maoine acu. Bhí glacadh feasta leo chomh maith i ngairmeacha éagsúla beatha, ach ní raibh cead acu bheith ina bhfeisirí pairliminte.

Ach bhí Pitt ródheireanach: an bhliain chéanna, d'fhógair Rialtas na Réabhlóide i bPáras go raibh siad ag dul chun cogaíochta leis an mBreatain. I mBaile Átha Cliath, chinn Wolfe Tone ar an deis a thapú le réabhlóid a thosú in Éirinn. Ach sceith spíodóirí air agus b'éigean dó dul ar a theitheadh. D'éalaigh sé chun na Fraince agus i ngeimhreadh na bliana 1796, sheol sé i dtreo Chuan Bheanntraí le flít Fhrancach a raibh 15,000 saighdiúir ann.

Ach bhí an aimsir agus an chinniúint ina choinne. D'éirigh stoirm mhór agus seoladh na báid Fhrancacha ar ais abhaile. Má bhí mí-ádh ar Tone agus na hÉireannaigh Aontaithe, bhí an t-ádh dearg le rialtas na Breataine, mar a chuir spíodóir dá gcuid in iúl. Seo an anailís rúnda a chuir Leonard McNally, aturnae agus duine de bhunaitheoirí na nÉireannach Aontaithe, ar fáil do Londain:

> The whole body of the peasantry would join the French in case of an invasion....The sufferings of the common people from high rents and low wages, from oppressions of their landlords...and tithes, are not now the only causes of disaffection to Government and hatred of England: for though these have long kept the Irish peasant in the most abject state of slavery and indigence, yet another cause, more dangerous, pervades them all...This cause is an attachment to French principles in politics and religion lately imbibed, and an ardent desire for a republican Government.

I samhradh na bliana 1798, bhí Wolfe Tone ar ais ar an bhfarraige. Ar an gcósta thiar a díríodh an iarraidh seo. Le fórsa an Ghinearáil Hardy a bhí sé siúd. D'éirigh go maith le fórsa Humbert i dtosach, cé nár tháinig ach cuid den fhórsa iomlán i dtír. Tar éis dóibh Cill Ala a bhaint amach, bhuail siad bóthar ó dheas go Caisleán an Bharraigh. Ar an 27ú Lúnasa, chuir siad ruaig ar fhórsa mór a bhí dílis do réimeas na nGall. Mar seo a cuireadh síos ar an lá buacach sin in amhrán ón tréimhse, *An Caiptín Máilleach,* amhrán a cuireadh i mbéal ceannaire ó cheantar Chnoc Mhuire agus Achadh Mór in oirthear an chontae, an Captaen Séamas Ó Máille:

Gan airm, buíon ná éadach, i ngleannta doimhne agus sléibhte
Chleachtaigh muid dian-réiteach do thíocht na bhFrancach chróg'
I mBearnain mhaoil na Gaoithe is i g*Castlebar* ina dhiaidh sin
Ruaig muide na Breathnaigh bhréagacha is ár bpící lena dtóin.

I ndiaidh an chatha, agus i ndiaidh lucht na gcótaí dearga a bheith ruaigthe, eachtra ar bhaist an béaloideas 'Rásaí Chaisleán an Bharraigh' air, fógraíodh den chéad uair Poblacht na hÉireann, nó 'Poblacht Chonnacht' mar a tugadh go minic ó shin air. Ba spreagúil an forógra é féin:

Brave Irishmen, our cause is common; like you, we abhor the avaricious and bloodthirsty policy of an oppressive government; like you, we hold as indefeasible the right of all nations to liberty; like you, we are persuaded that the peace of the world shall ever be troubled as long as the British Ministry is suffered to make with impunity a traffic of the industry, labor and blood of the people.

Cuireadh Gaeilge ar an bhforógra agus scaipeadh i measc na cosmhuintire é. Ach níor mhair an phoblacht a d'fhógair sé i bhfad. Trí lá dhéag ar fad a bhí sí ar an saol agus gan aitheantas oifigiúil aici ó náisiún ar bith eile ar feadh an ama sin, fiú ón bhFrainc féin –

ceann den bheagán réimeas a raibh a fhios acu go raibh a leithéid de phoblacht le fógairt.

Réab Humbert agus a lucht leanúna soir, iad imithe i líonmhaire faoin am seo ag fir Mhaigh Eo, óglaigh a bhí bíogtha le buille a bhualadh ar son na saoirse. Ach má réab, bhí an Lord Lieutenant i mBaile Átha Cliath, Charles Cornwallis, ag réiteach fórsa le dúshlán na bhFrancach a thabhairt. Is i mBéal Átha na Muc i gContae an Longfoirt a chas fórsa 26,000 fear faoi stiúir an Ghinearáil Lake le buíon Humbert, ar an 8ú Meán Fómhair. Leathuair an chloig a mhair an cath, nó gur ghéill an ginearál Francach.

Is measa fós mar a d'éirigh leis an dá fhórsa eile. Gabhadh sé cinn de fhrigéid an Ghinearáil Hardy agus iad ag iarraidh teacht i dtír i nDún na nGall. Bhí Theobald Wolfe Tone ar bord ceann acu. Gabhadh é siúd chomh maith, tugadh go Baile Átha Cliath é agus daoradh chun báis é. Ar an 27ú Samhain, chuir Tone lámh ina bhás féin sula raibh deis ag na húdaráis é a chrochadh go poiblí ar an tsráid i mBaile Átha Cliath.

Tar éis dó Inis Mhic an Doirn amach ó chósta Dhún na nGall a ghabháil, theip ar mhisneach Napper Tandy agus d'éalaigh sé féin agus a bhuíon ar ais chun na Fraince. Gabhadh an Ginearál Humbert agus na saighdiúirí Francacha eile a bhí faoina stiúir i mBéal Átha na Muc agus díbríodh ar ais abhaile iad.

Chonaic muintir an iarthair sléacht aisteach samhradh sin; meastar go maraíodh suas le 30,000 duine sa bhfeachtas, ó thús deireadh. Agus ní saighdiúirí agus óglaigh amháin a maraíodh dar leis an staraí R.F. Foster:

> Mass atrocities were perpetrated in circumstances of chaos and confusion, symbolized by the oddly assorted icons of the rosary and the 'cap of liberty.'

Ach cé gur theip ar Humbert agus ar a bhuíon, is iontach mar a chuaigh an eachtra i bhfeidhm ar shamhlaíocht na ndaoine. Le himeacht ama, cumadh go leor amhrán faoi imeachtaí Bhliain na bhFrancach, i nGaeilge agus i mBéarla, ina measc *Bacach Shíl' Aindí:*

An raibh tú i gCill Ala nó i gCaisleán an Bharraigh
Nó an bhfaca tú campaí a bhí ag na Francaigh
Mise agus tusa agus ruball na muice 'gus bacach Shíl' Aindí,
bacach Shíl' Aindí.

Cuireadh an véarsa seo le hamhrán de chuid na linne, 'An Spailpín Fánach':

Tá na Francaigh anois istigh i gCill Ala
Agus beimid go leathan láidir;
Tá Bonaparte i gCaisleán an Bharraigh
Ag iarraidh an dlí a cheap Sáirséal.
Beidh beairicí an rí ins gach aon oíche trí lasadh
Agus yeomen againn ar garda,
Puiceanna an Bhéarla go síoraí dá leagan
Sin cabhair ag an Spailpín Fánach.

Liosta le háireamh iad na hamhráin sa traidisiún ón tréimhse a dhéanann trácht ar Bhliain na bhFrancach, ina measc *Cúl na Binne,* amhrán a chasann muintir Acla i gcónaí, *Na Francaigh Bhána, Ó 'Bhean an Tí Cén Bhuairt sin Ort?, An Róipín Caol Cnáibe* agus *Maidin Luain Chincíse* ina measc.

An cheist mhór a tharraingíonn an scéal sin ar fád ná í seo: cá raibh Raiftearaí aimsir Bhliain na bhFrancach? Tá seans ann go raibh an dall óg tar éis bóthar a bhualadh agus Contae Mhaigh Eo a fhágáil. Ach má bhí sé fós i gCill Liadáin, ní móide go raibh mórán ábhar eile a tharraing oiread cainte is a tharraing imeachtaí an tsamhraidh sin. Ba chuma cá raibh sé, tá seans láidir go raibh aithne phearsanta aige ar fhear nó beirt ar a laghad a maraíodh sa sléacht a lean Rásaí

Chaisleán an Bharraigh: níl Cill Liadáin ach tuairim is fiche míle bealaigh ó Chaisleán an Bharraigh.

Shamhlófaí go mba bhreá an t-ábhar filíochta a bhí i bhfógairt Phoblacht Chonnacht do Raiftearaí, fiú mar ábhar le tarraingt air blianta fada i ndiaidh do Humbert agus a bhuíon teacht i dtír. Ach is é an t-aon tagairt d'fhórsaí míleata ón bhFrainc atá ar fáil sa gcnuasach de shaothar Raiftearaí a chuir Ciarán Ó Coigligh i láthair i 1979 ná an ceann seo:

A Dhonncha Brún is deas chraithfinn láimh leat
agus ní le grá duit ach le fonn do ghabháil,
cheanglóinn thú le rópa cnáibe
agus chuirfinn mo spiar i do bholg mór.
Mar is iomdha buachaill maith a chuir tú thar sáile
a thiocfas anall is cúnamh leo,
faoi chultaí dearga agus hataí lása
is beidh an droma Francach ag seinm leo.

Maidir leis an tagairt chliathánach sin féin, tá amhras ann gur píosa dé chuid Raiftearaí é.

Deir Ciarán Ó Coigligh faoi:

Níl ann ach caolsheans gurbh é Raiftearaí a chum ceachtar den dá amhrán a dtugtar 'Na Buachaillí Bána' orthu.

Bhí Dubhghlas de hÍde, an chéad duine le saothar Raiftearaí a chur in eagar, ar aon intinn le Ó Coigligh:

Ag so abhrán do fuair mo chara an Neachtánach ó bhéal duine éicint i nGaillimh...Dúirt an fear so gurbh'é Reachtabhra do rinne é. B'éidir sin, acht tá amhras ann.

Más aisteach an scéal gur fhan Raiftearaí ina thost ar feadh a shaoil faoi imeachtaí na bliana 1798, is aistí fós gur sheachain Riocard

Bairéad an téama. Ní hionann agus file Chill Liadáin, ní raibh aon mháchail choirp ar an mBairéadach a thiocfadh idir é agus páirt a ghlacadh san Éirí Amach. Ba bhall gníomhach de na hÉireannaigh Aontaithe é, cé nach raibh tacaíocht an-mhór ag an eagraíocht i gContae Mhaigh Eo. Ba mhar a chéile an scéal ag file eile Maigh Eoch a bhí thuas ag an am, Micheál Mac Suibhne. Nuair a tháinig an scéala anoir chomh fada leis ar an nGeata Mór, thug an Bairéadach Caisleán an Bharraigh air féin le páirt a ghlacadh sa troid 'ar son na hÉireann agus na Maighdine Muire.' Gabhadh é agus cé nach bhfuair sé an rópa cnáibe mar luach saothair ó Dhonncha de Brún, chaith sé seal i bpríosún Chaisleáin an Bharraigh de bharr a chuid gníomhartha. Ach má chaith, níl amhrán ná dán ar bith faoi theacht na bhFrancach tagtha anuas uaidh siúd ach an oiread – ná ón bhfile eile a ghlac páirt san Éirí Amach, Micheál Mac Suibhne.

Tá an tuairim ann go mb'fhéidir nár fhan Dic Bairéad ina thost faoi imeachtaí 1798. Deirtear go mb'fhéidir gur cailleadh nó gur scriosadh roinnt dánta dár chum sé faoin éirí amach. Sin an tuairim a chuir Richard Hayes chun cinn sa leabhar uaidh *The Last Invasion of Ireland* a thánig uaidh i 1937

> ...Barrett displayed such activities after the French landing that he was imprisoned in Castlebar jail for several months. It is curious that none of their poems has for its subject or inspiration what must have been a tremendous event at the period; and the fact constitutes an anomaly which can only be explained by the strong probability that many of their verses were lost.

Seans beag gur fíor é sin, ach i gcás Raiftearaí, ní móide gur mar sin a tharla.

Cén fáth mar sin gur sheachain sé scéal mór na bliana 1798? An é gur bhreathnaigh muintir Mhaigh Eo ar an eachtra sin mar thragóid a bhí chomh mór sin nach raibh fonn orthu a bheith á choinneáil i gcuimhne? An é go raibh oiread eolais ag Raiftearaí ar an sléacht agus ar an scanradh a bhain leis nach raibh fonn ar bith air tada a dhéanamh ach dearmad a dhéanamh air, mar nárbh aon údar gaisce é?

Tá a fhios againn ón méid a scríobh James Hardiman, staraí mór na Gaillimhe, go raibh stór maith amhrán ag Raiftearaí, chomh maith leis an gcuid a chum sé féin. Seans mar sin má bhí fonn air imeachtaí 1798 a tharraingt anuas sa véarsaíocht go raibh sé sásta na véarsaí sin a bhí ar eolas aige faoin scéal a rá, seachas bheith ag cur leis an scéal é féin.

Mar a luadh cheana, níl ach píosa véarsaíochta amháin dá chuid atá tagtha anuas chugainn ar féidir bheith measartha cinnte faoi gur i gContae Mhaigh Eo a cumadh é: sin é an píosa bacach *An Síogaí a Ghoid mo Hata*. Is cosúil gur ag fánaíocht i gContae na Gaillimhe a bhí an file nuair a chum sé chuile phíosa eile dá chuid. Is cosúil chomh maith nár dhírigh sé ar chúrsaí polaitíochta mar ábhar filíochta go dtí thart ar an mbliain 1820: fear dhá scór bliain d'aois a bhí ann an uair sin.

Seachas an t-amhrán *Cill Liadáin*, níor thriail sé riamh é féin a chur i láthair mar Mhaigh Eoch ina chuid amhrán. Mar fhear dall, mar fhear siúil gan dídean, bhí a sheasamh ar an Achréidh leochaileach go maith, gan a bheith ag cur i gcuimhne do dhaoine gur strainséir freisin é. Is cosúil gur thóg sé an cinneadh ag pointe éicint dearmad, nó ar a laghad neamhaird a dhéanamh ar Chontae Mhaigh Eo agus díriú ar an saol a bhí ina thimpeall agus ar an bpobal a raibh sé ag maireachtáil ann mar dheoraí.

Ceist mhór ag muintir Mhaigh Eo í an chúis gur fhág Raiftearaí a cheantar dúchais an chéad lá riamh. Cén gá a bhí aige le saol éiginnte na fánaíochta a thabhairt air féin? Cén fáth nár fhan sé sa mbaile? Bhí caidreamh aige le tiarna talúin tacúil, tuisceanach; bhí a lucht aitheantais ina thimpeall; bhí díon os a chionn. Céard a thug air saol i bhfad níos deacra agus i bhfad níos neamhchinnte a tharraingt air féin?

Is é freagra na ceiste sin, de réir sheanchas cheantar Chill Liadáin, ná gur bhain timpiste do Raiftearaí – timpiste a chuir as go mór do Frank Taaffe. De bharr na timpiste, rinneadh scrios ar an gcaidreamh docht a bhí ann le blianta fada idir an fear óg dall agus a thiarna talún.

7

Móruaisle na Tíre Ann
Ag Imirt is Ag Ól

Tá marcaigh ar eachraí agus daoine uaisle gléasta
Ag fiach i bplantations go dtiteann an oích',
Siléir go maidin arís ann á réabadh,
Ól ag na céadta agus leaba le luí.

CILL LIADÁIN

D E BHARR GO NDEACHAIGH an Ghaeilge in éag mar theanga phobail in oirthear Mhaigh Eo sa gcéad leath den bhfichiú haois, is beag duine i gceantar dúchais an fhile ar na saolta seo a bhfuil eolas leathan aige ar véarsaíocht Raifteraí. Ach ní hionann sin is a rá nach bhfuil muintir an cheantair bródúil as. Cé nach maireann mórán daoine atá in ann dánta leis a aithris ná amhráin dá chuid a rá, maireann seanchas go leor faoi go dtí an lá inniu. Ceann de na scéalta is coitianta dá bhfuil ar fáil san áit ná cur síos ar eachtra a mhíníonn an chúis a bhí ag an bhfile lena áit dhúchais a fhágáil, gan filleadh go deo.

An leagan is coitianta atá ar fáil ná go raibh cóisir ar siúl i dTeach Mór Chill Liadáin oíche. Bhí Raiftearaí i láthair agus é i mbun ceoil ann. Amach san oíche, ídíodh a raibh de phórtar sa teach. Cuireadh Antaine go Coillte Mach le tuilleadh dí a fháil. Ar an láir ab fhearr a bhí ag Frank Taaffe a chuaigh sé. Ar an mbealach ar ais, chuaigh an leaid óg dall amú. Tháinig sé chomh fada le habhainn nó sruthán: An Pollach, b'fhéidir.

Thug Antaine fuip don láir agus thriail sí an abhainn a léim. Ach bhí an abhainn róleathan. Thit an t-ainmhí bocht isteach san uisce agus maraíodh í. Tháinig Antaine slán, ach má tháinig, bhí faitíos air filleadh ar an Teach Mór agus an drochscéala a inseacht d'fhear an tí. Theith sé agus níor chónaigh sé choíche gur sheas sé thuas i lár Chontae na Gaillimhe.

Tá cúpla leagan den scéal ar fáil. Ceann ábhairín níos casta a bhailigh Dubhghlas de hÍde ag casadh na fichiú haoise:

Do bhí fleidh agus féasta ag an tigh mór, agus bhí an t-ól ag éirghe gann, agus cuireadh searbhfóghanta ag marcuigheacht le dul go dtí an baile mór le tuilleadh thabhairt amach. D'iarr an searbhfoghanta ar Raifteirí teacht leis. Léimeadar ar dhá chapall agus amach leó. Togha capall do bhíodh ag Frank Taaffe, agus bhíodh meas mór aige orra. Shaoil an searbhfóghanta dá mbeadh an Reachtabhrach dall féin nach raibh baoghal air, mar rachadh an dá chapall lé chéile, agus bheadh sé féin anaice leis, agus maidir leis an Reachtabhrach ní sgannróchadh rud ar bith é. D'imthigheadar mar sin 'na gcois-an-áirde tríd an oidhce, acht ar chuma éicint do sgaradar ó chéile. Tháinig capall an Reachtabhraigh go casadh obann in san mbóthar, agus é ar a lán-luathas. Níor fhéad sé tionntódh i n-am, agus chuaidh sé de léim i bpoll-móna agus báitheadh é. Ar éicint tháinig an Reachtabhrach saor, acht níor chuala mé gur gortuidheadh, féin, é. Deir Pádraig Ó hAoidh liom gurb'é seo an t-ádhbhar fá'r fhág sé Cill Aodáin, óir bhí fearg áidhbhéal ar Fhranc Taafe nuair chuala sé gur báitheadh a chapall breágh, agus ruaig sé an file bocht ar fad as Cill Aodáin.

Deirtear nach maith leis an nádúr follús agus gurb é nós an nádúir an follús sin a líonadh. Is fíor an méid sin chomh maith faoin mbéaloideas. Ní maith leis an mbéaloideas bearna eolais agus is minic go líontar bearna dá shórt le scéal, eachtra a chumtar le ciall a bhaint as an gceangal atá ar iarraidh i slabhra an eolais.

Is mór an seans gur píosa cumadóireachta é eachtra an bhairille phórtair, scéal a chum seanchaí anaithnid éicint. Bairille fuisce a luaitear i leagan eile den scéal ach tá an deireadh céanna leis an bpéire: maraíodh an capall, bhí an tiarna talún le ceangal agus chuir sé an ruaig ar Raiftearaí, é sin nó shocraigh an fear óg bailiú leis ar an bpointe, mar chreid sé go mbeadh sé contúirteach filleadh ar an Teach Mór, féachaint leis an gcás a mhíniú.

Cé go bhféadfadh scéal an chapaill a bheith fíor, is deacair é a chreidiúint ina dhiaidh sin.

Níl a fhios ag duine ar bith cén fáth ar fhág Raiftearaí Cill Liadáin agus gur thug sé aghaidh ar Achréidh na Gaillimhe, am éicint roimh 1820. Is mór an seans gur thart ar chasadh an naoú céad déag a bhuail sé bóthar, ach ní fios cén uair.

San agallamh beirte, *Caisimirt an phótaire leis an uisce beatha*, píosa a chum Raiftearaí lá níos faide anonn agus é ag cur faoi ar Achréidh na Gaillimhe, tá an méid seo le rá ag an bpótaire atá ag admháil nár chun a leasa i gcónaí a chuaigh an cion a bhí aige ar an deoch mheisciúil:

> Tig liomsa a mhíniú mar a chaith mé mo shaol leis,
> ó baineadh an chíoch díom 'mo leanbh
> Gur thréig mé mo dhaoine, mo dhámh, is mo ghaolta,
> is ní shéanfainn é ar chomhairle na hEaglais'.

Tá sé le tuiscint gur carachtar ficsin é an pótaire atá ag labhairt san agallamh, ach is spéisiúil ina dhiaidh sin gur thapaigh an file an deis leis an gcur síos sin a dhéanamh ar scaradh duine lena mhuintir agus lena phobal dúchais, agus an t-ólachán a lua mar chúis leis an scarúint.

Leide eile atá ar fáil ná an cur síos atá ag an bhfile Marcas Ó Callanáin faoin gcaoi ar leandáil fear Mhaigh Eo i gCreachmhaoil an chéad lá:

Ag iarratas a bhí sé nuair a thriall sé eadrainn,
Ruaigeadh aníos é as tír na mbratach,
Ní raibh fascadh ná dídean ná slí ar bith leapa aige,
Ach seanphluid bhuí a raibh míle paiste air.

Dán é sin a cumadh le Raiftearaí a mhaslú, mar sin is deacair a rá cén bunús fírinneach atá leis an líomhain gur ruaigeadh an file amach as a cheantar dúchais. Más fíor, d'fhéadfadh timpiste a bhain le capall luachmhar a bheith mar bhunús leis an ruaigeadh: ní bheidh a fhios againn go cinnte go brách.

Cibé cén chúis a bhí le cinneadh Raiftearaí bóthar ó dheas a bhualadh, is mór an seans go raibh baint ag cúrsaí ioncaim leis an scéal. Ceantar bocht go leor é Oirthear Mhaigh Eo. Bhí an contae ar cheann de na réigiúin ba mhó a d'fhulaing aimsir an Ghorta Mhóir, blianta gairide i ndiaidh bhás Raiftearaí. Gabháltais bheaga a bhí agus atá fós ag na feilméaraí ann, iad ag strachailt le drochaimsir agus le talamh bocht. Focal coitianta Gaeilge a bhí ar fáil i mBéarla an cheantair agus mé féin ag éirí aníos ná 'ruaiteach'. 'Rough moorland' an míniú atá ag Ó Dónaill ar an bhfocal agus tá an cineál sin talún fairsing go maith in oirthear Mhaigh Eo.

Bhí a ndóthain ar a n-aire ag cosmhuintir na háite greim a choinneáil ina mbéal féin agus i mbéal na muiríní móra a bhíodh orthu aimsir Raiftearaí, gan bheith ina bpátrúin ag ealaíontóirí siúil chomh maith.

Ag casadh an naoú haois déag, bhí amach is isteach le cúig mhilliún duine ina gcónaí ar oileán na hÉireann. B'shin dhá oiread an daonra a bhí sa bPortaingéil ag an am agus dhá oiread de dhaonra na Sualainne chomh maith. B'ionann na cúig mhilliún duine sin an uair sin agus aon trian de dhaonra na Ríochta Aontaithe, mar a baisteadh ar an dá oileán i ndiaidh Acht an Aontaithe a tháinig i bhfeidhm i 1801.

Bhí an daonra ag fás ar fud na hEorpa agus ba mhar a chéile an scéal in Éirinn. Amach faoin tír, bhí comhluadar in ann maireachtáil ar an méid fataí a d'fhástaí ar ghiodán beag talún. Ní raibh costas mór ag baint le cábán nó bothán bunúsach a thógáil, é déanta as ábhar a raibh fáil go háitiúil air.

Seo cur síos atá ar fáil i mBailiúchán na Scol i Roinn Bhéaloideas Éireann, cuntas a breacadh i mí na Márta 1938. Mairéad Nic Giolla Phádraig as an Rinn, lámh le Cill Cheallaigh i gContae Mhaigh Eo, an tuairisceoir agus tá cur síos ann ar 'sheantithe' aici – tithe a tógadh, seans, am éicint i gcaitheamh an naoú haois déag:

In former times the people made their own houses from stone. These houses were very low and untidy because hens and cows were often kept in them. All the old houses were thatched and roofed with bog deal and scraws. More of them were roofed with flags and then thatch was put over the flags... There are many accounts of houses having no chimney, only a hole in the roof for the smoke to go out. Those that had chimneys, the front of them were made with mortar and stone and also of clay and wattles. For giving light they used bog deal splinters, other people used the light of the fire and more rush-lights and candles.

Dhá sheomra a bhíodh sa teach go hiondúil. Ní bhíodh na seomraí i bhfad á líonadh – suas le ceithre dhuine dhéag nó níos mó a bhíodh mar mhuirín ag daoine. Chailltí páistí go leor an uair sin agus ba ghá comhluadar mór a bheith ann le beith cinnte go mbeadh duine éicint ann le haire a thabhairt do na tuismitheoirí i ndeireadh a saoil. Ní bheadh caint ar phinsean na sean ná tada dá shórt go dtí tús na fichiú haoise. An seanduine nach raibh aon chomhluadar aige, chuirtí amach ar an mbóthar ag iarraidh déirce é nó í.

D'oibríodh an líon tí gasúr ar an talamh taobh lena dtuismitheoirí. Anuas go dtí aimsir m'óige féin sna seascaidí is éard a deireadh comharsa linn nuair a chuala sé go raibh mo mháthair ag súil le páiste eile ná '*I hear ye're expecting help*' – an Béarla, agus é míchruinn ar bhealach amháin, ach thar a bheith cruinn ar bhealach eile, a bhí curtha in oirthear Mhaigh Eo ar an leagan cainte Gaeilge a dhéanann trácht ar an iompar clainne: 'ag súil le cuideachta'. Ní comhluadar a bhí i gceist le páiste nua, ach cúnamh breise, le móin a ghróigeadh nó le fataí a phiocadh.

Is ar na fataí a mhair an comhluadar, é sin agus min choirce a d'ití mar bhrachán nó a bhácáiltí mar arán. Dá mbíodh rath níos fearr ar an gcomhluadar, bhíodh im ann scaití le cur ar na fataí, uibheacha anois is arís agus, le cósta, iasc: scadáin ba mhó a d'ití. Ní fhástaí glasraí eile seachas an fata go forleathan mar go gcoinníodh na fataí ar feadh an gheimhridh, ní hionann agus cabáiste nó meacain.

B'shin mar a bhí ag an bhfeilméara beag agus b'é siúd an cineál tionónta ba choitianta a bhí ag iarraidh slí bheatha a bhaint amach ar thalamh bocht oirthear Mhaigh Eo.

Ach in oirthear chontae na Gaillimhe, bhí cúrsaí níos fearr ag na feilméaraí. Bhí talamh níos fearr ann agus feilméaraí a raibh rath níos mó orthu ná mar a bhí ar mhuintir oirthear Mhaigh Eo. Seo an cur síos a bhí ag an bhfeilméara agus file ar chuala muid ar ball uaidh, Marcas Ó Callanáin, ar an gcineál feilméireachta a bhí ar bun aige féin sna blianta a raibh Raiftearaí ag fánaíocht sa gceantar. Agallamh beirte atá sa dán idir an feilméara (é féin) agus a láí. Is mar seo a chuireann an láí síos ar fhiúntas a cuid oibre:

Is de mo bharr bhíos glaoch ar mhuca,
Ag mná is páistí mhéadaíonn pluca,
Coinním a lán ó iompar an phuca,
Saothraím an t-arán is ní fhaighim aon phioc de.

Feilméaraí láidre ab ea Marcas Ó Callanáin agus a dheartháir agus comhfhile, Peatsaí. Ní hionann agus feilméaraí beaga Mhaigh Eo, bhí beagán airgid le spáráil acu, airgead a choinneodh greim ina bhéal ag ceoltóir agus file siúil. Tá a leithéid luaite ag an gCallanánach go sonrach san agallamh thuasluaite: seo an chomparáid a dhéanann an feilméara idir an fiúntas a bhaineann le hobair na láí agus obair an chapaill:

> Sciúirse feasta ó bheith ag déanamh bréaga,
> B'fhearr an capall dom, cliath agus céachta,
> Seisreach capall gafa gléasta,
> Chuirfeadh na bánta ar chúl a chéile.
>
> Is ina n-aice ba mhinic sin bólacht,
> Tine agus teas ag fear bealaigh agus bóthair,
> Beatha go fairsing, airgead agus ór buí,
> Éadach sa bhfaisean, ag daoine críonna agus óga.

Má tá ábhairín áibhéil sa gcur síos sin ar an rath a bhí ar fheilm na gCallanán, tá bunús na fírinne leis – bhí geilleagar oirthear na Gaillimhe in ann tacú le 'fear bealaigh agus bóthair' ar nós Raiftearaí. Seans gurbh shin an chúis ba thábhachtaí leis an gcinneadh a thóg an fear óg an bóthar ó dheas a thabhairt air féin agus slán a fhágáil ag plánaí Mhaigh Eo.

Pé cúis a bhí lena imeacht, is é an cinneadh sin a bhaile dúchais a fhágáil a leag amach an saol a chaithfeadh sé mar chumadóir – duine siúlach, scéalach a bheadh ann feasta, duine a mhair ar a chumas a bheith mar urlabhraí ag an bpobal a lonnódh sé féin ann an chuid eile dá shaol.

Agus é ag bualadh bóthair ó dheas, ag fágáil talamh bocht oirthear Mhaigh Eo ar a chúl, bhí Raiftearaí ag brath ar a chumas éisteachta lena bhealach a dhéanamh. Sa ré roimh charranna a ghluais as a stuaim mheicniúil féin, bhí na fuaimeanna a chloiseadh taistealaí siúil ar bhóithre na tuaithe roinnt difriúil ón tranglam gleo a bhuaileann cluasa coisí sa lá atá inniu ann.

Bhí na bóithre i bhfad níos bunúsaí an uair sin, iad clochach, garbh, pollta, iad briste agus bascaithe ag sioc agus báisteach. An té a raibh carr asail ná capaill aige, rothaí adhmaid a bhíodh faoi agus bonn miotail orthu. Is de shiúl na gcos a dhéanadh daoine a gcuid taistil cuid mhaith, rud a d'fhágadh go mbíodh i bhfad níos lú trácht ar an mbóthair ná mar a bhíonn anois ann. De shiúl na gcos a sheoltaí beithígh ar aontaí, agus chloiseadh Raiftearaí na tréada sin ag géimneach i bhfad uaidh agus feadaíl a gcuid úinéirí ar a gcuid madraí leis na beithígh a choinneáil faoi smacht. Bhíodh asail ag grágaíl agus coiligh ag fógairt.

Agus é ag siúl ó dheas trí Chlár Chlainne Mhuiris, trí Bhaile an Daighin agus an chéad sráidbhaile i gContae na Gaillimhe, Baile an Mhuilinn, is mór an seans gur chas Raiftearaí ar dhaoine eile a bhí ar mhíchumas fisiciúil ar a nós féin; daoine dalla eile, ar leag an galar breac rian orthu chomh maith céanna. Casadh iarshaighdiúirí air a bhí ar leathchois nó ar leathláimh, de bharr a ngortuithe ar pháirceanna éagsúla áir ó cheann ceann na hEorpa.

Má bhí caint curtha aige ar chuid de na hiarshaighdiúirí sin, is mór an seans gur labhraíodh ar Réabhlóid na Fraince. I 1789 a cuireadh tús léi agus lean sí ar aghaidh i bhfoirmeacha éagsúla go casadh an chéid – ba chuid den scéal eipiciúil sin Bliain na bhFrancach.

Seans gur chuala an fidléir óg siúil chomh maith faoin gcinneadh a bhí tógtha i Londain le deireadh a chur le Parlaimint na hÉireann sa mbliain 1801 agus ríocht amháin aontaithe a dhéanamh den dá oileán, Éire agus Oileán na Breataine. Is deacair a shamhlú nach raibh caint cloiste chomh maith aige ar imeachtaí na bliana 1803, tráth ar éirigh buíon réabhlóidithe eile amach, faoi cheannaireacht Robert Emmet, agus faoin mbás barbartha a fuair Emmet ar shráideanna Bhaile Átha Cliath i ndiaidh dó a aitheasc cáiliúil a thabhairt sa gcúirt, tráth ar dhúirt sé gan feartlaoi a chur ar leic a uaighe go dtí go mbeadh saoirse bainte amach ag Éire.

Agus é ag tabhairt aghaidh ar an mbóthar crochta ó Bhaile an Mhuilinn ó dheas go Tuaim, dá fheabhas an dá chluas a bhí air, ní móide gur tháinig glórtha binne an Anacreontic Musical Society anoir ar an ngaoth ó Bhaile Átha Cliath chuige. Bhí an bhuíon fonnadóirí agus ceoltóirí sin gníomhach i saol na hardchathrach: i measc na seónna a chuir siad ar stáitse i mblianta tosaigh an chéid ná ceolchoirm mhór le hairgead a bhailiú do chiste Cholún Nelson, ar cuireadh tús lena thógáil ar Shráid Sackville sa mbliain 1809. Ní luaitear tógáil an cholúin sin i saothar Raiftearaí. Níor bhain an file siúil le cúrsaí na hardchathrach agus is beag tagairt atá ar fáil áit ar bith ina shaothar do Bhaile Átha Cliath.

Is cinnte nár chuala sé ach oiread na cumadóirí Haydn agus Beethoven níos faide i gcéin ar mhór-roinn na hEorpa, iad ag obair faoi choimisiún ag an mbailitheoir agus foilsitheoir Albanach George Thomson, le cuid de na foinn ghaelacha a chasadh sé féin a chóiriú don phianó agus d'uirlisí eile, cóiriúcháin a foilsíodh is a díoladh leis na huaisle a bhí ag cur suime san ábhar sin ag an am.

Amuigh ar an bhfarraige mhór, bhí fuaimeanna eile nár tháinig riamh chomh fada le cluasa in iarthar Éireann: olagón agus gíoscán fiacal mhuintir Igbo agus Yoruba, iad á seoladh i bhfad óna bhfód dúchais in iarthar na hAfraice le bheith díolta ina mbeithígh oibre ag margaí na sclábhaithe in Providence, Rhode Island, nó i New Orleans.

Agus baile Thuama bainte amach aige, bhí plánaí Mhaigh Eo fágtha ina dhiaidh ag Raiftearaí. Ní leagfadh sé cois lena bheo arís ar bhóithríní a cheantair dhúchais, seachas san aistear samhlaíochta a dhéanfadh sé agus é ag cumadh an amhráin *Cill Liadáin*.

Is é an t-amhrán sin an t-aon cheann a chum sé lena fhód dúchais a mholadh. Níl ach amhrán amháin eile tagtha anuas chugainn a bhfuil áiteacha i gceantar dúchais Raiftearaí luaite ann agus blas chumha an deoraí air. Ní amhrán é a bhaineann le cúrsaí polaitíochta, ach le téama eile atá gar do chroí gach cumadóir óg a bhfuil paisean agus brí na beatha ag coipeadh ann: sin téama síoraí an ghrá.

8

A GRUA AR DHATH NA RÓS

Tá a brollach corrach lán ar dhath an tsiúcra bháin
nó mar bheadh dísle cnámh ar chlár ag rince.

NEANSAÍ WALSH

MAR A LUADH CHEANA, is deacair a rá go cinnte faoi amhrán ar bith de chuid Raiftearaí gur roimh 1820 a cumadh é. Seans go mbaineann cuid ar a laghad dá chuid amhrán grá le céad bhlianta na naoú haoise déag, ach is críonna an té a chuirfeadh in ord a gcumtha iad. Ina dhiaidh sin féin, tá go leor den tuairim go bhfuil an t-amhrán grá *Nancy Walsh* ar cheann de na hamhráin is luaithe de chuid Raiftearaí atá fós ar fáil sa traidisiún béil. Bhí Dubhghlas de hÍde den bharúil gur '*abhrán d'á abhránaidh tosaigh é*' Nancy Walsh. Deir sé sa leabhar a tháinig uaidh sa mbliain 1903 go raibh sé féin den tuairim, nuair a tháinig sé ar an amhrán an chéad lá riamh, gur cailín ó cheantar Choillte Mach a bhí i Nancy.

Chum Raiftearaí sé nó seacht gcinn de dhánta grá – deirim sé nó seacht gcinn mar tá amhras ann an é a chum *Peggy Mitchell*. Ní hionann agus ceann ar bith den chuid eile, déanann sé ceangal i *Nancy Walsh* le háiteacha ina cheantar dúchais. Tá trácht ann, cuir i gcás, ar Shliabh Chairn, cnoc 150m ar airde a sheasann ar chúl bhaile Choillte Mach is a thugann foscadh dó ón ngaoth aniar aduaidh.

"*The Mountain*" a thugadh muide fadó air agus muid ag breathnú amach fuinneog an tseomra ranga air i Méanscoil San Lughaidh i gCoillte Mach. Ní chuile dhuine a mbíodh glacadh aige leis sin mar ainm ar an sliabh. Cuimhním ar *assistante* óg Fraincise a tháinig chugainn i mbliain na hArdteiste, bean ó cheantar na nAlp. *'Zat ees not a mountain'* a bhíodh aici go drochmheasúil. *"Zat is a eel!".* Déantar tagairt chomh maith san amhrán ar lá aonaigh i gCoillte Mach, agus luaitear mullach an Leasa Aird, *'cnocáinín atá ar chúl Tighe Mhóir Chill Aodáin'* mar a deir de hÍde. Ba iad na tagairtí sin a thug le fios don Chraoibhinn Aoibhinn gur Maigh Eoch í Nancy. Bhí tuairim spéisiúil ag an staraí áitiúil Joe Solan i dtaobh an amhráin. Bhí seisean den tuairim go raibh gaol ag Neansaí Walsh le Brídín Bhreathnach, an searbhónta mná a raibh oiread drochmheasa ag Raiftearaí uirthi, an duine atá luaite sa rannscéal béaloideasa *Maím thú a Leac,* a raibh trácht roimhe seo air, véarsa maslach a chum an file óg, más fíor, agus é fíorshásta a chloisteáil go bhfuil Brídín ar lár. De réir sheanchas Chill Liadáin, bhí gaol gairid ag Brídín le Neansaí an amhráin ghrá :

My father [i. an t-iarmhúinteoir bunscoile, Dudley Solan] was of [the] opinion that Neansaí was related to Brídín Bhreathnach, housekeeper in Killeadan House and was probably her daughter. If she was, added significance attaches to Neansí's intention in the poem to 'leave her mother':

Labhair sí liom go tláith, sé a dúirt sí 'a mhíle grá
Bíodh foighid agat go dtige an oíche
Is éalód leat gan spás go huachtar Chontae an Chláir
Is ní fhillfidh mé ar mo mháthair choíche.

Treisíonn Solan a argóint, ag maíomh gur d'aon turas a chum Raiftearaí an t-amhrán le holc a chur ar mháthair Neansaí, más fíor, Brídín Bhreathnach.

The use of the English version of her name suggests some connection with the 'Big House' where she may have been employed also. One can easily imagine a bright young thing working in the domestic staff in Killeadan House, sporting the fashionable English version of her name and haughtily rejecting young Raftery's advances... I believe the composition is a deliberate taunting of her mother, Brídín, his bête noire.

Tuairim spéisiúil í sin, cé go bhfuil an chuma ar an scéal go raibh úsáid leaganacha Béarla de shloinnte daoine tar éis éirí coitianta go maith faoi dheireadh na hochtú haois déag, ba chuma an raibh ceangal ag daoine le Teach Mór nó mura raibh. Ní móide gurbh é a cheangal féin le Teach Mór Chill Liadáin a spreag an file le Raiftearaí a thabhairt air féin ar feadh a shaoil seachas an Reachtabhrach, nó Ó Raiftearaigh.

Tá de hÍde idir dhá cheann na meá ar an gceist faoi chúlra Neansaí :

Shaoil mise gurbh cailín as Condae Mhuigh-eó í, do chomnaigh anaice le Coillte Maghach óir deir sé féin go dtug sé a ghrádh dhí go hóg, agus tugann sé ainm an Leasa Áird (cnocáinín atá ar chúl Tighe Mhóir Chill Aodáin) agus Coillte Maghach isteach san abhrán, acht deir Mac Uí Fhinn liom go raibh sí 'na searbhfóghanta ag Geata-Mór i ngar do Bhaile-Locha-Riach, agus gur thaisbeán sí cineáltas mór don Reachtabhrach ag nighe a chuid éadaigh srl.

Ar ndóigh, d'fhéadfadh an dá rud a bheith fíor. Seans maith gur Breathnach ó cheantar Choillte Mach a bhí i Neansaí, ar chúpla cúis. An chéad cheann ná an sloinne sin 'Breathnach' nó 'Walsh' – ceann an-choitianta go dtí an lá inniu féin i gceantar Chill Liadáin agus Coillte Mach.

Agus mé féin ag freastal ar Mheánscoil San Lughaidh i gCoillte Mach sna seachtóidí, bhí Breathnaigh i mo thimpeall chuile áit. Ag ceann an bhóithrín s'againne, is os comhair siopa John Walsh a d'fhanadh muid don bhus buí scoile agus muid ag imeacht isteach go Coillte Mach ar maidin. ('Welsh' an fuaimniú atá in Oirthear Mhaigh Eo ar an sloinne, cé gur 'Walsh' nó 'Walshe' a scríobhtar.) I mo rang féin ar scoil bhí Sheila Walsh ó Shráid Aodáin, in íochtar bhaile Choillte Mach agus Jackie scéimhiúil Walsh as Both Chomhla, beirt chailíní nach raibh gaol ar bith acu lena chéile.

Thart ar bhaile Choillte Mach, bhí an áit beo le Breathnaigh – Gerry Walsh a bhí i mbun an tábhairne ba cháiliúla ar an mbaile, 'The Raftery Rooms'. In onóir an fhile a baisteadh an teach mór fada caol. Bhí an dán *Mise Raifteirí an File* crochta faoi onóir ar an mballa ann, i bhfráma mór bán. Istigh sa *lounge,* sa Raftery Room féin, bhí cineál scríne feistithe i gcuimhne an fhile – píosa dealbhóireachta de Raiftearaí agus é snoite as adhmad a fritheadh go háitiuil sa bportach. Is ann a chuireadh Gerry Walsh, beannacht Dé leis, seó bríomhar ar siúl do na deoraithe a thagadh abhaile ina bplódanna chuile shamhradh ó Shasana. (*"We have people in tonight from Manchester!"* a bhíodh aige ina ghlór domhain, údarásach. *"Stand up down there at the back, Manchester!"*) Is minic a chuireadh Gerry clabhsúr leis an oíche lena leagan croíuíl de *Cill Aodáin.*

Pearsantacht mhór de chuid Choillte Mach ba ea Gerry Walsh, ach bhí Breathnach eile, leaid áitiúil a raibh an baile fágtha aige sular leandáil mise ann i mo scoláire meánscoile i 1973, a raibh aird ar leith ag an dream óg air. B'shin é Louis Walsh, fear a raibh beagáinín beag cáile á bhaint amach dó féin aige i saol an cheoil, mar scríbhneoir leis an iris sheachtainiúil *Spotlight,* nó lena theideal iomlán a thabhairt dó *New Spotlight, Ireland's National Entertainment Magazine.* Sa ré réamh-idirlíon, reámh-Facebook, réamh-Twitter, réamhbhlagála, réamh-an-chéad-rud-mór-millteach-eile-a-bheas-thuas-faoin-am-go-léifidh-tú-na-focail-seo, rud mór a bhí ann ainm duine áitiúil a fheiceáil i gcló, go háirithe duine óg a bhí ag baint slí bheatha as rud chomh spéisiúil le bheith ag scríobh faoin bpopcheol. Ní fhéadfá ainm ná sloinne a shamhlú a cheanglódh duine le baile mórán níos fearr ná mar a cheanglaíonn ainm Louis Walsh é lena bhaile dúchais, Coillte Mach. Bhí riar maith leaids sa gceantar agus an t-ainm neamhchoitianta Louis orthu (dearthái liom féin ina measc). An chúis a bhí leis sin, ar ndóigh, ná ionad lárnach chlochar San Lughaidh i saol an bhaile.

Ar duine de shinsir Louis Walsh í Neansaí? Cá bhfios. Caithfear a admháil go bhfuil fáil ar an sloinne Breathnach/Walsh/Walshe/ Welsh go coitianta ar Achréidh na Gaillimhe. In eolaí teileafóin na Gaillimhe sa mbliain 2013, bhí 21 Breathnach ann, aon Bhreatnach amháin, agus na céadta de mhuintir Walsh agus Walshe.

Cibé cén áit arbh as do Neansaí, is léir go raibh Raiftearaí tógtha léi. Is mar seo a chuir sé síos uirthi:

> Cónaíonn cailín óg taobh thíos den Gheata Mór
> a dtug mé go mór mo ghrá di.
> Tá a grua ar dhath na rós a dhéanfadh marbh beo
> is go mb'fhearr liom léi ag ól ná i bPárthas.

Thug cara le de hÍde, a raibh Mac Uí Fhinn air, le fios gur lámh le Baile Locha Riach a bhí Neansaí ag cur fúithi, agus í ar aimsir i dTeach Mór ann.

Fuair muid leide ar ball ón bhfile é féin go raibh greim ag an deoch air agus é ina fhear óg. Is dá bharr sin, nó b'fhéidir de bharr go raibh sé cúthail i láthair na mban, go luann sé an t-ólachán mar ghníomhaíocht rómánsúil ar mhaith leis a dhul ina bun le Neansaí – go deimhin, b'fhearr leis cúpla pionta (nó cúpla cárt – deoch dhá phionta) a chaitheamh siar ina cuideachta ná a bheith sna Flaithis féin. Agus dá mbeadh a rogha de theach leanna aige, is ar a fhód dúchais ba mhaith leis an lá a chaitheamh is é ar an *tear* le Neansaí:

> Dá mbeinnse is tú ar Shliabh Cairn nó ar mhullach
> an Leasa Aird
> an áit ar chaith mé céad lá sínte
> is cinnte, a chúilín bán, go n-ólfadh muid ár sáith,
> i gCoillte Mach gach aon lá aonaigh.

Cé nach dtugann sé le fios go díreach go bhfuil sé anois píosa ó bhaile agus é ag cumadh na línte thuas, tá an fothéacs sin ann go láidir, go háirithe sa líne *'san áit ar chaith mé céad lá sínte'* – tá sé le tuiscint ón líne sin go bhfuil an tréimhse sin ina shaol thart agus go n-airíonn sé uaidh anois Sliabh Chairn agus mullach an Leasa Aird.

Is léir ón amhrán seo, agus ó shaothair eile grá dá chuid, go raibh muinín ag Raiftearaí sa deoch mheisciúil mar bhealach le bean a mhealladh. Samhlaíonn sé comhluadar ban óg agus deoch mheisciúil le sonas an tsaoil, le faoiseamh ón streachailt a bhain le bheith ag coinneáil ag imeacht ó lá go lá.

Ceist eile ná cé chomh minic a d'éiríodh leis caidreamh a bheith aige leis na mná éagsúla atá luaite ina chuid amhrán aige? I gcás Neansaí, shílfeá gur lena shamhlaíocht a bhain an scéal grá a bhí eatarthu. Is sa modh coinníollach ar fad a chuirtear síos ar na rudaí a d'fhéadfadh tharlú eatarthu. Is cosúil gur sa modh coinníollach a d'fhan an caidreamh seachas san aimsir ghnáthchaite.

Bhí an t-eolas seo a leanas bailithe ag de hÍde faoin gcaidreamh a bhí idir an bheirt:

> Deir Mac Uí Fhinn liom go raibh sí 'na searbhfhoghanta ag Geata-mór i ngar do Bhaile-locha-Riach, agus gur thaisbeán sí cineáltas mór do'n Reachtabhrach ag nighe a chuid éadaigh srl.

Seans gur mar bhuíochas faoina cineáltas a chum sé an t-amhrán do Neansaí, nó mar iarracht len í a mhealladh, b'fhéidir.

Sa chúigiú véarsa, feictear sampla breá den chlaonadh a bhí i Raiftearaí neart ainmneacha ó mhiotaseolaíocht na Gréige a tharraingt isteach ina chuid cumadóireachta. In imeacht cúig líne, liostáiltear réimse breá déithe ó thraidisiún na Gréige – ina measc Véineas, Ió, Árgas, Cassandra, Páras, Iúnó agus Mineirve, mar aon leis an bhfile Hóiméar.

Caithfear a rá ina dhiaidh sin, i dtosach a shaoil chumadóireachta, nach n-eiríodh i gcónaí le Raiftearaí na tagairtí seo ar mhiotaiseolaíocht chlasaiceach na hEorpa a úsáid go healaíonta ná go heacnamúil.

> Véineas trí gach ní a scríobh Hóimear ar a gnaoi
> agus Ió an bhean ler dalladh Árgas,
> Cassandra a thabhairt 'na dhiaidh a dúirt an scéal ab fhíor
> go sciosfaí a raibh in sa Traí le Páras.
> Iúnó céile an rí agus Mineirve anoir a bhí
> is an dís ar aon a thabhairt i láthair,
> ní thiocfadh a gcáilíocht síos le Neansaí Walsh, mo mhian,
> i ndeise, i ngile, i scéimh ná i mbreáichte.

Nós é sin a bhí faiseanta go maith san ochtú haois déag: tá tagairtí dá shórt go fairsing ag an bhfile Ultach Art Mac Cumhaigh, cuir i gcás. Bhí sé á chleachtadh ag cumadóirí amhrán an Bhéarla chomh maith. Féach, mar shampla an t-amhrán Ultach *Lough Erne's Shore*:

> One morning as I went a-fowling,
> Bright Phoebus adorning the plain;
> It was down by the shades of Lough Erne
> I met with a wonderful maid.

Maidir le Raifteraí, tá an chuma ar an scéal gur ag úsáid na dtagairtí miotaseolaíochta seo ar fad a bhí sé ar mhaithe le haird a tharraingt ar an bhfoghlaim a bhí air féin agus le dul i bhfeidhm ar lucht éisteachta a bhí ar bheagán oideachais. Bhí meas aige ar an léann agus theastaigh uaidh a chur in iúl gur duine léannta é féin.

Baineann an claonadh sin leis an rud a dtugtar 'caipitil chultúrtha' air sa lá atá inniu ann. Coincheap socheolaíochta atá i gceist leis an téarma caipitil chultúrtha, téarma a chuir an socheolaí Francach Pierre Bourdieu chun cinn den chéad uair sna seachtóidí. Séard atá i gceist leis ná an mhaoin theibí atá ag duine nach mbaineann saibhreas airgeadais ach lena stádas cultúrtha. Baineann na mhaoin seo le hoideachas duine, lena chúlra cultúrtha nó lena chumas cruthaitheach nó intleachtúil. Tugann a chaipitil chultúrtha deis don duine dul chun cinn a dhéanamh sa saol agus é ag tarraingt ar na buanna agus na scileanna sainiúla atá aige, seachas bheith ag brath ar an méid airgid atá ina sheilbh aige. Duine gan dídean leanúnach a bhí i Raiftearaí formhór a shaoil. Is beag de mhaoin shaolta a bhí aige, agus mar a admhaíonn sé féin, ní fada a d'fhanadh pingin ar bith dá bhfuair sé ina phóca sula gcaithfí i dteach an óil é. Bhí míchumas mór fisiciúil air, rud a chiallaigh nach raibh sé in ann slí bheatha a bhaint amach mar spailpín siúlach, mar a rinne Dáibhí Ó Bruadair agus Eoghan Rua Ó Súilleabháin roimhe, más go drogallach féin é. An t-aon rud a bhí aige ná a chuid caipitil chultúrtha – a chumas eisceachtúil filíochta. Thuig sé agus é ag cumadh *Neansaí Walsh* go gcaithfeadh sé aitheantas mar fhile a bhaint amach sa bpobal a raibh sé ag feidhmiú ann. Nuair a bheadh sé sin déanta aige, bheadh air an stádas sin a chosaint go fíochmhar. Agus sin é go díreach an rud a rinne sé.

Ó tharla gurb iad na hamhráin ghrá is mó a mhaireann beo sa traidisiún amhrán Gaeilge ag tús an 21ú haois, tá eolas ar leith ag an bpobal orthu. Dá bharr sin, is minic a chuirtear an cheist faoin gcur síos atá ar fáil sna hamhráin ar áilleacht na mban a mhol sé: cén chaoi a bhféadfadh fear dall a leithéid de chur síos a dhéanamh?

Tá an cheist sin á cur le breis agus céad bliain. Tharraing an file WB Yeats anuas í mar cheist in aiste a tháinig uaidh sa mbliain 1902:

> Some think that Raftery was half blind, and say, 'I saw Raftery, a dark man, but he had sight enough to see her,' or the like, but some think he was wholly blind, as he may have been at the end of his life.

Má ghlacann muid leis nárbh é file Mhaigh Eo a chum *Mise Raifteirí an File* agus an cur síos atá ann ar na súile gan solas, níl ach tagairt amháin ar fáil ina shaothar faoin daille. Aon dán agus leithchéad a leagtar ar Raiftearaí sa chnuasach údarásach a chuir Ciarán Ó Coigligh in eagar sa bhliain 1979. Agus cé go luann Raiftearaí a shloinne féin go minic ar fud a shaothair – aon uair is fiche ar fad, ní luann sé go bhfuil sé féin dall ach aon uair amháin, sa véarsa deireanach den dán *Ar Scoil Lucht Bíoblaí*:

Fear gan radharc gan léann a mhíníos daoibh an scéal,
Raiftearaí a d'éist ler dúradh
a deir go flaitheas Dé nach rachaidh neach go héag
a bheas ag plé le leabhra Liútair.

San amhrán grá uaidh, *Máirín Staunton*, déanann dé tagairt don daille, ach ní mar thréith dá chuid féin:

Solas lasta ina brollach gléigeal
a bhéarfadh léargas do dhall gan súil.

Íomhá neamhchoitianta é sin, a chuireann síos ar fhuinneamh spioradálta Mháirín Staunton, seachas trácht a dhéanamh ar an gcuma atá uirthi go fisiciúil. Go deimhin, is beag nach bhfuil sé séanta aige gur fear dall é féin sa dá líne díreach roimhe sin:

Dá bhfeicfeá an spéirbhean is í gafa gléasta,
lá breá gréine sa tsráid, is í ag siúl

Tá na línte sin scríofa aige amhail is go raibh radharc na súl aige féin. Is mar sin atá cuid mhaith dá chuid filíochta cumtha, na hamhráin ghrá go mórmhór – bíonn cur síos físiúil ann ar radharcanna agus ar mhionsonraí nach mbeadh feicthe ag fear dall. Féach na línte seo ón amhrán mór grá uaidh, *Máire Ní Eidhin*, cuir i gcás:

De mhullach sléibhe nach aoibhinn aerach
An ní a bheith **ag féachaint** ar Bhaile Uí Lia

Nó iad seo ón amhrán a mhol Peigí Bláth na Scéimhe:

Bláth na n-úll **dá bhfeicfeá** ag siúl
is í a thógfadh smúit de shléibhte

Tá an cur chuige céanna aige is é ag déanamh cur síos ar Úna Ní
Chatháin:

Dá bhfeicfeá chugat í réalt an eolais
is a cúilín ómra ina cheithre dhlaoi

Agus arís agus é ag trácht ar Neansaí Walsh:

Leithide mó stóir **dá bhfeicfeá** ag teacht sa ród
ba í an réalta tríd an gceo lá geimhridh í.

Spéisiúil go leor, níl Raiftearaí ag maíomh i gceann ar bith de na
línte thuasluaite go bhfaca sé féin an bhean atá á moladh aige.
Fíorannamh a dhéanann sé é sin.

An fíor mar sin don té a dúirt le WB Yeats go mb'fhéidir go raibh
radharc áirithe aige? Tá Joe Solan ag ceapadh gur fíor:

> The initial eye problem would have derived from scarring
> of the cornea as a result of smallpox vesicles forming on
> it, so that initially it would be reasonable to expect that
> Anthony would have some consciousness of light and
> form. Subsequently however it is likely that he suffered
> from degenerative eye-disease, so that he would have been
> effectively blind.

Seachas na samplaí thuas inar thug an file le fios, más go hindíreach
féin é, go raibh radharc na súl aige, is cinnte go raibh cumas aige
íomhánna físiúla a aimsiú ina thimpeall le cur ina chuid véarsaí. Tá
íomhánna atá ábhar seanchaite le fáil thall is abhus ina chuid amhrán

agus a chuid dánta. Tá íomhánna iontacha chomh maith aige, íomhánna a bhfuil úire agus bunúlacht ar leith ag baint leo. Ceann de na cinn is deise ná an cur síos seo ar dhath bhrollach Neansaí Walsh:

Tá a brollach corrach lán ar dhath an tsiúcra bháin,
nó mar bheadh dísle cnámh ar chlár ag rince.

Cé nár stop an daille é ó bheith ag moladh na mban, ba mhór an t-éagumas é ag duine a raibh oiread dúil sa léann aige. Ghoill sé air nach raibh sé in ann léamh ná scríobh, rud a luann sé sa dán molta a chum sé faoin ngaiscíoch dornálaíochta Pádraig Ó Dónalláin :

Ach do réir mar thuigim Gaeilge
tabharfad bealach réidh daoibh,
dhéanfainn dán is véarsa
agus is trua nach dtig liom scríobh

Ar ndóigh, murach go raibh sé dall, bheadh an rogha aige dul le spailpínteacht de réir mar ba ghá, rud a rinne Dáibhí Ó Bruadair agus Eoghan Rua Ó Súilleabháin roimhe ag tráthanna éagsúla dá saol. Rogha eile a bheadh aige ná ceird a athar a tharraingt chuige féin agus dul le fíodóireacht. Ach de bharr gur beag obair fhisiciúil a bhí fear dall in ann a dhéanamh, bhí deis ag Raiftearaí díriú go hiomlán ar a chuid cumadóireachta. Is í an daille a rinne file lánaimsearthach de. Cé go raibh an-suim aige i dtraidisiún liteartha na Gaeilge, a raibh meath mór tagtha air faoi thús a ré féin mar chumadóir gníomhach, chuir an neamhlitearthacht bac air an spéis sin a fhorbairt agus dul le ceird an scríobhaí pháirtaimseartha, cuir i gcás. Ach mar a fheicfeas muid ar ball, d'éirigh le Raiftearaí véarsaí a chumadh a shnigh an t-eolas a bhí bailithe aige ar an litríocht scríofa i véarsaíocht a raibh blas na siamsaíochta chomh maith uirthi, rud a d'fhág go raibh glacadh fonnmhar ag an gcosmhuintir léi mar véarsaíocht. Is é an cumas sin mar fhear siamsaíochta, idir fhilíocht agus cheol fidile, a thug slí bheatha dó.

Bhí Raiftearaí ag brath ar an gcosmhuintir le lóistín a thabhairt dó agus greim le n-ithe le cois agus é ar a thriall ar fud na dúiche. Ba ghá bheith ag brath ar fhlaithiúlacht réimse leathan daoine geanúla. Agus le bheith cinnte go mairfeadh an cineáltas agus an tacaíocht, ba ghá don fhile a bhuíochas a chur in iúl. Sin é an fáth go ndearna ndearna sé cúram ar leith den dán molta ar feadh a shaoil.

9

MOLFAD GO DEO AN CRANN
EAGAIR IS AN SEOL

Is de thogha na Milesians a tháinig le hÉibhear,
Ó Ceallaigh is a ghaolta is a gcuirfidh mé síos;
Ó Ceallaigh is Ó Néill is Ó Dónaill ina ndéidh sin,
Ó Cearbhaill Dhún Éile, Ó Conchúir is Ó Briain.

LIAM Ó CEALLAIGH

BHÍ AN SAOL A CHAITH Raiftearaí an-éagsúil ar go leor bealaí ón saol a bhí ag na baird ghairmiúla a chuaigh roimhe. Ach má bhí, tá sé an-spéisiúil gur shaothraigh an file siúil ar feadh a shaoil dhá théama a bhí i gceist go mór ag na baird: dánta a mhol go hard an té a thacaigh leis agus dánta a cháin go géar an té a tháinig salach air.

Dá mba sa lá atá inniu ann a bhí Raiftearaí ar an saol, bheadh saol i bhfad níos éasca aige. Dá mba fear dall é a bhí ag iarraidh a bhealach a dhéanamh mar fhile nó mar chumadóir amhrán Gaeilge, bheadh tacaíocht ar fáil dó. De bharr é bheith dall, bheadh liúntas Stáit aige lena chúiteamh de bharr deacracht a bheith aige fostaíocht leanúnach a fháil. Mar chumadóir, bheadh corrsparánacht ar fáil ó oifigí ealaíne Chomhairle Chontae na Gaillimhe agus Mhaigh Eo agus ó Ealaín na Gaeltachta. Bheadh deis aige cur isteach ar sparánachtaí litríochta ón gComhairle Ealaíon i Cliath agus ó Chlár na Leabhar Gaeilge.

D'fhéadfadh sé slí bheatha a thuilleamh mar chumadóir amhrán, mar scríbhneoir scripte nó mar thráchtaire polaitíochta. Cá bhfios ach go mb'fhéidir go mbainfeadh sé ballraíocht amach in acadamh na n-ealaíontóirí, Aosdána.

Ach amuigh faoin tuath i gContae na Gaillimhe sa gcéad leath den naoú haois déag, ní raibh tacaíocht Stáit de chineál ar bith ar fáil ag duine ar bith, ba chuma cén sórt cumas cruthaitheach a bhí ann, nó cén sórt éagumas fisiciúil nó eile a bhí ag goilliúnt air. Agus níor bhain an cás sin le Contae na Gaillimhe amháin: coincheap é an tacaíocht rialtais d'obair ealaíontóirí nó cúnamh airgid do dhaoine éagumasacha nár tháinig chun cinn i mórán áiteacha go dtí an 20ú haois.

Bhí Raiftearaí ag brath mar sin ar thacaíocht a lucht éisteachta. Bhí gá aige a bhuíochas a chur in iúl do dhaoine a chaith go fial leis, go háirithe do dhaoine a thug lóistín dó agus deis scíth a ghlacadh ag amanna dá shaol a mbuaileadh tuirse nó tinneas é. Is i bhfoirm dánta agus amhráin mholta a chúitigh sé a bhféile leo siúd a thug cúnamh dó.

Sampla den chineál sin cumadóireachta é *Cnocán an Eanaigh,* amhrán a mholann beirt darbh ainm Learaí agus Séamas a thug lóistín na hoíche dó, greim le n-ithe, agus cúpla taoscán fuisce le cois. Is é an fuisce is mó a mholtar san amhrán, go deimhin, seachas an bheirt a chuir ar fáil é. Mar a fheicfeas muid níos faide anonn, ní chuile dhuine a dtaitníodh leo amhrán molta a bheith cumtha fúthu – cúis, b'fhéidir, lena laghad línte a chaitear ag moladh an dá phátrún Learaí agus Séamas san amhrán seo.

Tá *An Fíodóir* ar cheann de na dánta molta is dea-dhéanta dar chum Raiftearaí. Is léir go bhfuil tuiscint an-mhaith ag an bhfile ar cheird na fíodóireachta – agus cén t-iontas go mbeadh agus é féin ina mhac fíodóra:

Molfad go deo an crann eagair is an seol
is an tslinn a bheir ligean don chúrsa,
an úim is an spól an láimhchlár níor mhór,
garmna runners is tuirne.

Tá an oirnéis ar fáil i gcumann is i gcáil,
an fíodóir, Mac Mhuire, dá gcumhdach;
is é a chuirfeadh brat brád ar fhir is ar mhná
ins gach bealach, 'na gcodladh is 'na dúiseacht.

Cuireann Dubhghlas de hÍde i gcuimhne dúinn a lárnaí is a bhí an
fíodóir is a cheird sa saol réamhthionsclaíoch inar mhair Raiftearaí:

Bhí dá fhichid nó mar sin d'fhigheadóiribh ag obair gach lá
i mBaile-Locha-Riach nuair bhí an Reachtúrach ann, agus
b'iad do rinne éadaighe na tíre. Ní mheasaim go bhfuil níos
mó 'ná fear amháin nó beirt ann anois.

Luann de hÍde chomh maith go raibh an-mheas riamh ag Raiftearaí
ar cheardaí maith. Mar mhac fíodóra, thuig Raiftearaí go raibh
stádas ar leith ag an gceardaí i sochaí na tuaithe. Ceardaí focal a bhí
ann féin, agus nuair a chum sé dán a léirigh an tuiscint chruinn a
bhí aige ar an dea-cheardaíocht, bhí sé ag tabhairt le fios go raibh sé
féin coinsiasach maidir lena cheardaíocht véarsaíochta: bhí tábhacht
le hobair chríochnúil, bíodh sí ina fíodóireacht bréidín nó ina
fíodóireacht focal.

'Ar mhaithe leis féin a dhéanann an cat crónán' a deir an seanfhocal
agus is fíor é sin i gcás véarsaí molta Raiftearaí. Ach ní bréagadh
plámásach amháin a bhí i gceist leis na dánta molta. Chomh maith
leis an gcrónán cait, ní bhíodh leisce ar bith ar an bhfile corrscríob a
thabhairt don té a raibh sé míshásta leis. Tá na línte cáinteacha seo ar
fáil sa véarsa leath dheireanach de *An Fíodóir:*

Níl agam le rá ar fad ins sa gcás
ach an Brianach nár chruthaigh sé fiúntach,
arís go lá an bháis chúns a mhairfeas clann Ádhaimh,
ní chreidfidh mé fear as a dhúiche.

Is geall le miondráma an dán *An Gréasaí.* D'ordaigh Raiftearaí péire bróg ó ghréasaí darbh ainm Pádraig a raibh cónaí air, is cosúil, i gCeapaigh an tSeagail, lámh le Béal Átha na Slua. D'íoc Raiftearaí roimh ré ar na bróga agus bhí sé ag fanacht mí gan aon bhróg nuadhéanta a fheiceáil.

Agallamh beirte atá sa dán seo, ach ceann neamhghnách, sa méid is go bhfuil an tríú páirtí i gceist ann. Ní argóint idir an file agus an gréasaí atá i gceist, ach cur síos ar an gcaoi ar loic an gréasaí ar Raiftearaí i dtosach aimsire.

> An té a chreidfeadh mo scéal ba thrua leis mé
> i mo chosa is mé ag pléascadh bóthair;
> ach diomú na naomh d'aon neach go héag
> a d'íocfadh roimh ré luach a bhróga.

Mura gcuirfí an scéal ina cheart, bheadh ar Raiftearaí agus file eile a bhí lonnaithe i gCeapaigh an tSeagail an fear ceirde a aoradh. Is é Seán de Búrca an file eile atá i gceist. Is é siúd a chum, lá níos faide anonn, an píosa maslach faoi 'Raiftearaí, poet, Is a loirgne breac'. Is cosúil go raibh ag réiteach go maith idir an bheirt ag an am ar cumadh *An Gréasaí*. Go deimhin, cuireann file Mhaigh Eo cúpla líne i mbéal an Bhúrcaigh agus é ag moladh don fhile siúil atá fágtha 'gan bhróg, ach mo chosa sa lathach':

> Ní ligfinn as láthair do litir is í a fháil
> ach, a Raiftearaí, is cás é a shílim,
> nach bhfuil sé le fáil ó Shionainn go trá
> an té dhéanfadh leat dán nó píosa.

Mar a fheicfeas muid níos faide anonn, ba thromchúiseach agus ba scanrúil an bhagairt go ndéanfadh file tú a aoradh. Creideadh go coitianta go bhféadfadh an mí-ádh duine a leanacht, fiú dá luafadh file go moltach é i ndán nó in amhrán. Ba ríchontúirteach an rud é a bheith cáinte ag file i bhfoirm véarsaíochta, ní hamháin ó thaobh na náire a bhainfeadh lena leithéid de scioladh poiblí ach ó thaobh

an tuairim a bhí ann go bhféadfadh focail an fhile fórsaí osnádúrtha
a tharraingt anuas ar dhuine le hé a ghortú.

Sa gcás seo, ní file amháin ach beirt a bhí ag bagairt go ngabhfaidís
i mbun oibre as láimh a chéile. Ní haon iontas gur cuireadh an scéal
ina cheart go sciobtha. Nuair a fuair sé na bróga ón ngréasaí, is léir
go raibh Raiftearaí an-tógtha le caighdeán na hoibre agus chuir sé
sin in iúl go láidir:

> Uachtairí tláith nach bpléascfaidh in aon áit,
> agus bannaí go brách nach scaoilfidh;
> níor mhór liomsa féin dá bhfanfainn leis ráith'
> tá an obair chomh breá sin déanta.

Rinne Raiftearaí cinnte chomh maith an bhagairt a chur ar ceal i
ndeireadh an dáin, ag cur in iúl go raibh dúthracht nach beag caite
ag an ngréasaí leis an bpéire bróg:

> Má b'fhada an oíche aréir níor chodail sé néal
> ach ag obair go géar le dúthracht,
> le cnáib agus céir agus iall fhada réidh
> go ndearna sé péire domhsa.
> A sála is a mbéal ní scarfaidh go héag
> is tá boinn mhaithe dá réir sin fúthu
> Ní dhearna sé bréag ach malairt bheag lae,
> is ná foscail do bhéal, a Bhúrcaigh.

Sna dánta molta, feictear nós a chleachtaigh Raiftearaí ar fud a
shaothair: luann sé a ainm féin go minic, i gcomhthéacs a thugann
údarás don rud atá le rá aige. Úsáideann sé an moladh atá sé a
thabhairt do cheardaí, nó do dhuine a thug lóistín dó, nó do dhuine
poiblí a bhfuil meas aige air, lena ainm féin a chur chun cinn mar
urlabhraí údarásach.

San amhrán faoina fhód dúchais, *Cill Liadáin*, tá an tagairt seo
dó féin aige:

Sháraigh sé an domhan le gach uile dhea-thréithe,
Thug Raiftearaí an chraobh dó ar a bhfaca sé riamh,

I ndeireadh an dáin *An Fíodóir,* tá an tagairt phearsanta seo a leanas
aige:

Go deimhin, a Sweeney, tá Raiftearaí buíoch díot,
agus ólfad is gach baile do shláinte.

Nuair a mhol sé obair an ghabha Beartla Ó Sioradáin, luann sé a ainm
féin arís:

is é deireadh na cainte nach gabha ar bith do mháistir,
ach sin mar mhol Raiftearaí lorg do láimhe.

Bhain sé an úsáid chéanna as a ainm féin go minic sna ráitis phoiblí a
rinne sé faoi chúrsaí polaitíochta, faoi chúrsaí creidimh, sna hamhráin
éadroma a rinne sé faoi chúrsaí ólacháin agus sna dánta grá.

Ní seift í sin atá coitianta i gcumadóireacht na Gaeilge, cé go
bhfuil sí thall is abhus ag Micheál Mac Suibhne, an file as Contae
Mhaigh Eo, a chaith formhór a shaoil i gConamara. Thart ar fiche
bliain níos sine ná Raiftearaí a bhí an Suibhneach agus cailleadh é
cúig bliana déag sular bhásaigh file Chill Liadáin. Tá seans gur uaidh
a d'fhoghlaim Raiftearaí an cleas: is cosúil ón tagairt thuas go raibh
aithne áirithe acu ar a chéile, agus is léir go raibh meas ag Raiftearaí
air. Nó b'fhéidir gur ó fhile Chill Liadáin a thug Mac Suibhne an
faisean leis. Ní nós é a chleachtaigh Riocard Bairéad in Iorras.

'Brandáil' a thabharfaí ar a leithéid de chur chuige sa lá atá inniu
ann – is é sin ainm duine nó comhlachta a lua le bua, scil nó réimse
eolais. Cé gur cosúil nach raibh an coincheap á phlé go coitianta
i measc fheilméaraí agus spailpíní Chonnacht sa gcéad leath den
naoú haois déag, is léir go raibh máistreacht ag Raiftearaí ar ghnó na
brandála. Sin é an fáth go bhfuil i bhfad níos mó eolais agus aithne
ar ainm Raiftearaí i gConamara an lae inniu ná mar atá ar chuid

mhaith filí pobail eile. Baineann a chlú le caighdeán agus le toirt a shaothair chomh maith, ar ndóigh, ach is cinnte gur chuir sé féin lena cháil de bharr gur luaigh sé a ainm féin arís is arís eile ar fud a chuid véarsaí – aon uair is fiche ar fad.

Faoin mbliain 1820 nó mar sin, bhí Raiftearaí seanbhunaithe go maith i measc phobal an Achréidh. Bhí eolas agus aithne aige ar cheardaithe an cheantair agus iad molta agus cáinte aige. Bhí spéirmhná an phobail á moladh sna hamhráin ghrá. Ach má bhí, bhí an saol ag brú isteach ar a phobal éisteachta agus air féin dá bharr. Bhí sé in am anois an branda so-aitheanta sin *Raiftearaí* a úsáid ar mhaithe le haird a tharraingt ar an éagóir. Bhí sé in am an ról sin a bhí chomh lárnach sin don fhile i dtraidisiún na nGael le dhá mhíle bliain a tharraingt chuige féin: bhí sé in am aige a áit a thógáil mar urlabhraí a phobail.

10

Nár Dhéana Dia Trua do Lucht Bíobla Bréag

Le breathnú sna síonta seo is baolach don aicme
nach dtroisceann aon Aoine is nach ngéilleann do Chaitlicigh;
na flaithis ní bhfaighidh siad gan séala na hEaglaise,
do réir mar dúirt Peadar is a Mháistir.

AN CÍOS CAITLICEACH

IS DEACAIR DON TÉ ATÁ BEO BOCHT a mhisneach a choinneáil. An té a mbíonn ocras air féin agus ar a chuid gasúr go minic, is deacair dóchas a bheith aige as an am atá le teacht. Is deacair dó gan ligint don ghalar dubhach greim a fháil air agus an bhrí a fháisceadh as go míthrócaireach.

Stráitéis amháin a thagann chun cinn i measc pobail atá buailte go dona ag an mbochtanas ná a gcruachás a mhíniú i dtéarmaí atá níos leithne ná an saol ina maireann siad. Má chreideann siad go gcaithfear leo go ceart is go cóir sa saol atá le teacht, is mór an cúnamh an creideamh sin dóibh agus iad ag iarraidh déileáil le hualach na héagóra atá le hiompar acu sa saol atá anois ann. Má chreideann siad, anuas air sin, go gcaithfear go crua ar an saol eile, ar shlí na fírinne, leis an dream is cúis leis an éagóir atá ag cur as dóibh ar an saol seo, ar shlí na bréige, is mó fós an sólás dóibh a gcreideamh.

Bhain Raifteáraí agus a phobal éisteachta araon sólás as an tuairim sin. Chreid seisean, mar a chreid formhór na cosmhuintire in Éirinn, gurbh é an creideamh Caitliceach an t-aon fhíorchreideamh amháin. Chreid sé gurbh é an t-aon seans ag duine síoraíocht na bhFlaitheas a bhaint amach ná bheith baistithe isteach sa gcreideamh Caitliceach. B'í an Eaglais Chaitliceach, dar leis, an t-aon chreideamh amháin a shín siar ina thraidisiún gan bhriseadh chuig bunú na haglaise ag Peadar agus Íosa Críost féin.

Cé go raibh saol saibhir inmheánach spioradálta aige, agus cé gur chum sé dánta íogaire a chuir an méid sin in iúl, bhí gné láidir polaitíochta ag baint le tuiscint Raiftearaí ar a stádas mar Chaitliceach. Níl an tuiscint sin ar fáil chomh coitianta sin níos mó i measc Críostaithe, cé go bhféadfaí é a lua, b'fhéidir, le lucht an Tea Party i Meiriceá: ach tá sé an-treán i measc pobail Mhoslamacha i dtíortha áirithe. Agus an cuntas seo á scríobh, tá Moslaimigh ag léirsiú ar shráideanna Kuala Lumpar in éadan na ruathar is deireanaí atá tugtha ag arm Iosrael ar limistéar Pailistíneach Ghaza. 'Stop killing Muslims' an mana atá acu. Dóibh siúd, tá níos mó i gceist le hIoslam ná creideamh: tá idir fhéiniúlacht idirnáisiúnta agus chúis pholaitiúil i gceist chomh maith leis.

Chuir Raiftearaí in iúl go minic ina chuid véarsaíochta go raibh leatrom á imirt air féin agus ar a phobal mar gur Caitlicigh a bhí iontu. Is minic blas maslach, feargach ar an gcur in iúl, mar gur chuid dá thusicint ar a chreideamh gur bhain sé féin agus a dhream leis an treibh ab'ansa le Dia na bhFlaitheas. Bhí na Protastúnaigh tar éis an treibh speisialta sin a thréigean agus bhí sé de dhánaíocht iontu, ní hamháin eaglais dá gcuid féin a bhunú, ach iarracht a dhéanamh a leagan amach bréagach, peacúil ar an saol a bhrú ar Chaitlicigh bhochta a raibh dóthain brúnna eile orthu. Seo mar a leag sé amach a chás sa dán *An Cíos Caitliceach*:

> Thosaigh an scéal seo le huabhair is tarcaisne
> shéan Hanraí a chéile le drúis agus mallachain ;
> ba mhaith cúnamh Liútar faoi Chranmer agus Latimer
> Ridley is Wolsley is Seán Cailvín mírath orthu.

Ach bhí níos mó i gceist aige ná díreach a racht a ligean i bhfoirm véarsaíochta. Thuig sé go maith an tábhacht a bhí lena ról mar fhear bolscaireachta, mar ghlór, más glór uaigneach féin é, lena ndroch-chás a chur i gcomhthéacs don chosmhuintir. Ní raibh léamh ná scríobh ag formhór a phobail éisteachta, ach ó tharla gur ag plé le hamhráin agus le véarsaíocht a bhí sé, ní bac mór a bhí ansin. Bhí sé féin ag teacht i láthair ina measc, oíche i ndiaidh oíche, ag casadh a chuid amhrán agus ag aithris a chuid filíochta, agus bhí daoine sa bpobal ag éisteacht leis na véarsaí sin agus á bhfoghlaim iad féin. De bharr nach raibh léamh acu, bhí daoine ag brath i bhfad níos mó ar a gcuimhne ná mar a bhíonn an té a bhfuil *smartphone* ina phóca aige nó aici. D'fhág sé sin go raibh se de chumas ag a lucht éisteachta liricí amhrán agus stráicí fada filíochta a chur de ghlanmheabhair mar nach raibh bealach ar bith eile acu le seilbh a ghlacadh ar na línte sin ach na véarsaí a fhoghlaim.

Má bhí fonn ar an bpobal bheith ag foghlaim ón bhfile, ní raibh aon leisce ar Raiftearaí an ceacht céanna a chur i láthair níos mó ná uair amháin i ndánta éagsúla. Tá athrá ar an méid thuas faoi Liútar agus a lucht leanúna sa dán a tháinig uaidh sa mbliain 1831, *An Chúis á Plé:*

> Is peaca an drúis do réir na n-aitheanta,
> ainneoin gur mealladh go leor faoin scéal,
> chuir Hanraí inti dúil agus thóg sé an bharraghain
> dhíol an Creideamh agus cumhachta Dé.
> Chuir Wolsley drochrún faoi Chranmer agus Latimer,
> Cailvín agus Liútar a cheangail an t-airteagal,
> sin iad an cúigear d'údair na mallachta
> a d'fhág drochmheas agus ruaig ar Ghaeil.

Sa dán *Ar Scoil Lucht Bíoblaí,* chuir sé in iúl go láidir an nóisean go raibh dul amú mór ar chuile chineál eaglais Chríostaí ach an creideamh Caitliceach:

Adhaltranas is drúis a thosaigh an scéal ar dtús
agus Hanraí a hocht a thréig a chéile
ach díoltas, rith is ruaig ar Orangemen go luath
nach bhfuair ariamh an consecration.

Bhí sé sách dona go raibh na Caitlicigh faoi leatrom – iad siúd a
fuair an fíorchreideamh, dar le Raiftearaí, mar oidhreacht. Ach
anuas air sin, bhí misinéirí tagtha go hÉirinn, agus go Connachta
go mórmhór, féachaint leis an gcosmhuintir a mhealladh lena
gcreideamh Caitliceach a thréigean agus tiontú ina bProtastúin.
Ach ina dhiaidh sin féin agus eile, bhí údar dóchais ann, más
foinse sách aisteach a bhí leis an dóchas céanna. Sa gcéad fiche
bliain den naoú haois déag, scaip scéala ar fud na tuaithe in Éirinn
a chuir ríméad croí ar Raiftearaí is a thug dóchas dó go raibh Dia ar
tí gníomhú go díreach i gcúrsaí éagóracha na hÉireann agus buille
láidir a bhualadh in aghaidh na bProtastún.

D'eascair an scéala seo ó fhoilseachán a bhí curtha i láthair
sa mbliain 1771, ag scríbhneoir a d'úsáid an t-ainm cleite 'Signor
Pastorini'. Easpag Caitliceach Sasanach darbh ainm Charles
Walmesly a scríobh an saothar, ar tugadh 'Pastorini's Prophesies' go
coitianta air. De réir an léimh a bhí déanta aige ar Apacailipsis Naomh
Eoin sa Tiomna Nua, chuirfí deireadh, ar bhealach osnádúrtha
éicint, le 'locusts' an Phrotastúnachais sa mbliain 1825. Dhéanfaí slad
orthu agus nuair a bheadh deireadh leo, bheadh a cheart le fáil ag an
gCaitliceach dílis. Bheadh uasal íseal agus íseal uasal.

De réir a chéile, scaip an teagasc aisteach seo in Éirinn. Cuireadh
chun cinn go tréan sna scoileanna scairte é. Seans gur i scoil scairte
a chuala Raiftearaí caint ar Phastorini den chéad uair, agus é fós ina
dhéagóir. Pé uair a chuala sé é, is léir gur theastaigh uaidh teagasc
Phastorini a chreidiúint. De réir mar a threisigh a ghlór poiblí,
thosaigh sé ag lua tuairimí Phastoiríní ina chuid véarsaíochta.
Tharraing sé anuas an tairngreacht in amhrán a rinne sé le caoineadh
a dhéanamh ar bheirt náisiúnach, Beairní Rochford agus Peait Egan,
a díbríodh chun na hAfraice Theas:

Tá súil agam le Críosta go bhfillfidh Bearnaí arís chugainn
mar scríobh Pastoiríní, ní fada uainn an lá,
go mbeidh Galla suaite sínte gan duine lena gcaoineadh,
ach tinte cnámh thíos againn ag lasadh suas go hard.

Chuir sé an tairngreacht san áireamh sa dán mór a chum sé faoi stair
na hÉireann, *Seanchas na Sceiche*, chomh maith, rud a thugann le
fios dúinn gur roimh 1825 a cumadh é:

Ná bígí gan misneach i bhfochair a chéile,
is treise le Dia ná leis na Cromwellians,
dúirt Naomh Seán in sa Revelation
an cúigiú bliain fichead go bhfaigheadh muid géilleadh.

Agus an bhliain chinniúnach beagnach tagtha, bhí Raiftearaí ag éirí
níos dóchasaí. Ach má bhí, ní raibh stop ar bith leis na Protastúin.
Ar an 19ú Deireadh Fómhair, 1824, eagraíodh cruinniú de chuid
bhrainse logánta den Hibernian Bible Society i mBaile Locha Riach.
In 1806 a bunaíodh an eagraíocht sin i mBaile Átha Cliath, faoin
ainm The Dublin Bible Society. Maireann sí beo mar eagraíocht
anuas go dtí an lá inniu, faoin ainm reatha, the National Bible
Society of Ireland. An aidhm bhunaidh a bhí leis an gcumann ná
staidéar an Bhíobla a chur chun cinn i measc na bProtastúnach in
Éirinn. Ach de réir mar a bunaíodh fo-eagraíochtaí áitiúla, tháinig
díograiseoirí chun cinn a raibh sé mar phríomhaidhm acu dul céim
mhór níos faide: bhí siad ag iarraidh an chosmhuintir Chaitliceach a
thiontú ar an gcreideamh Protastúnach.
Ní i gcónaí a bhíodh cléir shinsearach Eaglais na hÉireann sásta
leis an obair mhisinéireachta sin. Duine amháin a bhí míshásta ná
Thomas Lewis O'Beirne, Easpag na Mí ar Eaglais Anglacánach na
hÉireann. Bhí cúlra spéisiúil ag O'Beirne: ina Chaitliceach a rugadh
é ach thiontaigh sé ar an gcreideamh Protastúnach. Nuair a ceapadh
ina mhinistir i ndeoise Ardach sa mbliain 1791 é, bhí deartháir leis ag
obair sa gceantar roimhe mar shagart paróiste Caitliceach. De bharr

an chúlra sin, thuig O'Beirne gur ceist íogair a bhí sa misinéireacht i measc na cosmhuintire agus chuir sé ina coinne:

> The management of the Hibernian Bible Society has entirely fallen into the hands of sectaries and seceders, and the establishment of their auxiliary societies, wherever it takes place through the country, has for its immediate object the increase of the number of their proselytes, and the extension and prevalence of their doctrines.

Má bhí amhras ar an Easpag O'Beirne faoi chuid de na misinéirí, ní go réidh a glacadh leo i mBaile Locha Riach ach an oiread. Cruinniú suaite a bhí ann, an lá sin i bhFómhar na bliana 1824, de réir tuairisce in iris lucht na misiún, *The Evangelical Magazine and Missionary Chronicle*, agus ní raibh an cathaoirleach, Ardeaspag Thuama ar Eaglais na hÉireann, in ann smacht a choinneáil ar a raibh i láthair:

> Many of our readers have doubtless seen the extraordinary accounts which have been transmitted from this ill-fated country, of the disgraceful conduct of certain popish zealots, on occasion of the Anniversary Meetings of several religious and benevolent Institutions. With an effrontery truly disgusting, priests and barristers, backed in some instances by a Catholic mob, have violently obtruded themselves into assemblies, convened expressly for the purpose of particular Societies, and by vehement addresses and other methods equally calculated to influence the minds of the Irish people, have prevented the actual members of these societies from performing any part of the duty which convened them together. The Church Missionary Society, the Hibernian Society, and the County of Galway Auxiliary Bible Society have all had their share of opposition. We have heard of no less than five such interruptions; and so threatening and premeditated was the attack at Loughrea, in the County

of Galway, (the Archbishop of Tuam in the Chair) that the
ruffians entered the meeting armed with bludgeons, and
were not dispersed without the aid of the military.

Más uafás a bhí ar scríbhneoir iris na misiún Protastúnach, bhí
Raiftearaí an-sásta le himeachtaí an chruinnithe. Sa dán *An Cíos
Caitliceach*, chuir sé síos arís eile ar an gcúis nár chóir baint ná páirt
a bheith ag a phobal éisteachta leis na Bíoblóirí.

Le breathnú sna síonta seo is baolach don aicme,
nach dtroisceann Dé hAoine is nach ngéilleann do Chaitlicigh;
na Flaithis ní bhfaighidh siad gan séala na hEaglaise,
do réir mar dúirt Peadar is a Mháistir.
Scríobh Pastoiríní go dtiocfadh an bealach seo,
lá gach aon mhí go mbeadh cruinniú ins gach baile acu,
i gCluain Meala bhí díbirt ar New Lights is Orangemen,
is i mBaile Locha Riach is ea a léadh a mbeatha dóibh.

Ba fada le Raiftearaí go dtiocfadh an scrios agus an sciúirseáil a bhí i
ndán don chreideamh gallda an bhliain dar gcionn:

Tá an revelation in aice baile againn –
Sílim nach fada uainn sásamh.

Ach ní chuile Chaitliceach a bhí ar aon intinn le lucht leanta Phastoiríní.
Cúis náire a bhí sa scéal ar fad do Chaitlicigh go leor a raibh oideachas
foirmeálta orthu. Ina measc siúd bhí an dlíodóir agus polaiteoir Dónall
Ó Conaill ó Chontae Chiarraí. Cháin seisean go láidir an spéis a bhí á
chur sa scéal, ag maíomh gur chomhchceilg Phrotastúnach ba bhunús
le scaipeadh leabhar Phastoiríní, comhcheilg a d'fhéach le droch-cháil a
tharraingt ar na Caitlicigh ag tráth go raibh siad ag iarraidh a gcearta a
bhaint amach go síochánta. Is léir gur airigh sé faoi bhrú ag an scéal mar
go bhfuil blas cosantach ar a raibh le rá aige le coiste parlaiminteach i
Westminster in Earrach na bliana 1825:

That book was written by an English bishop…: and it
would not have been heard of in Ireland if it had not, as we
understand it, been spread very much by persons inimical
to the Catholic claims. There was a considerable number of
copies of it printed in Dublin, And certainly not printed
with the assent of any Catholic.

Ní móide gur chreid O'Connell féin an méid sin. Ar fud na tíre,
chuaigh an bholscaireacht i ngéire. Scaipeadh cóipeanna den
tairngreacht ar an bpobal, iad curtha i láthair, creidtear, ag clódóirí a
bhí páirteach sna Fir Ribín. Luigh cumadóirí bailéid Bhéarla isteach
ar an téama chomh maith céanna. Sa bhliain 1821 a tháinig an ceann
seo chun solais:

> Now the year 21 is drawing by degrees,
> In the year 22 the locusts will weep,
> But in the year 23 we'll begin to reap.
> Good people take courage, don't perish in fright,
> For notes will be of nothing in the year 25;
> As I am O'Healy, we'll drink daily beer.

Bhí uair na cinniúna buailte leis an sean-namhaid faoi dheireadh.
Nuair a gheal an chéad lá d'Eanáir 1825, bhí dóchas ag Raiftearaí
agus ag go leor dá phobal éisteachta gur chun feabhais a bhí a saol
chun athrú. Ach faoin am ar imigh an ghrian faoi, taobh thiar de
bhánta an Achréidh ar an 31 Nollaig, bhí an dóchas sin ag trá.
    Ach níor chuir an file a chuid anála amú ag fuarchaoineachán
faoi. Chaith sé teagasc Phastoiríní i dtrapaisí agus níor ghéill sé
don díomá a bhí air nuair nach raibh an tuar tar éis teacht faoin
tairngreacht. Agus níor chaill sé dóchas i gcruinneas na fáistine a bhí
le baint as tairngreachtaí ach oiread. Tá an tagairt seo aige sa dán *Bua
Uí Chonaill*, píosa a chum sé mar cheiliúradh ar thoghadh Dhónaill
Uí Chonaill mar fheisire parlaiminte do Chontae an Chláir i 1829:

mar is fada ó dúradh linn go dtiocfadh an lá geal
a seinnfeadh an chláirseach dúinn i mbliain a naoi.

Ach má bhí dul amú ar Phastoiríní, níor athraigh sé sin barúil an
fhile faoin gcreideamh Protastúnach. Níor tháinig maolú ar bith ar
an mbolscaireacht faoin ábhar sin uaidh. Bhí an bunús bréagach a
chreid sé bheith leis an bProtastúnachas ina théama leanúnach aige
an chuid eile dá shaol.
Bhí Anraí VIII, go mórmhór, ina *bhête noire* ag Raiftearaí tríd
síos. Cumasc a bhí sa Rí Túdarach de chuile shórt a bhí bunoscionn
le saol na ndaoine, dar leis. Creideamh bréagach a bhunaigh sé,
creideamh a bhí bunaithe ar dhrúis agus ar dhúnmharú:

Thug sé cúl do Dhia agus shéan sé a chéad bhean
agus thóg sé a iníon mar mhnaoi is mar chéile,
Liútar is Cailvín ab ainm don phéire,
a scaoil an bheirt i bpáirt a chéile.

Bhain sé an ceann di le lann faobhair,
ní dise amháin ach de thuilleadh léithe,
nárbh olc an dlí a bhí ag an té sin,
a chuir a iníon is a bhean chun báis in éineacht.

In amanna, shílfeá gur rud pearsanta a bhí ann, an ghráin a léirigh
Raiftearaí do Hanraí, d'Isibéal, mar a thugadh sé ar Éilis a hAon, do
Liútar, do Chailvín agus do phearsana eile a tharraingíodh sé anuas
ó thráth go céile. Shílfeá gur sásamh pearsanta a bhain sé as bheith á
samhlú ag fulaingt go géar ar feadh na síoraíochta in íochtar ifrinn:

Isibéal a shíl an Eaglais a thabhairt faoi dhlí,
is thiontaigh sí den bheatha naofa,
tá sí i ngéibheann thíos is Liútar lena taobh
ag íoc go crua faoin Reifeirméisean.

Go deimhin, is léiriú é ar a thromchúisí is a bhí an mhallacht a chuir sé lá níos faide anonn ar an bhfile Marcas Ó Callanáin agus a bhean: nuair a shamhlaigh sé iad siúd ag dó in ifreann, bhí togha an chomhluadair lena dtaobh:

> Isibéal is Hanraí feicfidh sí in éineacht,
> agus slabhraí tine idir an péire
> ag caint go suarach ar an Reifeirméisean
> agus ag gabháil de mhallachtaí i mullach a chéile.

Tuiscint chruálach go maith a bhí ag Raiftearaí ar an Dia a raibh oiread dílseachta aige Dó, tuiscint a bhí coitianta in Éirinn anuas go dtí ár linn féin. Agus an méid sin ráite, bhí an-mhuinín ag Raiftearaí as trócaire Dé, don té a rugadh ina Chaitliceach ar aon chaoi, ach aithrí a dhéanamh agus an peaca a dhiúltú. Tharraing sé chuige féin an téama sin minic go leor agus é ag glacadh chuige féin ról an teagascóra. Is sa réimse seo dá chuid filíochta atá cuid de na línte is pearsanta dár chum sé le fáil. Ar mhaithe leis an teagasc a chur abhaile go soiléir, cuireann sé a chuid lochtanna morálta féin ar taispeáint. Sa dán ar meascán de sheanmóir agus d'agallamh beirte é, *Caismirt an Phótaire leis an Uisce Beatha,* cuireann sé in iúl go neamhbhalbh go raibh tráthanna dá shaol ann go raibh sé i ngreim ag an deoch:

> Tig liomsa a mhíniú mar chaith mé mo shaol leis,
> ó baineadh an chíoch díom 'mo leanbh,
> gur thréig mé mo dhaoine, mo dhámh, is mo ghaolta,
> is ní shéanfainn é ar chomhairle na hEaglais'.

Sa véarsa deireanach, cuireann sé chun cinn an tuairim go bhfuil maiteanas le fáil ó Dhia, ach mura bhfuil an peacach sásta cos a chur i dtaca lena chuid peacaí a shéanadh agus aithrí a dhéanamh, ní féidir bheith ag súil go mbeidh trócaire Dé ar fáil:

Fuair Raiftearaí scríofa
i leabhar na daonnacht',
lucht póite go mbíonn tú á mealladh,
is gan leorghníomh a dhéanamh agus aithrí sa saol seo
tiocfaidh siad daor in sa bpeaca.
I sconsa nó i ndíoga má chailltear fear choíche
de bharr a bheith ag ól uisce beatha,
deir beatha na naomh liom gur caint í a dúirt Críosta,
go cinnte nach bhfaighidh sé na flaithis.

Amhrán neamhchoitianta é *An Táilliúir Drúisiúil* sa méid is go
nglacann an file chuige féin glór duine eile, seachas é féin. Fear rua
atá i gceist agus tá sé féin agus a mhuirín tréigthe ag Bríd, a bhean
chéile. Le barr ar an donas, is le táilliúir drúisiúil atá sí imithe. Tá sé
spéisiúil nach gcuireann an fear ná an file milleán ar an mbean atá
imithe – díchéille mná, is cúis lena hiompar, is cosúil:

Is iomdha sin féirín
gan bhréag a d'fhág sí ina diaidh:
capaill is gléasadh
agus céachta a threabhfadh an sliabh.
Le hangar faoin scéala
ní féidir go mairfidh sí bliain
ag paisteáil seanéadaí
ins gach aon teach le táilliúir na míol.

Is gearr go gcaitheann an file glór an fhir rua i dtrapaisí le díriú ar
phríomhghnó an amhráin – comhairle a leasa a chur ar an táilliúir
agus ar an bpobal éisteachta, gur gá bealach na bpeacaí a thréigean
agus aithrí a dhéanamh:

A tháilliúir 'tá ar fán,
más áil leatsa feasta a bheith buan,
cuir Aifreann á rá

go hard agus scread ar an Uan,
a fuair pian agus páis
dár ngrá agus a cheannaigh go crua
is tréigse mná an tábhairne
go brách is bean an fhir rua.

Ach mura raibh an peacach Caitliceach sásta screadach ar an uan,
Dia foréigneach a bhí ag fanacht leis ar an saol eile, dar le Raiftearaí;
Dia díoltasach é a dhaorfadh an peacach le bheith céasta go síoraí
ar leacracha Ifrinn, mura gcloífí gan cheist lena chuid rialacha.
Drochdheireadh a bhí i ndán do lucht an chreidimh ghallda, iad
siúd a lean an scabhaitéir bradach Anraí.

Agus drochdheireadh ceart a bhí i ndán do ghasúr Gaelach ar bith
a chuirfí chuig na scoileanna nua náisiúnta a bhí le hoscailt go luath
i dtríochaidí an naoú haois déag. Samhail a thuigfeadh feilméara ar
bith ar an Achréidh a roghnaigh sé le cur síos ar an bpolasaí Stáit a
bhí taobh thiar de bhunú na scoileanna náisiúnta:

Tá Clanna Gall 'nár ndiaidh mar bheadh mada allta ar shliabh,
a bheadh ag iarraidh an t-uan a ghoid ón máthair

Nuair a chuimhnítear gur mac ministir de chuid Eaglais na hÉireann
a bhí in Dubhghlas de hÍde, tá sé spéisiúil a laghad locht a fuair sé ar
an ionsaí leanúnach a bhí ag Raiftearaí ar an bpobal Protastúnach.
B'fhéidir gur thuig de hÍde don fhearg a bhí ar an bhfile siúil agus
an saol anróiteach a chaith sé, le hais an tógáil chompordach a fuair
de hÍde féin i dteach sócúil an mhinistir i nDún Gar i gContae Ros
Comáin.

Ag cur síos dó ar an dán *Ar Scoil Lucht Bíoblaí* (sé an teideal atá ag
de hÍde air na an chéad leath den chéad líne: *Is fada ó cuireadh síos*)
cuireann mac an mhinistir racht feirge de – ní faoin reifirméisean,
ach faoin tionchar tubaisteach a bhí ag córas na scoileanna
náisiúnta ar stádas na teanga Gaeilge i gceantar dúchais Raiftearaí.
Ní Protastúnaigh a rinne na scoileanna náisiúnta de pháistí na

cosmhuintire ach Béarlóirí aonteangacha, daoine nach raibh tuiscint ní ba mhó acu ar a ndúchas féin:

Is dóigh gur chreid seisean [Raiftearaí] go raibh baoghal ann go ndéanfadh na sgoilte nuadha Protestúnaigh de na daoinibh: ní dhearnadar, acht rinneadar leath-Shacsanaigh díobh, ag baint díobh a dteangaidh, a sean-sgéal, a n-abhrán, a gceol (do bhí comh-cheangailte le n-a dteangaidh) agus gach nidh eile do bhí 'na chomhartha Náisiúntachta aca, 'gá bhfágbháil indiu, i riocht nach dtuigeann an t-aos óg ina chondae féin agus ina bhaile féin, na habhráin bhreágha agus na dánta uaisle do rinne Raifteri d'á n-aithreachaibh, ná an Ghaedilg bhinn do bhí d'á labhairt ag a sinnsearaibh rómpa ó sheas Clann Mhílidh ar dtús ar an oileán so...

Níor aithin Raiftearaí an chontúirt a bhain le córas náisiúnta na scoileanna Béarla bunscoile dá theanga féin. Ar ndóigh, ba dheacair dó an chontúirt sin a aithint lena linn: bhí breis agus dhá mhilliún go leith cainteoir dúchais Gaeilge ann, agus bhí cúige Chonnacht ar an gcúige ba lú a raibh cos curtha i dtaca ann ag caint na nGall. Bhí an teanga chomh tréan ina thimpeall agus oiread daoine de gach aoisghrúpa ann nach raibh acu ach Gaeilge, go raibh sé deacair a shamhlú go dtiocfadh an lá go bhféadfadh duine sráideanna Bhaile Locha Riach a shiúl gan castáil le cainteoir paiteanta Gaeilge ar bith.

An chontúirt ba mhó a chonaic Raiftearaí sna scoileanna náisiúnta ná go ndéanfaí creimeadh iontu ar an bhféiniúlacht Chaitliceach – go laghdófaí an dílseacht a bhí ag an bpobal don chreideamh Caitliceach agus go ndéanfaí neamhaird ar mhúineadh na staire, é sin nó go múinfí leagan bréagach de scéal na hÉireann don aos óg. Bhí na scoileanna scairte agus na máistrí taistil díograiseach maidir le leagan na nGael de scéal na hÉireann a chur os comhair a gcuid daltaí. Dá gcuirfí córas na Sasanach in áit na scoileanna scairte Gaelacha, dhéanfaí dochar mór, dar leis.

Is sa mbliain 1832 a osclaíodh na chéad scoileanna Stáit, na scoileanna náisiúnta, in Éirinn. Casadh mór a bhí ann i saol sóisialta agus cultúrtha na tíre. An phríomhaidhm a bhí leis an bpolasaí, a bhí leagtha amach ag údaráis Chaisleán Bhaile Átha Cliath i gcomhar le rialtas Londan, ná an litearthacht Bhéarla a chur chun cinn i measc na cosmhuintire. Ach bhí amhras ar dhaoine go leor go mbeadh féiniúlacht na nGael, i dtaca le cúrsaí creidimh go mórmhór, thíos leis an gcóras nua chomh maith. Bhí meascán tuairimí ann i measc na cléire Caitlicí:

> At home, the bishops were bitterly divided over education. Most accepted the national school system, established in 1832. Although the Government controlled it, the Catholic Church was able to influence how the schools were run, and some bishops were satisfied with that. By 1838, John MacHale, Archbishop of Tuam, had persuaded himself that the British Government was going to use the schools to undermine the faith of Irish Catholic children.

Mar a luadh ar ball, bhí an creideamh Caitliceach tábhachtach do Raiftearaí ó thaobh na spioradáltachta de. Ó thaobh a fhéiniúlacht pholaitiúil de, Gael Caitliceach a bhí ann; teanga na nGael a shaothraigh sé mar gur leis an teanga sin a tógadh é. Agus ní raibh leisce ar bith air seasamh lena threibh agus labhairt amach, gan scáth gan faitíos, ar an leatrom a bhí á dhéanamh orthu. Agus cé gur seasamh contúirteach a bhí ann, ní raibh leisce ach oiread air a ghlór a ardú ar son daoine a chreid gurbh í an lámh láidir an bealach ab' éifeachtaí lena gcearta a bhaint amach.

11

LUCHT RIBÍNÍ IN ARM IS IN ÉIDE

Tráthnóna Aoine an Chéasta
bhí na Gaeil faoi mhéirse ag na Gaill
cothrom an lae chéanna
a raibh Aon-Mhac Mhuire ins sa gcrann.
Tá súil le long Dé agam
is é mo léan is gan maith ar bith dó ann,
ach is é Cullen is a chéile
a chroch Daly is bhéarfaidh díol ann.

ANTHONY DALY

BHÍ SÉ AR NÓS BHEITH ag ól fínéagair leis an tart a mhúchadh. Tráthnóna Aoine an Chéasta, agus os cionn míle duine bailithe thart ar chnocán Suí Finn, cúpla míle bealaigh soir ó shráidbhaile Chreachmhaoil, bhí blas goirt i mbéal na nGael. Shílfeá gur d'aon turas a phioc an giúistís Gallda an lá leis na daoine a chéasadh agus fear a sheas suas ar a son a chur chun báis os a gcomhair.

D'éist Raiftearaí le monabhar neirbhíseach an tslua: an chorrbhéic tacaíochta a ligeadh nuair a tháinig an carr capaill tríd an slua, na bagairtí Béarla ó cheannfort na Redcoats, nár tuigeadh a gciall, seachas an tuin throdach a bhí le cloisteáil ar a gcúl.

Rud éagórach a bhí ar tí tarlú. Cé go raibh Anthony Daly tar éis admháil go mba ball gníomhach é de na Fir Ribín, agus cé gur thacaigh sé leis an méid a bhí ar siúl acu, ag dó barraí agus tithe, ag cur máchaile ar bheithígh luachmhara, ag bagairt ar dhaoine gan comhoibriú leis na tiarnaí talún, níor chreid duine ar bith go raibh sé tar éis iarracht a dhéanamh an tiarna talún James Hardiman Burke a mharú. Ach glacadh le fianaise bhréagach agus anois bhí Daly tugtha aniar ó phríosún na Gaillimhe, ina shuí ar a chónra féin ar feadh an bhealaigh. Bhí fórsa láidir Redcoats i láthair, féachaint le dlí na Corónach a chur i bhfeidhm. Ach má bhí, bhí Gaeil i measc na Redcoats chéanna. Deir an seanchas linn gur fhógair siad air ina theanga féin bheith ag rith, go scaoilfidís a gcuid muscaidí san aer agus go ligfidís leis. Ach níor rith Daly. Sheas sé ar an gcarr capaill faoi chrann a chrochta agus an chuma air go raibh sé ar a shuaimhneas. Ní dhearna sé aon iomrascáil agus an rópa cnáibe á chur timpeall a mhuiníl. Daingníodh an rópa. Thit tost ar an slua. Tugadh an t-ordú. Tugadh greadadh do cheathrú an chapaill agus bhog an carr chun siúil de léim. Luasc Daly, a chosa ag oibriú, a cholainn ag lúbarnaíl. Ansin, ghéill sé: bhí a chnaipe déanta.

Siúinéir a bhí in Anthony Daly, fear a bhí in ann slí bheatha sách maith a bhaint amach dó féin, de bharr scil ar leith a bheith aige. Céard faoi ndeara é bheith ag plé le heagraíocht réabhlóideach a d'fhéach le cúrsaí na tíre a athrú trí dhul i muinín an fhoréigin? Más fíor gur chinn sé sna nóiméid dheireanacha dá shaol gan iarracht a dhéanamh éalú, ach an fód a sheasamh agus íobairt a dhéanamh de féin ar son a chúise, céard a thug air an seasamh sin a thógáil? Céard a bhí bunoscionn leis an saol i gConnachta agus in Éirinn sa mbliain 1820 a spreagfadh fear le bás a fháil mar mhairtíreach?

Cineál idirthréimhse a bhí sna 1820idí. Bhí an chosmhuintir ag iarraidh cuimhní leochaileacha Bhliain na bhFrancach agus slad na bliana 1798 a ligean i ndearmad. Sa mbliain 1803, theip go tubaisteach ar éirí amach Robert Emmet agus na nÉireannach

Aontaithe i mBaile Átha Cliath. Thug Emmet óráid cháiliúil uaidh
sa gcúirt lá a dhaortha, a rá nach raibh sé ag iarraidh go gcuirfí
feartlaoi os a chionn san uaigh nó go mbeadh saoirse bainte amach
ag Éire. Crochadh Robert Emmet go poiblí os comhair Eaglais
Chaitríona Naofa ar Shráid Thomáis agus baineadh an cloigeann
dá chorp i ndiaidh a chrochta. Bhí fórsaí na Corónach ag faire go
géar ar gach duine a raibh aithne acu ar Emmet. Bhain sé féin le
teaghlach measúil Protastúnach, ach níor tháinig duine ar bith dá
mhuintir chun cinn lena chorp a thabhairt leo, rud a fhágann nach
fios go cinnte go dtí an lá inniu cén áit ar cuireadh é. Má thagann
an lá go mbeidh Éire aontaithe, beidh jab ag an té atá ag iarraidh
feartlaoi a ghreanadh i gcloch os cionn uaigh Emmet.

Dhá bhliain sular daoradh Emmet chun báis, sa mbliain 1801,
ritheadh an tAcht Aontaithe; de réir a chéile a chuaigh sé i bhfeidhm
ar shaol na mbocht faoin tuath. Sa mbliain 1815, bhí amach is isteach
le cúig mhilliún go leith duine ina gcónaí ar oileán na hÉireann. Is
ag plé leis an talmhaíocht a bhí 90% acu sin. Bhí thart ar cheithre
mhilliún déag acra le saothrú ar an oileán agus is i seilbh chúig mhíle
duine, níos lú ná 0.1% den daonra iomlán, a bhí an talamh sin. B'in
an dream ar tugadh an Ascendancy orthu. Lig formhór na dtiarnaí
talún sin a gcuid tailte amach ar cíos chuig tionóntaí. Cuid de na
tionóntaí, bhí úinéireacht acu ar ghiodáin bheaga talún iad féin.
'Feilméaraí láidre' a bhí i líon beag acu, idir 5 agus 10% den líon
iomlán: daoine iad sin a raibh níos mó ná tríocha acra le saothrú acu.

'Feilméaraí beaga' a tugadh ar an dream a raibh idir cúig agus
tríocha acra acu. B'iadsan an dream tionóntaí ba líonmhaire. Ag
plé le ba den chuid ba mhó a bhíodh siad, chomh maith le barraí
éagsúla: cruithneacht, eorna agus i gceantracha áirithe, le líon – barra
a úsáideadh le héadach a dhéanamh, seachas le daoine a bheathú. An
fata an príomhábhar bia a bhí acu.

Ach b'iad na spailpíní an dream ba mhó ar fad. Dream siúlach
a bhí i gcuid mhaith acu. Ligeadh na feilméaraí dóibh giotaí talún
a shaothrú le glac fhataí agus eile a fhás mar chúiteamh ar obair a
dhéanadh siad ar na feilmeacha.

Agus na cogaí a d'eascair ó Réabhlóid na Fraince agus ceannaireacht Napoleon Bonaparte ar an tír sin faoi lán tseoil ag casadh an naoú haois déag, dhírigh cuid mhaith d'fheilméaraí na hÉireann ar chruithneacht a fhás seachas bheith ag coinneáil ba. Bhí oiread d'fheilméaraí na hEorpa gafa leis an gcogaíocht go raibh ganntanas bia ann ar an Mór Roinn. Cruthaíodh fostaíocht bhreise do na daoine ba bhoichte in Éirinn dá bharr sin.

Bhuail cúlú eacnamaíochta Éire i 1815, ar chúpla cúis: nuair a tháinig deireadh leis na cogaí a tharraing Napoleon san Eoraip, tháinig feabhas ar chúrsaí talmhaíochta sa mBreatain mar nach raibh na fir chomh gafa leis an tsaighdiúireacht. Dá bharr sin, ní raibh an t-éileamh céanna ar bharraí Éireannacha i Sasana. Chomh maith leis sin, de bharr an Acht Aontaithe, cuireadh deireadh le cánacha iompórtála ar dhá thaobh Mhuir Éireann. D'fhág sé sin go raibh Éire in iomaíocht le Sasana i margadh an éadaigh. Faoin tráth sin, bhí bonn láidir faoi dhéantús tionsclaíoch san earnáil sin thall.

Ar feadh an ama, bhí daonra na hÉireann ag fás. Mhair na comhluadair ar phaistí beaga talún, iad beathaithe ag na fataí a d'fhás siad féin. Thógaidís botháin bheaga ar an talamh agus bhainidís móin le teas a choinneáil leo i rith an gheimhridh. Le díon os a gcionn, teas ón tine, agus béile fataí sa ló, mhair siad beo, más ar bhealach an-bhunúsach féin é.

Ach bhí an saol ag brú isteach orthu. Bhí cíos le n-íoc leis an tiarna talún, nó lena ghníomhaire, ar na paistí beaga a bhí á saothrú acu. Bhíodh an eaglais Chaitliceach chucu chomh maith ag iarraidh síntiúis, agus ní i gcónaí a thaitníodh leo an bealach a bhí ag na sagairt ag cruinniú airgid uathu. Tá a leithéidí seo de rann ar fáil go coitianta sa mbéaloideas mar fhianaise ar an méid sin:

Ceathrar sagart gan a bheith santach,
Ceathrar gaibhne gan a bheith buí,
Ceathrar cailleach gan a bheith mantach,
Sin dáréag nach bhfuil sa tír.

Ach dá dhonacht iad na sagairt, ba mheasa go mór an t-airgead a bhí le n-íoc leis an ministir Protastúnach. Faoi chóras na ndeachúna, bhí ar chuile fhear Caitliceach tacaíocht airgid a chur ar fáil d'Eaglais na hÉireann. Mar a luadh cheana, bhí an ghráin ag cuid mhaith de na Caitlicigh ar na Protastúnaigh mar gur chreid siad go raibh bunús peacúil, agus thar a bheith peacúil, lena gcreideamh. Ghoill sé go dóite orthu go raibh orthu sciar dá n-ioncam bídeach a thabhairt uathu ar mhaithe le tacú le creideamh a raibh an ghráin acu air.

Níorbh é Raiftearaí amháin a bhí ag labhairt amach in éadan chumhacht an chreidimh Ghallda: bhí na cumadóirí amhrán Béarla ó thuaidh á rá chomh maith:

Our sustenance is taken away, our tithes and taxes for to pay,
To support that law-protected Church to which they do adhere.
And our Irish gentry, well you know, to other countries they do go,
And the money from old Ireland they squander here and there.

Bhí éagóir mhór i gceist chomh maith leis an gcaidreamh, nó easpa caidrimh, a bhí ag an tionónta Caitliceach leis an tiarna talún – cuid acu nár mhair in Éirinn beag ná mór agus nach raibh tuiscint ná suim acu ar a dhéine is a bhí an saol in amanna dá dtionóntaí, dá dtiocfadh drochbhliain nó deacracht dá chineál ina dtreo. Ní raibh mórán ceart ar bith ag an tionónta. Bhí sé ann lena chíos a íoc – mura raibh sé ar a chumas an méid sin a dhéanamh, tugadh an bóthar dó féin agus dá theaghlach líonmhar. Bhí an t-ádh le cuid de na daoine a bheith ag plé le tiarna talún tuisceanach ar nós Frank Taaffe, fear a thug oiread cúnaimh do Raiftearaí agus é ina óganach. Ach bhí cuid mhór tionóntaí ag íoc cíosa le fear nach leagfadh cos ó cheann ceann na bliana in Éirinn. Gníomhaire a bhí i mbun riaracháin dó siúd, agus is iomaí duine acu siúd a raibh an-droch-cháil air, de bharr bheith míthrócaireach, míchríostúil, míréasúnta ag déileáil leis na tionóntaí a bhí faoina chúram.

Leis an míshásamh a bhain leis an gcás sin a chur in iúl go láidir, tháinig roinnt eagraíochtaí éagsúla chun cinn faoin tuath.

Bhí ainmneacha ar leith orthu i gceantracha éagsúla: na Buachaillí Bána, na Fir Ribín, na Seanbheisteanna, agus lá níos faide anonn, na Molly Maguires. Buíon de chuid na bhFir Ribín a bhí gníomhach i gceantar Bhaile Locha Riach. Bhí an cháil ar an eagraíocht sin a bheith beagán níos leithne ina ndearcadh ó thaobh na polaitíochta, seachas díreach bheith ag iarraidh díoltas a bhaint amach d'éagóracha éagsúla a himríodh orthu is ar a muintir.

Is ag cur brú ar thiarnaí talún is a gcuid gníomhairí a bhídís, ag iarraidh an cíos a ísliú agus pá na n-oibrithe a fheabhsú. De réir a chéile, d'éirigh siad níos binbí agus bhí níos mó foréigin i gceist leo. Deirtear sa seanchas go raibh Raiftearaí ina bhall de na Fir Ribín. Mura raibh, is cinnte go raibh bá aige leo agus é sásta dul i mbun bolscaireachta ar a son agus ar son chás na cosmhuintire.

Bhí borradh ar leith faoi na Fir Ribín sna 1820idí in oirthear na Gaillimhe ach go háirithe. Deirtear go ndearna an eagraíocht níos mó ionsaithe i dtús na bliana 1820 ar an Achréidh ná in áit ar bith eile in Éirinn. Rinneadh ionsaí ar riar tiarnaí talún agus gníomhairí an t-earrach sin: ar an 24ú Feabhra, tugadh faoin Uasal Dudley Persse, fear óg a bheadh ina athair lá níos faide anonn ar chailín darbh ainm Augusta: Lady Augusta Gregory ab fhearr aithne uirthi i ndiaidh a pósta.

Ar an 27ú den mhí chéanna, d'ionsaigh leithchéad Ribíneach Malachy Daly ag Ráth na Fulachta, agus ar an 5ú Márta, scaoileadh urchar le James Hardiman Burke ag Teach Mór St. Cleran's, lámh le Creachmhaoil. Bhí lucht an rachmais ag éirí buartha, ní nach ionadh. Chruinnigh siad le chéile i mBaile Locha Riach lena gcás contúirteach a phlé. Chuathas i mbun feachtais le tathaint ar na húdaráis fóirithint ar na tiarnaí talún, sula marófaí ina gcuid leapacha iad. De bharr an fheachtais, tuairiscítear sa *Freeman's Journal,* nuachtán de chuid na tréimhse, gur tugadh fórsa naoi míle saighdiúir isteach go contae na Gaillimhe agus Ros Comáin i dtús mhí na Márta, le seasamh in éadan na bhFir Ribín. Faoi lár na míosa sin, bhí tuairim is céad fear gafa ar fud an réigiúin acu. I bPríosún na Gaillimhe a bhí siad faoi choinneáil sula dtabharfaí os comhair cúirte iad.

Gabhadh Antaine Ó Dálaigh, maraon le ceathrar eile, idir Baile Locha Riach agus Creachmhaoil ar an 19ú Márta. Bhí eolas ar an Dálach mar dhuine de cheannairí na gluaiseachta sa gceantar. Tugadh os comhair na cúirte é agus cuireadh an méid sin ina leith; maíodh chomh maith go raibh sé tar éis na céadta fear a earcú isteach ina eagraíocht neamhdhlistineach fhoréigneach. Cuireadh ina leith freisin go raibh sé páirteach san ionsaí ar James Hardiman ag Teach Mór St. Cleran's i gCreachmhaoil.

Phléadáil an Dálach neamhchiontach agus chreid pobal na háite nach raibh baint ar bith aige leis an ionsaí ar Hardiman Burke. Bhí an tuairim ann gurbh é Daly a gabhadh faoin eachtra sin mar go raibh easaontas tar éis a bheith ann roimhe sin idir é agus Hardiman Burke. Chreid an pobal gur shocraigh an tiarna talún go gcuirfí fianaise bhréagach i láthair na cúirte. Bhí an Dálach ar leathshúil de bharr timpiste a bhain lena chuid siúinéireachta. Ach má bhí, gunnadóir cumasach a bhí ann, rud a chuir sé in iúl don bhreitheamh. Dúirt sé sa gcúirt nach raibh bealach ar bith go scaoilfeadh sé gunna le Hardiman Burke gan an sprioc a bhaint amach. Seans nár chabhraigh an chaint sin lena chás. De bharr na fianaise a tugadh, agus de bharr a dhánachta os comhair na cúirte, b'fhéidir, daoradh Daly chun báis.

Ní fios dúinn an raibh cás Anthony Daly ar an gcéad scéal a spreag Raiftearaí le hamhrán polaitiúil a rá. Ní amhrán polaitiúil é i ndáiríre, ach caoineadh. Ach tá fearg ag coipeadh tríd, fearg leis an gcóras éagórach a thug a bhás d'fhear maith, is a d'fhág a bhean is a chlann ag gol. Fís pholaitiúil is bunús leis an bhfearg agus fís pholaitiúil a bhí mar spreagadh leanúnach chun véarsaíochta ag Raiftearaí ón mbliain 1820 amach.

Den leithchéad amhrán nó mar sin dá chuid atá tagtha anuas chugainn, tá teachtaireacht pholaitiúil i gceist le thart ar fiche faoin gcéad díobh – líon mór go maith.

Teachtaireacht láidir polaitíochta atá i gceist leis an amhrán *Na Buachaillí Bána* chomh maith céanna. Mar a dúradh cheana, tá amhras ann arbh é Raiftearaí a chum, ach tá an-chosúlachtaí idir é agus píosaí eile dá chuid, go háirithe ó thaobh na reitrice atá ann i dtaobh Liútar agus an creideamh Protastúnach go ginearálta.

Tá an cineál céanna reitrice le fáil in *Bearnain Risteard,* amhrán eile ó na 1820idí a chuireann síos ar bheirt reibiliúnach, Beairní Rochford agus Peait Egan, a díbríodh i bhfad ó bhaile chuig an Afraic Theas, de bharr a gcuid gníomhartha in aghaidh údarás na Corónach

Le linn do Raiftearaí a bheith á chur féin in iúl mar thráchtaire polaitíochta, bhí glór eile ag teacht chun cinn i measc na gCaitliceach, glór a d'fhéach le fadhbanna na cosmhuintire a leigheas gan dul i muinín an fhoréigin. Ba leis an bpolaiteoir Parlaiminteach Daniel O'Connell an glór sin. Ciarraíoch a bhí in O'Connell, duine de shliocht Gaelach Caitliceach ar éirigh leo formhór a gcuid tailte a choinneáil, aimsir na bPéindlíthe. An leigheas a bhí ag athair Uí Chonaill ar an gcosc a bhí ar Chaitliceach níos mó ná garraí beag giortach a bheith ina sheilbh aige ná úinéireacht a chuid tailte a chur in ainm dlúthchara leis, ar Phrotastúnach é.

Mhair go leor de na sean-nósanna Gaelacha in iargúil Chiarraí Theas: cuireadh Daniel óg ar altramas le huncail leis i nDoire Fhionáin. Teach mór Gaeilge, amhrán agus scéalaíochta a bhí ann. Bhí mianach na filíochta i muintir Uí Chonaill – b'aint le Daniel í Eibhlín Dubh Ní Chonaill, an té a chum *Caoineadh Airt Uí Laoghaire.*

Fearacht go leor Caitlicigh óga a bhí go maith as, cuireadh O'Connell chun na Fraince le barr feabhais a chur ar a chuid oideachais. Uncail eile leis, an Cunta Daniel O'Connell, a bhí ina choirnéal san arm ríoga thall, a thug aire dó. Le linn don fhear óg bheith ann, cuireadh tús le Réabhlóid na Fraince. Bhí uafás ar O'Connell leis an sléacht a chonaic sé ina thimpeall. Chas an tréimhse sin sa bhFrainc é in aghaidh an fhoréigin mar mhodh oibre le cúis pholaitiúil a chur chun cinn.

Ag filleadh ar Éirinn dó i 1793 , bhí sé ar dhuine den chéad dream

Caitliceach a thapaigh na deiseanna nua a tháinig chun cinn an bhliain sin de bharr an Catholic Relief Act a bheith rite. Luigh sé isteach ar an dlí mar ghairm agus chuaigh sé anonn go Londain le cáilíocht a bhaint amach i Lincoln's Inn. Ar an 19 Bealtaine 1798, an lá céanna ar gabhadh Lord Edward Fitzgerald de bharr a chuid gníomhartha réabhlóideacha, glacadh le Daniel O'Connell ag Bar na hÉireann.

An aidhm mhór a chuir O'Connell roimhe ná Fuascailt na gCaitliceach a bhaint amach agus é sin a dhéanamh gan an lámh láidir a úsáid. Dá ndéanfaí é sin, bheadh leigheas ar chuid de na ceisteanna a ghoill ar shaol agus ar spiorad na gCaitliceach: bheadh cead vótála acu, ní bheadh srian orthu maidir le talamh a bheith ina seilbh agus bheadh cead ag Caitliceach suí i bPairlimint Westminster.

Leis an aidhm sin a bhaint amach, chrom O'Connell ar an móramh mór Caitliceach a thabhairt leis trí dhíriú ina chuid oráidí ar chúrsaí féiniúlachta: chuir sé an fhéiniúlacht Éireannach náisiúnach agus an fhéiniúlacht Chaitliceach chun cinn mar rud amháin, mar mhian bhunúsach a raibh gné an chreidimh agus gné na polaitíochta fite fuaite inti.

Thuig O'Connell, mar a thuig ceannaire Chonradh na Talún, Michael Davitt, lá níos faide anonn, nach mbainfeadh mionlach beag idéalaithe mórán amach, dá fheabhas a gcuid smaointe. Theip ar Wolfe Tone agus theip ar Robert Emmet, in ainneoin a gcuid briathra breátha. Ba ghá ceannaireacht a ghlacadh ar na gnáthdhaoine, iad a stiúrú agus iad a ghríosadh agus gluaiseacht mhór aontaithe amháin a dhéanamh díobh.

Leis an stádas sin a bhaint amach mar cheannaire, mar 'the uncrowned king of Ireland', mar a tugadh ar O'Connell agus é i mbarr a réime, thosaigh fear Chiarraí ag comhoibriú leis an Eaglais Chaitliceach. Bhí biseach mór tagtha ar an Eaglais chéanna ón am ar cuireadh cuid mhaith de na Péindlíthe ar ceal timpeall na bliana 1780. Sa mbliain 1802 a bhunaigh na Bráithre Críostaí a gcéad scoil. Bhí sagairt á dtraenáil in Éirinn, i gColáiste Mhaigh Nuad, ón mbliain 1795 i leith, rud a d'fhág go raibh ceangal níos fearr anois ann idir an chléir agus an chosmhuintir.

Sa mbliain 1823, bhunaigh O'Connell agus dlíodóir eile, Richard Lalor Sheil, an Catholic Association of Ireland. Deireadh a chur leis an leatrom maidir le cearta na gCaitliceach an aidhm a bhí leis an eagraíocht. Eagraíocht í a bhain i dtosach aimsire le Caitlicigh ghairmiúla, mheánaicmeacha, ach an bhliain dar gcionn, osclaíodh an bhallraíocht do na gnáthdhaoine ach pingin in aghaidh na míosa a íoc. 'An Cíos Caitliceach' a baisteadh ar an táille agus ba chliste an píosa brandála é: faoi dheireadh, bhí an Caitliceach in ann tacaíocht bheag airgid a thabhairt do rud éicint a dhéanfadh a leas ar an saol seo agus a thug ábhar dóchais dó san am a bhí le teacht. Ba ghearr go raibh craobhacha den ghluaiseacht ar fud na hÉireann, agus ba mhinic an sagart áitiúil ina mbun.

I gContae na Gaillimhe, chuir Raiftearaí an eagraíocht chun cinn go fonnmhar i measc a lucht éisteachta, ag tathaint orthu liostáil agus tacú leis an ngluaiseacht nua:

Gairm sibh, a dhaoine, is ná bígí faoi tharcaisne,
molfaidh mé choíche sibh, is íocaidh an cíos Caitliceach;
is beag sa mí orainn feoirling sa tseachtain,
is ná tuilligí scannal ná náire.
Ní mór in sa gcíos é agus saoróidh sé taxes,
an deachmha ní ghlaofar mar déantaí oraibh cheana,
beidh ceart agus dlí daoibh i dtír is i dtalamh,
ní baolach dúinn choíche chúns mhairfeas Ó Conaill.

Murab ionann agus Ó Conaill féin, bhí Raiftearaí sásta tacú le cur chuige ar bith a chuirfeadh feabhas ar chás na cosmhuintire, bíodh sé ina stocaireacht shíochánta nó ina ghníomh foréigin.

Sa mbliain 1829, bhí údar ceiliúrtha ag an bhfile agus a phobal nuair a toghadh Daniel O'Connell mar fheisire pairliminte do Chontae an Chláir. Ba ghearr go raibh *Bua Uí Chonaill*, an dán ceiliúrtha uaidh, á aithris cois tinteáin i mbotháin ar fud an Achréidh. Agus ní i bhfriotal tomhaiste neamhfhoréigneach a chuir Raiftearaí a áthas in iúl:

Gunnaí is lámhach is tinte cnámha,
beidh againn amárach is tá sé in am,
ó fuair Ó Conaill bua ar an namhaid,
aibeoidh bláth is beidh meas ar chrann.

Thart ar 1831 a cumadh *An Chúis Á Plé,* ag tathaint ar mhuintir
Chonnacht tacú leis na Muimhnigh maidir leis an bhfeachtas in
éadan chóras na ndeachúna. Léiriú é an dán sin ar an bhfís leathan
polaitíochta a bhí ag Raiftearaí. Ní i dtéarmaí áitiúla a chuimhnigh
sé ach i dtéarmaí na hÉireann uile. Cé gur in oirthear Chontae na
Gaillimhe a bhí a phobal éisteachta, bhain a chuid polaitíochta le cás
agus cúis na tíre ar fad, ar aonad stairiúil amháin é.

Tá an dá Chúige Mumhan ar siúl is ní stadfaidh siad,
Go leagfar dóibh deachmha agus cíos dá réir,
Is dá dtugtaí dóibh cúnamh agus Éire seasamh,
Bheadh gardaí lag is gach bearna réidh.
Bheadh Gaill ar a gcúl is gan teacht ar ais acu,
Agus Orangemen brúite i gciumhais gach baile againn,
Breitheamh agus jury i dteach cúirte ag na Caitlicigh,
Sasanaigh marbh is an choróin ar Ghaeil.

Mar a luadh cheana, baineann *Ar Scoil Lucht Bíoblaí* le bunú chóras
na scoileanna náisiúnta sa mbliain 1832. Toghchán eile a bhí mar
údar ag an amhrán *Election na Gaillimhe,* ag spreagadh na ndaoine
le vóta a chaitheamh ar son Soir Seán de Búrca a bhí ag seasamh don
Phairlimint i gContae na Gaillimhe sa mbliain 1833.

Cé gur duine leochaileach é go fisiciúil de bharr é bheith dall,
ní raibh aon easpa misnigh ar Raiftearaí a thuairim neamhbhalbh,
neamhspleách a thabhairt uaidh. Ní chuile fhile a bhí thuas ag an
am a bhí chomh tugtha don ráiteas láidir polaitiúil. Amhrán is fiche
atá tagtha anuas chugainn ón fhile Maigh Eoch eile úd a bhí i mbun
cumadóireachta sa tréimhse chéanna, Riocard Bairéad. Níl trácht ar
bith aige siúd ar chúrsaí polaitíochta na linne, seachas b'fhéidir san

aoir shearbhasach ar ghníomhaire brúidiúil talún, *Eoghan Cóir*. Bhíodh polaitíocht i gceist go pointe ag Art Mac Cumhaigh, file Ultach a bhí i mbun cumadóireachta i ndeisceart Ard Mhacha sa scór bliain sular rugadh Raiftearaí. Cé go gcaoineann sé drochstaid na nGael, níl mórán tada le rá aige faoi chúrsaí polaitíochta a linne féin, agus ní mórán dóchais atá aige go dtiocfaidh feabhas ar an saol. Níl an tuin ghéilliúil sin le fáil mórán ar chor ar bith i bhfilíocht Raiftearaí. Réabhlóidí a bhí ann ina chroí istigh, fear a chreid go bhféadfaí an saol a chur ina cheart, nó ar a laghad go bhféadfaí feabhas a chur ar chúrsaí. Tá sé suntasach an méid línte dá chuid a bhfuil an t-aicsean iontu suite san aimsir fháistineach. An aimsir chaite agus an modh coinníollach a bhíodh i gceist go minic ag filí na n-aislingí a chuaigh roimhe. Ní hionann é sin is a rá go raibh Raiftearaí lán dóchais is grá. Is cinnte nach raibh sé gan dóchas, ach is é an mothúchán is treise atá ar fáil ina chuid cumadóireacht pholaitiúil ná an fhearg. Is í an fhearg sin an breosla a choinnigh inneall a shamhlaíochta ag imeacht ar feadh a shaoil. Bhí an gomh dearg sin bunaithe ar an nóisean go raibh éagóir mhór á himirt ar na Gaeil. Ach ní léargas réamhShóisialach de chineál éicint a bhí aige. Ní hé gur chreid sé go mba mhar a chéile chuile dhuine agus go raibh na cearta céanna ag chuile fhear, mar a chreid Wolfe Tone agus a chomhPhoblachtánaigh. Rinne Raiftearaí amach sé go raibh stádas ar leith ag baint leis an gcreideamh Caitliceach. Ghoill sé air go raibh an creideamh gallda ag bréagnú na fírinne doshéanta sin, dar leis féin. Ní fear é a mbeadh mórán suime aige i gcúrsaí éacúiméineachais.

Leis an tuiscint náisiúnach Chaitliceach a bhí ag dó na geiribe ann a chraobhscaoileadh, luigh Raiftearaí isteach thart ar an mbliain 1825 ar shaothar mór a chumadh: cuntas leathan ar stair na hÉireann lena gcúlra féin a mhíniú do Ghaeil na hÉireann. Dán fada a bhí ann, dán a chuaigh i gcion go mór ar an bpobal agus a bhain aitheantas amach don fhile siúil mar cheannaire cultúrtha Gaelach, urlabhraí ar phobal bascaithe daoine nach raibh mórán urlabhraí ná ceannaire ar bith eile acu a labhair leo ina dteanga féin.

12

Smaoinidh ar Éirinn atá i bhfad i ndroch-chaoi

Céad agus míle roimh am na hÁirce
Tús agus cruthú m'aois is mo dháta
Tá mé ó shin i mo shuí san áit seo,
'Gus is iomaí scéal a bhféadaim trácht air.

SEANCHAS NA SCEICHE

CEANN DE NA BUANNA ba mhó a bhí ag Raiftearaí mar fhear cumarsáide ná gur thuig sé a lucht éisteachta. Ba phearsa mór *showbiz* é ar an Achréidh ar a bhealach féin.

Bhí neart filí pobail ag saothrú i gConnachta sa gcéad leath den naoú haois déag: ina measc bhí Máirtín a' Búrc, Micheáilín Cléireach, Paits Cró, a dtugtaí An Preabaire chomh maith air; Féilim Mhac Dhubhghaill, Pádraig Mó Glionnáin, Síle Ní Ghrallaigh, Pádraig Ó Beirn, Pádraicín Ó Ciarragáin, Diarmaid Ó Cíocháin, Seán Ó Fíné, Seán Ó hÉalaí, Peadar Ó Maoláin, Séamas Paor, chomh maith le ceathrar a luann Raiftearaí ina shaothar féin: Seán de Búrca, Micheál Mac Suibhne agus an dá Challanánach, Marcas agus Peatsaí.

Ach má bhí na filí sin ar fad ann, is beag duine acu a bhí ag plé leis an gceird go lánaimseartha. Níor chum duine ar bith eile oiread píosaí, idir dhánta agus amhráin, le Raiftearaí. Ó tharla gur chaith sé tríocha bliain ag *giggeáil* go leanúnach thart ar an Achréidh, ní

128

hiontas go raibh pobal dílis aige lena linn agus dúil as cuimse acu ina chuid cumadóireachta, mar a chuala an Bhantiarna Gregory ó fhear áitiúil, beagnach trí scór bliain i ndiaidh a bháis:

I remember when I was a boy of ten, I was so taken up with his rhymes and songs, I had them all off. And I heard he was coming one night to a stage he had below there where he used to come now and again. And I begged my father to bring me with him that night, and he did; but whatever happened, Raftery didn't come that time, and the next year he died.

An bua breise a bhí aige mar fhear siamsaíochta ná gurbh é féin a chum formhór na n-amhrán is na véarsaí a chuir sé uaidh, rud a thug stádas ar leith dó.

Mar dhuine a bhí ag teacht os comhair lucht éisteachta oíche i ndiaidh oíche, thuig sé an tábhacht a bhí le héagsúlacht ábhair a chur os a gcomhair: bhí a phobal ag súil le hábhar a chloisteáil uaidh a chuirfeadh ag gáire iad agus píosaí eile a chuirfeadh tocht orthu. Agus a laghad deiseanna eile ag an gcosmhuintir spreagadh intinne a fháil, chuirtí fáilte roimh an té a bhí siúlach scéalach: amach faoin tír, bhí na daoine ag brath ar leithéidí Raiftearaí le heolas a fháil faoina raibh ag titim amach sa saol mór taobh amuigh dá gceantar beag féin. D'fhág sé sin go raibh an file siúil ag feidhmiú mar iriseoir chomh maith le cumadóir. Nuair a bhailíodh daoine isteach i dteach le héisteacht lena chuid amhrán, bhí deis aige a chuid véarsaí polaitiúla a chur i láthair chomh maith. Seans maith gur thuig sé an tábhacht a bhí le hord reatha na bpíosaí a chasadh sé, le breith ar an lucht éisteachta, le n-iad a chur ar a suaimhneas agus lena theachtaireacht a chur abhaile orthu.

Chomh maith le bheith ina cheoltóir uirlise, ina fhear siamsaíochta, ina iriseoir véarsaíochta agus ina thráchtaire ar chúrsaí polaitíochta, faoi lár na 1820í, bhí fonn ar fhear Mhaigh Eo ról eile a tharraingt chuige féin: bhí sé ag iarraidh stair a dtíre a mhíniú don chosmhuintir, de réir mar a thuig sé féin í.

Bhí a fhios ag Raiftearaí gur ábhar dúshlánach go maith a bhí i gceist le stair na hÉireann. Scéal fada, casta a bhí ann agus cliar mhór carachtar i gceist leis. Ba ghá mar sin an lucht éisteachta a mhealladh i dtreo an ábhair agus blas na siamsaíochta a chur air. Dá bhféadfaí a n-aird a tharraingt le tús spleodrach, ba mhó an seans go n-éistfidís go haireach leis an scéal ina iomláine agus de réir mar a chloisfídis an dán á rá arís is arís ag an bhfile, bhí dóchas aige go dtabharfaidís leo iad féin é, le haithris agus le scaipeadh ina measc - ó bhéal go béal agus, i bhfad na haimsire, ó ghlúin go glúin.

Leis an tús spleodrach sin a aimsiú dá dhán mór teagascach, rinne Raiftearaí a mhachnamh ar an bhfoirm ab fhearr le húsáid. Ní fheilfeadh amhrán don jab seo – píosa aithriseoireachta a theastaigh. Ach leis an teannas drámatúil a theastaigh leis an lucht éisteachta a thabhairt leis, chinn sé ar mheascán den agallamh beirte agus an dán scéalaíoch a dhéanamh den saothar.

Foirm é an t-agallamh beirte atá fós á shaothrú sa traidisiún beo i nGaeltachtaí na hÉireann. Ar na saolta deireanacha seo, de bharr tionchar chumadóirí a bhfuil bá ar leith acu leis an ngreann agus an aoir – Joe Steve Ó Neachtain, cuir i gcás, is mar fhoirm ghrinn is mó atá eolas air. Ach ní mar sin a bhíodh i gcónaí. File pobail eile a mbíodh plé aige leis an agallamh ná Johnny Chóil Mhaidhc – fear a raibh an-ghreann ag baint leis, ach fear a chum agallaimh a bhí dáiríre go maith freisin.

Síneann an fhoirm siar i bhfad sa traidisiún Gaelach; níorbh é Raiftearaí an chéad duine a thuig a éifeacht maidir le hábhar a theagasc nó eolas casta a chur i láthair go bríomhar. Thuig an té a chum *Agallamh na Seanóirí* a éifeacht mar fhoirm: comhrá atá ann idir Naomh Pádraig agus Oisín, an seanduine a d'fhill ó Thír na nÓg agus a d'aithris scéal na bhFiann don mhisinéir Críostaí. Maireann an fhoirm beo i gcúinní eile de dhomhan basctha na gCeilteach: *an dispat* a thugann na Briotánaigh ar an agallamh, foirm a chastar sa teanga sin mar amhrán nó a ndéantar aithris air mar dhán beirte, anuas go dtí an lá inniu.

Beirt charachtar a bhíonn i gceist san agallamh, mar is léir ó ainm na foirme. Agus é ag leagan amach a dháin stairiúil, theastaigh céile comhraic ón bhfile le bheith ag díospóireacht leis. Roghnaigh sé sceach a bhí ann ó aimsir na díleann mar pháirtí. Go deimhin, tá blas na díleann ar thús an dáin – tá an file ag taisteal de shiúl na gcos, oíche fhliuch, stoirmiúil. Téann sé ar an bhfoscadh faoi sceach ar thaobh an bhealaigh, lámh le hÁth Cinn, in oirthuaisceart na Gaillimhe. Ach ní mórán foscaidh a thugann an sceach dó agus báitear go craiceann é. An lá dár gcionn, i ndiaidh dó a bhealach a dhéanamh chuig teach carad leis agus leaba na hoíche a fháil, tá sé ar a chois arís. Agus é ag dul thar an sceach, stopann sé agus cuireann a mhallacht ar an tom craite, críonna nach raibh in ann é a shábháil ón doineann:

> A sheansceach chaite fógraím gráin ort,
> nár fhása choíche snua ná bláth ort,
> faoi shúiste Oscair go bhfaighe tú do charnadh,
> do do bhrú is do do bhascadh le hord mar cheártan.

> Mar b'olc an áit do dhuine a theacht i ndáil leat,
> ná deasú fút ag iarraidh scáth ort,
> níl braon dár thit ar do chamstuaic ghránna,
> nár scaoil tú ar Raiftearaí le ciumhais do mhása.

Ach ní ina tost a fhanann an sceach.

> Más file thú a thriall ag iarraidh sásamh,
> tá mise anseo agat is mé ar mo gharda.
> Seanóir mé atá le fada in san áit seo,
> is ná tara níos sia le do chlaidhmhe tarraingthe.

> Nuair a bhí mise óg dá mbeifeá i ndáil liom,
> b'fhogas duit díon ó ghaoth is ó bháisteach,
> is í an ghaoth aniar d'fhág m'aghaidh le fána
> is a shiosc mé síos ó chúl go sála.

Agus an cur i láthair déanta, tá an t-éisteoir bíogtha don cheacht staire atá le teacht. Gabhann an file leithscéal leis an sceach agus iarrann uirthi a scéal a hinseacht. Is é an scéal sin a thugann teideal don dán *Seanchas na Sceiche*. Tosaíonn an sceach ag an tús – píosa maith roimh aimsir na díleann, roimh Naoi, a bhád mór agus a lastas ainmhithe:

Céad agus míle roimh am na hÁirce,
tús agus cruthú m'aoise is mo dháta
tá mé i mo shuí ó shin san áit seo
agus is iomdha scéal a bhféadaim trácht air.

Nuair a tharraing Raiftearaí chuige féin an smaoineamh le carachtar cainteach a dhéanamh den sceach, bhí sé ag baint úsáide as móitíf a bhí ar fáil le fada an lá roimhe sin. Ceann de na chéad samplaí atá againn ná an radharc sa mBíobla nuair a chloiseann Maois glór an aingil ag teacht ón sceach atá trí thine. Deirtear nach ndeachaigh file Mhaigh Eo siar baileach chomh fada sin lena mhúnla féin a aimsiú: dar le Ciarán Ó Coigligh, agus scoláire eile a chuaigh roimhe, Tomás Ó Con Cheanainn, is ar an dán 'Ceist Shéamais Uí Chatháin ar an gCrann agus freagra an Chrainn' a bhunaigh sé an leagan amach drámatúil a roghnaigh sé.

Tá dhá chuid in *Seanchas na Sceiche* – an cur i láthair siamsúil agus an cuntas ar an stair a thugann an sceach uaithi. Sa dara leath, caitheann Raiftearaí foirm an agallaimh bheirte i dtraipisí agus ligeann do ghlór na sceiche an scéal fada ar an anró a aithris. Dhá líne dhéag agus trí chéad atá sa gcuid seo den Seanchas.

Ar fhaitíos go gceapfaí gur cumadóireacht amach óna shamhlaíocht a bhí sa gcuid seo den dán, ní dhéanann Raiftearaí aon mhoill leis na foinsí údarásacha atá aige don eolas stairiúil atá sé a chur in iúl. Sin ceann de na fáthanna gur saothar fíorspéisiúil é an *Seanchas,* mar go bhfuil léargas ar fáil ann ar an eolas a bhí ag Raiftearaí ar thraidisiún na ndánta polaitiúla a bhí ar fáil lena linn i litríocht scríofa na Gaeilge. Cé nach raibh léamh ná scríobh aige féin, bhí eolas curtha aige ar na lámhscríbhinní a bhí ar fáil in oirthear na Gaillimhe ó bheith ag éisteacht le daoine á léamh os ard. Ar feadh an ama agus é ag éisteacht, bhí nótaí déanta ina chloigeann aige de bhlúirí eolais ar chuir sé suntas iontu. In *Seanchas na Sceiche,* luann an file na tagairtí sin ar mhaithe le tacú leis an gcur síos atá sé a dhéanamh ar stair a thíre.

Le tuiscint a fháil ar an eolas a bhí ag Raiftearaí ar thraidisiún liteartha na Gaeilge, is fiú cuid de na tagairtí stairiúla atá tarraingthe anuas aige sa *Seanchas* a lua.

Agus an sceach ag cur síos ar an díle agus ar na daoine a tháinig slán uaithi, sa dara véarsa dá cuntas, faigheann muid an chéad tagairt d'fhoinse an eolais a bhí ag an gcumadóir:

> Ochtar a thriall is na mílte a báitheadh,
> mar bhí Noah is a chlann, a gcéile is a máthair,
> ach amháin gur scríobh an t-easpag cráifeach
> gur mhair Parthalán mac Seara ar thaobh Chruach Phádraig.

Is é atá i gceist leis an *easpag cráifeach* ná an file Seán Ó Conaill, an té a chum dán stairiúil eile dar teideal *Tuireamh na hÉireann* thart ar an mbliain 1657. Creidtear anois gur sagart a bhí in Ó Conaill seachas easpag, ach bhí an-tábhacht leis mar scríbhneoir, de bharr an dáin sin amháin. Deir Vincent Morley an méid seo faoi ina chuntas cuimsitheach siúd ar thionchar scríbhneoirí na Gaeilge ar fhorbairt an náisiúnachais, *Ó Chéitinn go Raiftearaí:*

> Más aon teist iad an líon mór lámhscríbhinní ina bhfuil an téacs ar fáil, is féidir a rá go raibh ráchairt as cuimse ar 'Tuireamh na hÉireann' ar feadh dhá chéad bliain nach mór tar éis a chumtha. Ba é an dán seo, thar aon saothar eile, a mhúnlaigh tuiscint na nGael ar stair na hÉireann agus a chuir insint Chaitliceach de stair na tíre ar fáil do chosmhuintir nach raibh leabhair, ná léamh, ná Béarla acu. Caithfear aiste Sheáin Uí Chonaill a áireamh mar cheann de na téacsaí ba thábhachtaí dár scríobhadh in Éirinn riamh.

An chúis ba mhó a raibh oiread tóir ar an *Tuireamh* ná gur i nGaeilge na ngnáthdaoine a cumadh é, seachas stíl liteartha an dreama ar bhain a gcuid oideachais le ré na mbard. Tá an dán fós an-éasca le tuiscint ag léitheoir an lae inniu, cé gur cumadh é breis agus céad seasca bliain sular thug Raiftearaí faoina aiste staire féin. Féach cuntas Uí Chonaill ar an díle, mar shampla:

> Tar éis na díleann, fé mar léitear,
> níor mhair puinn den chine dhaonna
> nár bháigh neart ná tuile tréine
> ach Naoi is a chlann, Sem, Cam is Iafétus.

Cé go bhfuil cosúlachtaí eatarthu ó thaobh stíl na teanga de, tá an *Tuireamh* éagsúil ó *Seanchas na Sceiche* sa méid is go gcaitear i bhfad níos mó ama ann ag plé le stair an domhain mhóir tar éis na díleann, seachas díriú ar scéal na hÉireann amháin. Ach an oiread le Raiftearaí a tháinig ina dhiaidh, bhí bua na cumarsáide ag Seán Ó Conaill: bhí sé in ann blas tíriúil na scéalaíochta a chur ar an insint le go mbainfeadh an gnáthdhuine ciall as.

Seo an cur síos, mar shampla, atá aige ar thógáil thúr Bháibéil, nó *tor Neamhruadh*, mar a thugann sé air, agus an bunús atá le hiliomad teangacha na cruinne:

> An máistir do bhí ar na saoraibh,
> ag tor Neamhruadh 's a lucht saothair,
> an uair d'iarradh crann, do bheirtí cré dó,
> is an uair d'iarradh cloch, do bheirtí aol dó.

Tá breis agus céad líne curtha de ag Ó Conaill sula mbíonn aicsean an dáin lonnaithe in Éirinn. De rér mar a dhíríonn an dán ar chás na nGael, feictear go soiléir an tionchar a bhí ag Ó Conaill ar Raiftearaí. Seo é a chur síos ar an Reifirméisean:

> A gcreideamh 's a ndlíthe fá dheireadh gur chlaochlaigh

Cailbhin coiteann is Liútar craosach
dís do thréig a gcreideamh ar mhéirdrigh
is in aghaidh na heaglaise scríobhaid go héigneach.

Is cosúil go raibh léann ar Sheán Ó Conaill, agus, ní hionann agus fear Mhaigh Eo, radharc na súl agus cumas maith de bharr a bheith ag léamh agus ag bailiú eolais óna raibh ar fáil de leabhair agus de lámhscríbhinní lena linn. Tá an cineál céanna tuisceana ar an gcreideamh aige is atá le sonrú i saothar Raiftearaí: meascán de bhlas an bhéaloideasa ar thaobh amháin agus dílseacht gan cheistiú ar an taobh eile do rialacha comhaimseartha na hEaglaise Caitlicí: freastal ar Aifreann an Domhnaigh, troscadh Dé hAoine, cosc ar cholscaradh. Tá téama eile ar fáil sa *Tuireamh* atá i gcroílár an fhuatha a bhí ag Raiftearaí ar an gcreideamh gallda, mar a thugadh sé air, rud a raibh níos mó de bhunús loighiciúil leis ná cuid eile de na lochtanna a fuair sé ar an bProtastúnachas: an leatrom sóisialta a bhain leis an gcumhacht pholaitiúil a bheith ag lucht na dtithe móra, ar Phrotastúnaigh a bhformhór, agus an drochshaol a lean an leatrom sin don chosmhuintir Chaitliceach.

Críochnaíonn Ó Conaill a dhán siúd le liosta cuimsitheach naomh Gaelach, ag cur in iúl go raibh ré órga Críostaíochta ann cheana in Éirinn agus dá ndéanfadh na Gaeil aithrí, go mbeadh a leithéid arís ann:

Guighse is guím Dia na ndéithe,
an tAthair 's an Mac 's an Spiorad Naofa,
ár bpeacaí uile do mhaitheamh in éineacht
is a gcreideamh 's a gceart d'aiseag ar Ghaelaibh.

Tá sé ar fad ráite aige sa líne deiridh – an ceangal sin idir *a gcreideamh 's a gceart* –coincheap atá i gcroílár fhilíocht Raiftearaí. Is deacair a shamhlú nach raibh *Tuireamh na hÉireann* de ghlanmheabhair ag file Mhaigh Eo é féin.

Dán stairiúil eile a luaitear mar thionchar ar *Seanchas na Sceiche* ná *An Síogaí Rómhánach* a chum Cathaoir Buí Ó Maolmhuaidh. Baineann sé leis an tréimhse chéanna, na blianta i ndiaidh 1650, thart ar chéad fiche bliain sular rugadh Raiftearaí. Sa Róimh atá an dán suite: cur síos atá ann ar chuairt a thug an file ar uaigheanna na dTaoiseach Gaelach a theith ón tír seo sa mbliain 1607, aimsir Chath Chionn tSáile. Feiceann an file spéirbhean, mar a bheadh pearsa as dán aislinge ann, agus í ag caoineadh na dtaoiseach.

Scaoileann an spéirbhean racht feirge chun na spéire, ag iarraidh ar Dhia míniú di cén fáth go bhfuil oiread leatroim sa saol. Ach an oiread le *Tuireamh na hÉireann,* déantar gearán ann faoi chás na nGael Caitliceach, agus fiafraítear cén fáth iad siúd a bheith faoi chois nuair is iad na Protastúnaigh atá tar éis an fíorchreideamh Caitliceach a chaitheamh i dtraipisí:

Níos faide anonn, luaitear Anraí VIII, duine a gcaitheann Raiftearaí anuas go binbeach air sa *Seanchas,* agus i ndánta go leor eile dá chuid:

> Ní áirím Henrí an chéadfhear
> do léig go truaillidh uaidh a chéile
> ar Anna Builín a hiníon chéanna
> is d'imigh ón eaglais ar theagasc Lúitéaras.
> Cuirim leis Elizabeth phéisteach
> nár phós fear is nár stad ó éinneach.

Is cosúla go mór *Tuireamh na hÉireann* le *Seanchas na Sceiche* ná *An Síogaí Rómhánach* ach mar chur síos achoimreach ar stair na tíre, mar a tuigeadh don chosmhuintir Chaitliceach í i dtús an naoú haois déag, is fearr agus is éifeachtaí an dán é an *Seanchas* ná ceachtar den phéire eile.

Ar líne 131 den *Seanchas,* tá fianaise ar fáil go raibh eolas ag Raiftearaí ar an téacs próis *Foras Feasa ar Éirinn,* mórthogra stairiúil Sheathrún Céitinn, saothar a chuir sé i gcrích thart ar an mbliain 1634.

Tá trácht sa saothar sin ar dhán dar teideal *Fuaras i Saltair Chaisil,* é cumtha, seans maith, i dtús an séú haois déag, trí chéad bliain sular thug file Mhaigh Eo faoi sceach Áth Cinn. Luann Raiftearaí an tSaltair agus an Céitinneach araon mar fhoinsí:

> Sliocht Thuatha Dé Danann gan croí gan daonnacht,
> ní le gníomh ná gaisce a níodh siad aon rud,
> is éard deir Saltair Chaisil is Dochtúir Céitinn,
> le diabhlaíocht, gleacaíocht agus mionna bréige.

Roimh aimsir na díleann a chuirtear tús le scéal na hÉireann sa *Saltair* chomh maith agus ach an oiread leis an *Seanchas,* tá trácht ann ar thairngreacht a thugann le fios gur gearr go mbeidh cúrsaí ag feabhsú go mór do na Gaeil, mar go bhfuil trioblóid ar an mbealach dá naimhde.

I gcás *Fuaras i Saltair Chaisil,* an trioblóid atá i gceist ná cath mór a thitfeadh amach ag áit a dtugann an file Saingeal air: deir an tairngreacht go ndéanfaí slad ar na Sasanaigh ann. Tá an míniú seo ar an tagairt sin ar fáil i leabhar Vincent Morley, *Ó Chéitinn go Raiftearaí,* é scríofa ag ministir Protastúnach ó Inis Ceithleann darbh ainm Richard Bourk ar an 12 Iúil, 1643:

> The rebels speak much of a dismal and fatal blow which the English shall receive (say they) in a battle at Cassangel (which they understand to be Singeland at the south gate of Limerick), saying that shall be a final end of the war and thence forth the Irish alone shall enjoy the kingdom of Ireland to the end of the world.

Mar a luadh cheana, bhí an-mhuinín ag Raiftearaí as tairngreacht eile, an ceann a bhí luaite le Pastoiríní, agus ach an oiread le *Saltair Chaisil,* is é an trácht ar an tairngreacht buaicphointe a chuntais staire féin.

Ach sula dtagann sé chomh fada le teachtaireacht sin an dóchais, tá cuid mhaith ábhair eile le plé aige, rud a dhéanann sé i stíl bhríomhar shiamsúil. Tá cur síos aige ar an troid a chuir Gaidéalas,

prionsa riúil den fhíorfhuil Ghaelach, ar an Tuatha Dé Danann, cur
síos nach mbeadh locht ag léiritheoir scannáin aicsin i Hollywood air:

> Bhí cinn agus coirp dá ngearradh in éineacht,
> agus fuil ag imeacht mar thuile shléibhe,
> ach siúd é an cath ar cailleadh na tréanfhir,
> ach i ndeireadh na cúise bhí an lá ag Miléiseas.

I ndiaidh dó cur síos bríomhar a dhéanamh ar stair na Féinne, agus
é ag glacadh leis ar feadh an ama gur phearsana stairiúla iad Fionn,
Oisín agus gach a raibh ann, is ar líne 225 den dán, beagán níos mó
ná leath bealaigh tríd an saothar a thagann pearsa stairiúil i láthair,
faoi dheireadh: sin é Pádraig naofa.

> Easpag beannaithe a thriall go hÉirinn,
> a thug an tSaicrimint Bheannaithe i mbéal gach aon neach,

An chéad eachtra mhór eile a luaitear ná teacht na Lochlannach,
iad faoi stiúir a gceannaire, Tuirgéiseas. Tapaíonn an file an deis le
taispeáint gur drochscabhaitéir a bhí sa Tuirgéiseas céanna, fear a
raibh *droit de seigneur* i réim aige maidir le mná céile nuaphósta na
bhfear a bhí faoina stiúir:

> An dream a thriall i ndiaidh an scéil sin,
> Lochlannaigh, a chuir buaireamh agus angar ar Éirinn,
> Tuirgéiseas mar cheannfort orthu ag réabadh,
> an fear ba mheasa dlí agus béasa.

> Nárbh olc an dlí a bhí ag na péiste,
> aon fhear óg a thiocfadh chun feidhme,
> nó a rachadh chun pósta le mnaoi nó céile
> nár leis a tús ach le Tuirgéiseas.

Agus má cheapann léitheoirí an lae inniu gur éagórach, míthrócaireach an bealach atá ag Coimisinéirí Ioncaim an 21ú haois, níl le déanamh acu ach an cur síos seo ar chóras cánach na Lochlannach a thabhairt chun cuimhne:

Dualgas eile i gceann an méid sin,
unsa den ór a bheith ar gach aon teach,
agus an té nach n-íocfadh é i gceann gach féile,
bhí an tsrón le baint de ó chlár an éadain.

Agus é ag iarraidh a chur in iúl dá lucht éisteachta go mbíonn toradh dearfach le baint as troid ar son na hÉireann, cuireann sé síos go mion ar éirí amach na nGael in éadan na Lochlannach, faoi cheannas Ardrí Éireann, Brian Bóroimhe. Ba duine é Brian Bóroimhe a raibh rath ar leith air maidir le taoisigh Ghaelacha a linne a tharraingt le chéile. Is é a bhí mar cheannaire ar chomhghuaillíocht leathan a chuir troid ar na Lochlannaigh, dream a bhí ag brú isteach ar thailte na nGael, go mórmhór in oirthear na tíre, le dhá chéad bliain roimh Chath Chluain Tairbh sa mbliain 1014.

Tugann an file uaidh liosta cuimsitheach de na taoisigh a liostáil leis an bhfórsa a bhailigh le chéile faoi cheannas Bhriain Bhóraimhe, Brian mac Cinnéide, Rí na Mumhan agus ArdRí Éireann ón mbliain 1002 amach. Cúig véarsa den dán a chaitear le liodán seo na laochra, eolas an-chuimsitheach ar eachtraí a thit amach ocht gcéad bliain roimhe sin. Níl an liosta sin ar fáil ó na scríbhneoirí a chuaigh roimhe, mar sin cár tháinig an file siúil ar an mioneolas sin? Le teacht ar fhreagra na ceiste, is fiú breathnú go grinn ar feadh nóiméid ar na sloinnte atá liostáilte aige:

Ghluais chugainn ó Mhumhain, do réir mar léitear,
Ó Cearúill is a shluaite ó Dhún Éile,
Cinnéidigh is Lorcánaigh thréana,
agus clann Mhic Con Mara ón gCreatalaigh ghléigil.

Ó Súilleabháin aniar as iarthar Éireann,
Móránaigh is Brógánaigh gafa gléasta,
Ó Donnabháin 'na ndiaidh, Ó Meachair is Ó Béara,
agus Ó Seachnasaigh ón nGort nár chóir a shéanadh;

Ó Móra, Ó Doinn is ó Floinn le chéile,
Catháin, Cochláin is clanna Mhéalóid,
Mac Cáirthinn ón sliabh, fear fial gan locht,
Ó Briain is Ó Murchú na laochra tréana.

Ó Fearaíl, Ó Ruairc, Ó Ceallaigh ná séantar,
Raghallaigh, Dúdaí agus Flaitheartaigh thréana,
Ó Conchúir as Sligeach, an fhíorfhuil Ghaelach,
agus Clann nDonncha ó bhun na Céise.

Dochartaigh, Branáin, Beirnigh agus Céitinn,
Mag Uidhir is Mac Mathúna thóg láimh le hÉirinn,
Ó Néill is Ó Dónaill ó bhruach Loch Éirne
agus gach duine acu ag teacht in arm is in éide.

Tá na véarsaí sin suimiúil ar chúpla cúis. Tá an-chosúlacht idir iad agus an chuid de *Tuireamh na hÉireann* a bhaineann, ní le Cath Chluain Tarbh, ach le héirí amach níos faide anonn, aimsir an *Surrender and Regrant*, an polasaí a bhí ag rialtas London sa 16ú haois le tathaint ar thaoisigh na nGael a gcuid tailte a bhronnadh ar Choróin Shasana agus iad a fháil ar ais ar an bpointe, ar mhaithe le stádas dlí a thabhairt do cheannasaíocht na Sasanach ar Éirinn.

Deir Vincent Morley gur glan amach as a shamhlaíocht a tháinig liosta Raiftearaí sa *Seanchas*, agus is cosúil gur ar mhaithe le bheith ag ligint scile air féin a chuir an file an liosta san áireamh sa dán. Tá sé spéisiúil, ina dhiaidh sin, go bhfuil cosúlachtaí idir liosta Raiftearaí de lucht tacaíochta Bhriain Bhóirmhe agus liosta chumadóir *Tuireamh na hÉireann* de na SeanGhaill a d'éirigh amach aimsir Anraí VIII. Cúig shloinne déag a luaitear i liosta an *Tuireamh*.

Cuireann Raiftearaí seacht gcinn den liosta sin san áireamh ina liodán féin: Raghallaigh, Ó Conchúir, Dochartaigh, Branáin, Ó Néill agus Ó Dónaill. Luann sé an cúlra céanna i gcás sloinne amháin: 'Clann nDonncha ó bhun na Céise'; 'Mac Donnchadha ó Chorainn na Céise' atá sa Tuireamh.

Maidir le cuid de na sloinnte eile, seans maith gur cúrsaí meadarachta ba chúis lena roghnú:

Tá comhfhuaim thaitneamhach i gceist idir Ó Doinn agus Ó Floinn sa líne seo, nuair a fhuaimnítear de réir chanúint dhúchasach an fhile:

Ó Móra, Ó Doinn is ó Floinn le chéile

Agus tá comhfhuaim den chineál céanna i gceist i líne eile roimhe sin arís:

Móránaigh is Brógánaigh gafa gléasta

Seans chomh maith gur chaith sé isteach roinnt sloinnte áitiúla ar mhaithe lena lucht éisteachta a mholadh, nó ar mhaithe leis an dán a phréamhú, ar bhealach, in oirthear na Gaillimhe, i measc a phobail éisteachta, agus iad a spreagadh le suim a chur ann, ó tharla a sinsear féin a bheith luaite le hArdRí Éireann. Is cinnte gur spreag na línte thuas suim an phobail a chuala é – na Méalóidigh, sloinne mór Gaillimheach, na Ceallaigh agus 'na Seachnasaigh ón nGort, nár chóir a shéanadh.'

Cé go raibh Raiftearaí sásta an stair a mhúnlú agus a lúbadh de réir mar a d'fheil dó féin agus dá phobal éisteachta, is ag iarraidh cothromaíocht a aimsiú a bhí sé idir cruinneas na hinste ar thaobh amháin agus ceardaíocht an dáin ar an taobh eile. Ba chuid den cheardaíocht sin an saothrú samhlaíoch a rinne sé ar an ábhar a bhí roimhe, ar mhaithe le dán a dhéanamh a raibh rithim leis agus dán a gcuirfeadh a phobal suim ann. Is léir gur airigh sé go raibh cead aige gan a bheith róbhuartha faoi bheith dílis do na fíricí agus é i mbun cumadóireachta ach an fhírinne mhothúchánach, mar a thuig sé féin í, a thabhairt leis sa dán.

Ní mór an meas atá ar na saolta seo sa saol acadúil ná i saol na hiriseoireachta le cur chuige scaoilte den chineál sin i leith fíricí na staire, ach i measc lucht scannán drámaíochta agus i measc úrscéalaithe, glactar leis mar mhodh oibre, anuas go dtí an lá inniu. Is minic agus script scannáin á scríobh atá bunaithe ar eachtra stairiúil go ndéantar laghdú ar líon na gcarachtar ar mhaithe leis an scéal a inseacht go drámatúil agus go soiléir, taobh istigh d'fhoirm dhocht an scannáin. Ba ghaire, dá réir sin, cur chuige Raiftearaí do stíl inste an scannánóra Neil Jordan, agus é ag léiriú scéal *Michael Collins* ná an cur chuige cúramach a bhí ag an staraí Diarmuid Ferriter agus eisean i mbun beathaisnéis de Valera a scríobh.

I ndiaidh scéal Chath Chluain Tarbh, tá trácht sa dán ar theacht Strongbó agus sna sála air siúd, ar bheirt charachtar a bhfuil trácht tarcaisneach orthu ar fud véarsaíocht Raiftearaí: Mártan Liútar agus Anraí VIII. Ina ndiaidh siúd aniar, tagann Cromail, agus fear a d'fhéach le cur ina choinne, an taoiseach Ultach, Eoghan Rua Ó Néill. Ach an oiread le fórsaí Bhriain Bhóroimhe, leagtar béim ar dhea-thréithe an cheannaire Ghaelaigh aduaidh:

Eoghan Rua a tháinig i ndiaidh an scéil sin,
maiseach, fearúil, barrúil, béasach,
cleasach, súgach, lúfar, éasca,
a bhain léim leataoibh as Cromwellians.

Más moladh a fhaigheann Ó Néill ón bhfile, drochmheas ceart atá aige ar Shéamas II, an Caitliceach deireanach le seal a chaitheamh ina shuí ar chathaoir ríoga Shasana:

Séamas an chaca milleán géar air,
thug a iníon d'Uilliam mar mhnaoi is mar chéile,
is é a rinne Gaelach Gallda agus Gallda Gaelach,
mar chuirfeá cruithneacht agus eorna trína chéile.

An bhliain i ndiaidh bhriseadh na Bóinne, mar a luadh cheana, bhí bua mór eile ag lucht leanúna Uilliam ag láthair a raibh an-eolas ag Raiftearaí agus a lucht éisteachta Gaillimheach air: Eachroim, baile nach raibh ach cúpla míle taobh thoir de Chill Chonaill, áit a raibh bothán ag an bhfile. Creidtear gur cailleadh suas le seacht míle duine sa gcath a thit amach ann ar an 12 Iúil, 1691, díreach bliain i ndiaidh chath na Bóinne:

> Nár bhuartha an tsraith í i mbéal an fhómhair,
> in Eachroim Dé Luain de bharr an Domhnaigh,
> is iomdha mac Gaeil ar fhág sé brón air,
> agus gan trácht ar ar cailleadh i mbriseadh na Bóinne.

Agus é ag druidim le deireadh a scéil, luann Raiftearaí laoch Gaelach eile, Pádraig Sáirséal. Agus dá fheabhas é siúd mar ghaiscíoch, críochnaíonn sé an dán le cur i gcuimhne dá phobal gur ar thaobh na nGael chomh maith atá an laoch is treise ar fad: Dia na Glóire. Agus de réir tairngreacht Phastoiríní, is gearr go gcuirfear deireadh leis an bProtastúnachas, rud a chuirfeas feabhas as cuimse ar shaol na gCaitliceach:

> Ná bígí gan misneach i bhfochair a chéile,
> is treise le Dia ná leis na Cromwellians,
> dúirt Naomh Seán ina sa Revelation
> an cúigiú bliain fichead go bhfaigheadh muid géilleadh.

Cé go raibh Protastúnaigh fós i dtogha na sláinte faoin séú bliain fichead, 1826, agus cé nár tháinig an tuar faoi thairngreacht Phastoiríní, níor laghdaigh sé sin an meas a bhí ag an bpobal ar *Seanchas na Sceiche*. D'fhoghlaim daoine de ghlanmheabhair é, agus scaipeadh ar an gcaoi sin é sa traidisiún béil. Dhéantaí é a aithris mar go raibh idir shiamsaíocht agus eolas ar fáil ann: an rud a dtugann lucht craoltóireachta an lae inniu *'infotainment'* air. Is cinnte gur mhúnlaigh sé an tuiscint a bhí ag pobal neamhliteartha Chonnacht ar stair a dtíre. Tá sé spéisiúil gur ó fhoinsí béil, cuid mhaith, a tháinig an dán ceithre líne agus ceithre chéad anuas chugainn. Bhí an dán ar eolas de ghlanmheabhair ag daoine ar an Achréidh agus i gConamara le cuimhne na ndaoine: bailíodh leagan de in Éanach Dhúin sa mbliain 1933, cuir i gcás.

Agus cé nach raibh scríobh ag Raiftearaí féin, is ag feidhmiú mar chineál scríobhaí a bhí sé nuair a chum sé an *Seanchas:* is ag iarraidh an t-eolas leathan agus an tuiscint a bhí aige ar stair na tíre a bhailiú le chéile in aon saothar amháin a bhí sé, díreach mar a rinne an Dochtúir Céitinn dhá chéad bliain roimhe sin ina shaothar próis siúd, *Foras Feasa ar Éirinn.*

Sa lá atá inniu ann, is mar ábhar scríofa atá teacht ar an dán. Is mar a chéile an scéal le formhór na ndánta a chum Raiftearaí faoi chúrsaí polaitíochta. Ach tá réimse eile de shaothar fhile Chill Liadáin atá beo beathaíoch ar bhéal na ndaoine i gcónaí, go mórmhór i nGaeltacht Chonamara. Tá fonnadóirí óga ag cur suime sna véarsaí sin ar feadh an ama agus á bhfoghlaim le casadh ag coirmeacha ceoil, ag comórtais Oireachtas na Gaeilge, ag na fleadhanna ceoil agus le taifeadadh ar dhlúthdhioscaí agus ar chláracha teilifíse agus raidió. Sin iad na hamhráin is lú atá ceangailte ó thaobh ábhair le saol an 19ú haois, an chuid a chuireann síos ar mhothúchán daonna nach mbaineann le ré ná le réimeas ar leith: na hamhráin mhóra grá. Ceann amháin acu a bhfuil an-mheas i gcónaí air na *Máire Ní Eidhin* – amhrán a chuaigh i gcion ar an bpobal, ach amhrán a raibh baint aige le tréimhse an-achrannach i saol pearsanta an chumadóra.

13

SCOTH BAN ÉIREANN

Sí Máire Ní Eidhin an chiúinbhean bhéasach
Sí is déise méin is is áille gnaoi
Míle cléireach ag gabháil in éineacht,
Trian a tréithre ní fhéadfadh scríobh.

MÁIRE NÍ EIDHIN

I NGAELTACHT CHONAMARA an lae inniu, tá an-spéis go fóill ag daoine i Raiftearaí agus eolas maith acu ar a shaothar, go mór mór ar na hamhráin mhóra grá. Cloistear trí cinn acu, *Máire Ní Eidhin, Brídín Bhéasaí* agus *Nancy Walsh* go rialta ar Raidió na Gaeltachta agus casann iomaitheoirí na gcomórtas amhránaíocht ar an sean-nós iad go minic ag Oireachtas na Gaeilge. Cloistear *Máirín Staunton* chomh maith agus ceann eile a luaitear le Raiftearaí, cé nach bhfuil gach duine ar aon intinn gurbh é a chum: sin é an t-amhrán álainn grá, *Peigí Mitchell.*

Mar fhear siamsaíochta, mar a dúradh cheana, d'fhéach Raiftearaí le hamhráin agus dánta de chineálacha éagsúla a chumadh. Chomh maith leis na dánta polaitiúla, chum sé ábhar éadrom – amhráin a bhainfeadh gáire as an bpobal, ábhar a bhainfeadh geit astu agus a chuirfeadh leis an gcion a bhí acu air mar chumadóir. Chum sé amhráin freisin a nocht taobh séimh, aislingeach dá phearsantacht. Is iad na hamhráin ghrá is treise a chuireann an ghné sin de phersona an fhile i láthair.

Ní hionann sin agus a rá gur ráitis phearsanta amach is amach a bhí sna hamhráin. An phríomhaidhm a bhí aige agus é ag cumadh amhráin ghrá ná a mháistreacht ar an seánra sin a chur in iúl. Ach an oiread le potadóir a thógann mám créafóige ina dhá láimh agus a mhúnlaíonn, le scil agus le foighid, soitheach álainn nach mbeadh ar an saol murach é, bhí Raiftearaí ag iarraidh a chumas mar cheardaí oilte a chur in iúl agus é ag plé le foirm an amhráin ghrá.

Tá traidisiún an-saibhir amhrán grá againn sa nGaeilge, traidisiún a bhfuil cur síos cuimsitheach ar fáil air sa leabhar iontach *An Grá in Amhráin na nDaoine* a scríobh an tOllamh Seán Ó Tuama. Rud spéisiúil faoina leabhar, a foilsíodh i dtús na seascaidí, ná go bhfuil sé breac le téarmaí agus fonótaí Fraincise, amhail is nár bhfiú do dhuine bheith ag cur suime i léann na Gaeilge an uair sin mura raibh greim mhaith aige ar theanga Molière.

Ríomhann an Tuamach na cineálacha éagsúla grá atá ar fáil sa traidisiúin agus teideal breá Fraincise aige ar chuile cheann ar leith acu. Ina measc tá an *Pastourelle* – amhrán faoi fhear a chasann ar spéirbhean agus é amuigh ag siúl (ar sampla spéisiúil é *Máire Ní Eidhin*); an *Chanson de la Malmariée* – amhrán an duine atá pósta go míshásta: (leithéidí *An Seanduine Cam* le Colm de Bhailís); An *Débat Grá* – agallamh beirte an ghrá (*Siobhán Ní Dhuibhir* cuir i gcás); An *Chanson Jeune Fille* – amhrán na mná óige, ach gur bean tréigthe a bhíonn i gceist (*Dónall Óg*, mar shampla) agus an *Chanson d'Amour* féin, an t-amhrán seirce, a chuireann síos ar an ngrá mar ghalar, ar sampla maith é an t-amhrán Ultach *Tá Mé i mo Shuí*.

Leagan den seánra *pastourelle* atá i gceist le *Máire Ní Eidhin*, seánra coitianta go maith i dtraidisiún na hÉireann, idir Ghaeilge agus Bhéarla. Tá an tuairim ann gur ó dhrámaí beaga ársa a chuirtí i láthair lá Bealtaine ag féilte eile sa bhFrainc, sna meánaoiseanna, a d'eascair an *pastourelle* an chéad lá riamh. Is iad na Normannaigh a thug go hÉirinn é. De réir a chéile, ghlac na cumadóirí amhrán Gaeilge leis mar mhúnla, agus de réir a chéile, tháinig athrú agus méadú ar an réimse scéalta agus plotaí a bhain leis. Mar a fheicfeas muid, cur chuige cruthaitheach go maith a bhí ag Raiftearaí agus é ag cumadh a amhráin faoi Mháire Ní Eidhin. Leis an gcaoi ar chuir sé a chasadh féin ar sheánra an *pastourelle,* ní miste breathnú ar leagan amach traidisiúnta an chineál seo amhráin ghrá.

Sa gcineál pastourelle atá ar fáil i bhfilíocht na meánaoiseanna, castar fear óg ar chailín bocht, aoire caorach nó gamhna go minic, agus é amuigh ag fánaíocht, maidin nó tráthnóna álainn samhraidh. Titeann an fear i ngrá leis an gcailín ar an bpointe. Triaileann sé í a mhealladh agus diúltaíonn sise dó, á rá leis gan a dea-chlú mar bhean mhorálta a mhilleadh. Brúnn an fear é féin uirthi, uaireanta, agus ní go sonasach a réitítear an scéal eatarthu i gcónaí.

Luann an Tuamach an t-amhrán *Seoladh na nGamhna* mar shampla tipiciúil den *pastourelle* traidisiúnta. Mar seo a leanas a thosaíonn sé:

Tráthnóinín déanach, is mé ar thaobh an ghleanna,
ag siúlóid na coille go fánach,
cé casfaí orm ach cúilfhionn mhaiseach,
chiúin, tais, banúil, náireach;

Cuireann an file bleid chainte ar an gcailín agus insíonn sí dó gur ag seoladh na ngamhna atá sé. Tugann sé cuireadh di isteach sa gcoill:

Atá crann cumhra i lúb na coille.
is téanam araon go lá faoi,
mar a bhfagham ceol éan dár síor-chur a chodladh,
's gheobhaidh tú na gamhna amárach....'

Ach tá an cailín buartha faoina dea-chlú agus tá leisce uirthi teacht leis an bhfile:

Ní thiocfaidh mé leat síos i lúibinn na coille,
ná ní dhéanfaidh mé leat súgra ná gáire;
seo leat mo bheannacht is lig mé abhaile,
is ná scaip mo chlú go fánach.

Cé gurb é an diúltú an pátrún is coitianta sa bpastourelle, ní gá gur mar sin a bheadh i gcónaí. Uaireanta, géilleann an cailín agus imíonn sí go sásta leis an bhfile. Is mar sin a tharlaíonn i gcás *Máire Ní Eidhin*. Ach imíonn Raiftearaí cuid mhaith ó ghnáthchoinbhinsiúin na foirme: in ionad amhrán a bhfuil blas na seanscéalaíochta air, féachann sé leis an aicsean a lonnú i gcultúr a thréimhse féin agus blas an réalachais a chur ar an insint. Mar sin, ní ag fánaíocht leis gan treoir atá sé ach '*Ag triall ar an Aifreann dom le toil na nGrásta*'. Agus ní maidin álainn gréine atá ann, ach radharc réalaíoch d'aimsir fhliuch iarthar na hÉireann: '*Bhí an lá ag báistigh agus d'athraigh gaoth*'.

Go hiondúil i gcás pastourelle, ní bhíonn aon am curtha amú ón uair a leagann an file súil ar an gcailín álainn nó go dtiteann sé i ngrá léi. Ach ní raibh súile Raiftearaí in ann iad féin a leagan ar Mháire Ní Eidhin; mar sin tá an chuid seo den dán níos sciobtha fós ná mar a bheadh go minic sa gcineál seo amhráin:

Casadh bruinneall dom le hais Chill Tartan
Agus thit mé i láthair i ngrá ar an mnaoi.

Agus an tAifreann tarraingthe anuas aige sa gcéad líne, tá uaisleacht áirithe moráltachta luaite ag Raiftearaí leis féin. Coinníonn sé air leis an gcur chuige seo:

D'umhlaíos síos di go múinte mánla
  is de réir a cálach d'fhreagair sí
Sé dúirt sí a Raiftearaí, beidh m'intinn sásta
Is gluais go lá liom go Baile Uí Laoigh.

Sa gceathrú seo, feiceann muid go bhfuil rud neamhchoitianta eile déanta ag an bhfile – tá sloinne an fhile féin luaite ag an spéirbhean agus dá réir sin, tá Raiftearaí féin a lua go pearsanta leis an scéal grá atá sé ag spíonadh os ár gcomhair. Tá sé suntasach chomh maith gurb í Máire Ní Eidhin a luann ainm Raiftearaí, rud a thugann le fios go n-aithníonn sí é agus go bhfuil sí an-sásta seal a chaitheamh ina chomhluadar.

Níorbh é Raiftearaí an t-aon duine amháin lena ainm féin a lua ar an gcaoi sin agus pastourelle á chumadh aige. Rinne Micheál Mac Suibhne chomh maith é, san amhrán uaidh, *Máirín Seoighe* :

> D'oscail solas ina brollach líonmhar,
> Is gheit mo chroí istigh chomh mear le héan,
> Níor dhúirt sí ach 'Mara dhuit, a Mhister Sweeney,'
> Mar bhí sí in imní fá lucht na mbréag.

Má tá Máirín Seoighe drogallach faoin Suibhneach mar leannán, ní mar sin atá ag Máire Ní Eidhin. Is gearr go bhfuil sí féin agus Raiftearaí ina suí chun boird agus iad i mbun gnímh a luann file Mhaigh Eo go minic le cúrsaí grá – tá siad ag caitheamh siar.

> Socraíodh solas chugam, gloine is cárta
> Is cúilín fáinneach le m'ais 'na suí,
> Sé dúirt sí 'a Raiftearaí, bí ag ól is céad fáilte
> Tá siléar láidir i mBaile Uí Laoigh.'

Tá cúis eile ag Raiftearaí le tabhairt le fios nach bhfuil amhras ar bith ar Mháire Ní Eidhin ach gur duine 'múinte mánla' a bhí sa bhfile. Ní hionann agus cuid mhaith de na spéirmhná a chastaí ar na filí agus iad amuigh ag siúl, ní carachtar ficseanach a bhí i Máire, ach cailín áitiúil, agus duine a raibh cáil uirthi in oirdheisceart na Gaillimhe. Tá traidisiún saibhir seanchais ag baint léi agus lena scéal tragóideach. Bá chailín fíordhathúil í, a deirtear, cailín a bhíodh gléasta go maith i gcónaí agus a bhí i mbéal an phobail de bharr a háilleacht eisceachtúil. Bhailigh Dubhghlas de hÍde an cuntas seo fúithi ó sheanfhear i gCinn Mhara, ar bhruach theas Chuan na Gaillimhe:

> Deir chuile dhuine nach bhfuil aon duine le feiceáil anois
> chomh sciamhach léi. Bhí gruaig bhreá uirthi ar dhath an

óir. Bhí sí ina cailín bocht, ach do bhíodh sí gléasta 'chuile
lá mar an Domhnach, bhí sí chomh snasta sin, agus dá
rachadh sí go báire nó go cruinniú do bhíodh na daoine ag
rith i mullach a chéile lena gcuid súl do leagan uirthi. Bhí
a lán i ngrá léi, ach fuair sí bás agus í óg.

Bhí an méid seo le rá ag seanfhíodóir fúithi :

> Budh í Máire Ní Eidhin an rud ba bhreágha dá'r cumadh
> riamh. Ní bhíodh comórtas báire in san tír nach mbíodh sí
> ann, agus éadaighe bána uirthi i gcómhnuidhe. D'iarr aon
> fhear déag í le pósadh i n-aon lá amháin, acht ní phósfadh
> sí fear ar bith aca.

Chomh maith leis an gcur síos béaloideasa, rinne an Chraoibhín
Aoibhinn a chuid taighde féin faoina cúlra:

> Do chómhnuigh sí i n-aice le Gort-Innse-Guaire, agus tá
> fothrach an tighe in ar mhair sí le feiscint go fóill ag Baile-
> Uí-Liagh, baile beag a bhfuil leathdhuisin de thigthibh
> ann, ar bhruach aibhne bige árd-ghlóraighe i mbarúntacht
> Chilltartan.

Seo tuairisc eile a chuir An Chraoibhín Aoibhinn san áireamh ina
chuntas siúd ar an bPabhsae:

> Bhí dream d'fhearaibh óga 'na suidhe ag ól aon oidhche
> amháin, agus chromadar ag cainnt ar Mháire Ní Eidhin,
> agus d'éaluigh fear aca amach le dul go Baile-Uí-liagh le n-a
> feiceáil, acht nuair a tháinig sé go Móin Cluana thuit sé san
> uisge agus báitheadh é.

Deirtear gur chuir fear óg de chuid na n-uaisle suim inti. Más fear
lúfar láidir dathúil a bhí ann le cois, is cinnte go mbeadh spéis ag

leithéidí Mháire ann siúd. Deis a bheadh ina leithéid de chaidreamh a cúl a thabhairt leis an teaichín beag inar tógadh í féin agus a muintir agus saol a chaitheamh faoi shó ina *lady,* i dteach mór scóipiúil agus searbhóntaí ag freastal uirthi de ló is d'oíche.

Ach mar a chomhairlíonn an seanfhocal dúinn, bíonn leacracha sleamhaine ar urlár an tí mhóir agus ach an oiread le go leor cailíní scéimhiúla eile de chuid na cosmhuintire, bhain na leacracha céanna tuisle as Máire bhocht. D'éalaigh sí leis an ógfhear uasal, ach má d'aimsigh sí a prionsa, ní críoch sona sásta a bhí lena scéal:

D'éalaigh sí le duine acub sin insa gceann deiridh, is sin mar d'imigh sí ar an seachrán.

Chuir De hÍde tuilleadh mionsonraí lena chuntas seisean:

Mhol sé [Raiftearaí] Máire Ní Eidhin agus Brighdín Bhéasaigh, agus bhí saoghal buaidheartha ag an mbeirt aca. Fuair Máire Ní Eidhin bás go brónach i lár purtaigh, agus dubhairt cómharsa di: 'Deamhan a bhfad a bhéas duine beó a mbeidh abhrán ceaptha air.'

Is aisteach an tuairim í sín, nuair a chuimhneofá air. Más fíor don scéal ar fad faoi chaidreamh Mháire le duine den *gentry,* tá cúiseanna go leor le tuiscint cén fáth go gcaillfí go brónach í. B'fhéidir gur éirigh sí torrach agus gur dhiúltaigh an fear óg rachmasach í a phósadh, nó b'fhéidir gur chuir a mhuintir cosc air leanacht leis an gcaidreamh. Bheadh sé an-deacair ag cailín ar bith a bheith glactha ar ais isteach ina pobal féin an uair sin agus í ag iompar páiste le duine de na huaisle, ba chuma cé chomh scéimhiúil is a bhí sí. Má bhí suim fós inti ag fear ar bith den aon duine déag a d'iarr í a phósadh, cé mhéad acu a bheadh ina líne taobh amuigh dá doras agus í torrach, tar éis di luí le mac tiarna talún?

D'fhéadfadh sé tarlú gur ruaig a muintir féin amach ar an mbóthar í. Seans go mbeadh daoine áirithe ann a d'aireodh go raibh sé sách maith aici, agus an bealach péacach a bhíodh léi, í ag gléasadh chuile lá mar an Domhnach, í ag iarraidh *lady* a dhéanamh di féin nuair nach raibh inti i ndáiríre ach duine ar a nós féin, cailín tuaithe a tógadh i dteaichín beag ar thaobh an bhóthair.

Agus an méid sin ar fad ráite, cén fáth mar sin go gceapfadh daoine go raibh baint ag amhrán moltach Raiftearaí le mí-ádh Mháire nuair a bhí oiread cúiseanna inchreidthe eile lena cás?

An freagra ar an gceist sin ná gur mhinic an cáineadh curtha i láthair mar mholadh searbhasach sa bhfilíocht. Fiú agus duine á mholadh agus gan blas ar bith den searbhas i gceist, bhí oiread faitís ar dhaoine áirithe roimh cháineadh file, gurbh fhearr leo gan a bheith molta ach oiread aige nó aici.

Chreid pobal an Achréidh, mar a chreid na glúnta rompu ag dul siar chuig an gcianaimsir, go raibh cumhacht osnádúrtha ag na filí, de bharr a gcumas eisceachtúil cumadóireachta. Dá gcáinfeadh Raiftearaí i bpíosa véarsaíochta thú, d'fhéadfadh drochthoradh a bheith leis an gcáineadh. Tá scéalta ann faoi dhaoine a stop Raiftearaí tar éis dó tosú ag cur píosa cáinteach uaidh ina dtaobh, ag iarraidh air an cáineadh a tharraingt siar agus glacadh le híocaíocht de chineál éicint – bíodh sé sin ina airgead, bia nó lóistín:

Nuair a bhí athair Bhoss Daly ag brath a dhul ag tóigeáil an tí mhóir d'iarr sé comhairle Raifteirí lá dár casadh an bealach é.
'A Dhonncha Uí Dhálaigh,' a deir sé, driotháir do Shéamas,
Rinne tú do chúirt ar chúl na gréine
I measc rosán coille i ngleanntán sléibhe
Síos cosán an chlampair, ach Dia á réiteach!'
Thug Donncha Ó Dála airgead do Raifteirí gan níos mó a rá.
Murach sin dhéanfaí amhrán fada dhó.

Chomh maith leis an gcáineadh lom díreach, bhíodh an scigmholadh searbhasach i gceist go minic ag na filí. Luadh cheana ceann de na píosaí is cáiliúla sa stíl sin ó Chonnacht an naoú haois déag: *Eoghan Cóir*, moladh searbhasach a rinne Riocard Bairéad ar ghníomhaire tiarna talún. Sampla breá ón bhfichiú haois ná an aoir a rinne Breandán Ó hEithir ar *revisionists* na staire, *The Gentle Black and Tan*. Ní i gcónaí a bhíodh géarcháineadh i gceist leis an scigmholadh. Píosa sa stíl sin é dán Raiftearaí féin, *Bainis an tSleacháin Mhóir*. Cur síos áibhéalach atá ann ar bheirt a bhí beo bocht, nach raibh le n-ithe acu dá suipéar bainise ach fataí bruite agus scadán goirt. Faoin am go raibh Raiftearaí réidh lena chur síos, ní sháródh an bhainis ríoga ba ghalánta amuigh an fleá a caitheadh an oíche sin lámh le Ceapaigh an tSeagail:

> Seacht sórt feola a tugadh ar bord ann
> Gléasta cóirithe os comhair an tsagairt;
> Muiceoil, mairteoil, caoireoil rósta,
> Turcaí, géabha, puiléad is cearca.

Teicníc a bhí sa scigmholadh a chuaigh siar chuig aimsir na mbard proifisiúnta. Bhídis siúd an-ghéar in amanna. Go deimhin, bhí a leithéid de sheánra ann a dtugtaí 'beochaointe' air – is é sin caointe a chumtaí ar dhaoine a bhí fós ina mbeatha. Rinne Tadhg Dall Ó hUiginn, cuir i gcás, caoineadh scigmhagúil ar dhuine a bhí fós beo, mar aoir air.

Ach ní scigmholadh atá i gceist le *Máire Ní Eidhin* ach amhrán grá – amhrán a bhfuil eilimint ficseanach ann, seans, mar gur thuig an pobal féachana go raibh seans nár 'casadh an ainnir ar bhruach Chill Tartan' riamh ar an bhfile, cé gur thug Raiftearaí le fios gur casadh.

Bhí gné eile de stádas an fhile a rinne an chosmhuintir ábhar neirbhíseach faoi bheith molta aige in amhrán nó dán. Is é sin an ceangal a bhí ann in intinn an phobail le cumhachtaí eile an fhile seachas díreach an cumas focail a ionramháil agus a fhí ina véarsaí.

An uair sin, roimh ré na síciatraithe agus na síceolaithe, go deimhin roimh ré na ndochtúirí agus na bhfiaclóirí mar a thuigtear obair an dá ghairm sin sa lá atá inniu ann, bhí daoine ag brath go mór ar leigheasanna traidisiúnta. Bhí eolas ar luibheanna agus úsáid á mbaint astu mar chógais leighis. Bhaintí úsáid go forleathan chomh maith as orthaí – paidreacha a raibh craiceann na Críostaíochta curtha orthu, ach a raibh bunús réamhChríostaí leo cuid mhaith. Ba mhinic na filí i mbun na horthaí seo a aithris, ar mhaithe le duine a leigheas nó ar mhaithe le deacracht éigin a réiteach.

Ar bhealach, ba gheall le sagairt phágánacha in intinn an phobail na filí. Dá bharr sin, bhí leisce ar na daoine go luafaí a n-ainm in amhrán, ar fhaitíos go ndíreofaí an chumhacht osnádúrtha a bhain le focail an fhile ina gcoinne. Nuair a tharla tubaiste ar nós an bháis tragóideach a fuair Máire Ní Eidhin, dhéantaí ceangal idir an t-ámhrán a bheith cumtha agus an tragóid a bheith tarlaithe.

Caithfear cuimhneamh chomh maith go raibh tuiscint ar leith an uair sin ar chúrsaí osnádúrtha, tuiscint a mhair beo, go pointe, anuas chomh fada le m'óige féin in oirthear Mhaigh Eo i mblianta na seascaidí, ach tuiscint a bhfuil cuma aisteach anois air don ghlúin óg atá ag teacht in inmhe i dtús an aonú haois is fiche. B'shin an creideamh comhthreormhar a bhí ag an bpobal i leagan amach na hEaglaise Caitlicí ar an saol ar thaobh amháin agus an tuiscint thraidisiúnta a bhí acu ar an mbás is an bheatha, go háirithe i dtaca le creideamh sna daoine maithe, nó an slua sí.

Chaití déileáil go cúramach leis an slua sí, agus chaití a bheith airdeallach ar obair an diabhail sa ngnáthshaol chomh maith. Bhí nósanna ann leis an duine a chosaint, nósanna a mhaireann i gcónaí, ach nósanna atá an-chosúil leis na straitéisí a luaitear sa lá atá inniu ann leis an rud a dtugtar neamhord éigníoch dúghafach nó *obsessive compulsive disorder* air. Daoine a bhfuil an tinneas seo orthu, bíonn straitéisí acu an drochrud a shamhlaíonn siad a choinneáil amach uathu. Cuireann siad iachall orthu féin a lámha a ní ar bhealach áirithe, cuir i gcás, fiche uair i ndiaidh a chéile, mar shampla. Má airíonn siad go bhfuil siad tar éis dul amú sa gcomhaireamh, cuireann siad iachall orthu féin an deasghnáth a dhéanamh arís. D'fhéadfadh foirmle focal a bheith i gceist leis an deasghnáth – b'fhéidir gur ghá abairt éicint a rá, nó gníomh éicint eile a chur i gcrích le fanacht sábháilte.

Tá an pátrún díreach céanna le haithneachtáil ar an gcaoi a n-úsáidtear leithéidí an leagain 'bail ó Dhia ort' nó 'bail ó Dhia is ó Mhuire uirthi' i gcaint na Gaeltachta. Deirtear é i ndiaidh duine a mholadh. Creidtí go mba ghá é sin a dhéanamh le bheith cinnte nach gcuirfeadh fórsaí an oilc isteach ar an mbua a bhí á lua leis an té a moladh. Dá ndéanfaí dearmad an bheannacht a chur leis an moladh, d'fhéadfadh drochrath a bheith ar an duine a bhí luaite. Tá sé suntasach gur luadh an méid sin le Dubhghlas de hÍde agus é ag bailiú seanchais faoi Mháire Ní Eidhin agus an bás tragóideach a fuair sí:

B'éidir, adubhairt sean-bhean le caraid damh-sa, gur bh'iad na daoine maithe do rug leó í, óir adeir sí, 'tháinig daoine as gach uile áird le na feiceáil agus b'éidir go raibh daoine ann do dhearmad 'bail ó Dhia uirri' 'do rádh'.

Ar ndóigh, dá mbeifí ag cur an mhilleáin ar na daoine maithe, shílfeá nach mbainfeadh sé sin le Raiftearaí. Ach cuimhnimís go raibh traidisiún ann gur ón slua sí a fuair Raiftearaí an bua filíochta an chéad lá riamh. Agus ní le Raiftearaí amháin a bhain scéal den chineál sin – tá seanchas chomh maith ann gur ó na sióga a fuair Toirdhealbhach Ó Cearbhalláin an bua ceoil a bhí aige. Bhí ceangal ann in intinn an phobail idir cumas an fhile agus fórsaí osnádúrtha, fórsaí a chreid na daoine a bheith ag oibriú ina dtimpeall, fórsaí nár mhór a bheith cúramach ina dtaobh.

Chuaigh bás Mháire Ní Eidhin i bhfeidhm ar dhaoine, go háirithe ar chailíní óga. Níor mhaith leo go dtarlódh an rud céanna dóibh is a tharla don Phabhsae Gléigheal. Luann Dáithí Ó hÓgáin an tuairisc seo a leanas:

Chuala mé go raibh an-fhaitíos ar na cailíní óga thuas san áit a mbíodh sé go ndéanfadh sé amhrán orthu – le faitíos go gcuirfeadh sé chun báis iad!

155

Cé nach dtaitneodh sé le Raiftearaí, b'fhéidir, go mbeadh a leithéid sin de phlé ann faoina chuid amhráin ghrá, bhí an faitíos a bhí ar an bpobal roimhe úsáideach in amanna. Chonaic muid cheana gur tugadh aird ar a bhagairt nuair a bhí gearán aige le gréasaí a bhí tar éis fáil íoctha as péire bróg a dhéanamh agus gan aon dé ar na bróga. Deir Lady Gregory linn go n-aireodh daoine go raibh iachall orthu suíochán a thabhairt dó agus iad ag dul thar bráid i gcarr asail nó capaill, mar go mbíodh faitíos orthu go gcuirfeadh sé mallacht orthu:

> My father often told me about Raftery. He was someway gifted, and people were afraid of him. I was often told by men who gave him a lift in their car when they overtook him now and again, that if he asked their name, they wouldn't give it, for fear he might put it in a song.

Ach cé go raibh cuid mhaith daoine ann sa bpobal a bheadh an-chúramach agus iad ag déileáil leis, ní gach duine a raibh faitíos air roimh an bhfile. Sa mbliain 1828, cuireadh tús le díospóireacht theasaí i bhfoirm véarsaíochta idir Raiftearaí agus beirt dearthár a bhíodh ag gabháil don fhilíocht. Nuair nár léiríodh an t-ómós dó a raibh cleachtadh aige air, rinne Raiftearaí ionsaí ar an mbeirt i bhfoirm véarsaíochta. Gníomh tromchúiseach a bhí ann a leithéid a dhéanamh, gníomh a scanródh formhór daoine a raibh scáth orthu roimh chumhacht osnádúrtha an fhile. Ach ní raibh fuacht ná faitíos ar an dá fhile eile. Níor cuireadh ina dtost iad agus b'acu siúd, seachas ag file Mhaigh Eo, a bhí an focal deiridh sa gcath. Ní hamháin sin, ach maslaíodh Raiftearaí os comhair a phobail éisteachta ar bhealach a bhí thar a bheith pearsanta, agus deir an seanchas linn gur fágadh ag caoineadh é le teann náire.

14

BÍODH FIANAISE AN CHÁIS
AR GACH DUINE

Síleann fear mar Mharcas níos caint bheag faoi láí
Go mbuailfeadh sé báire in aghaidh file,
Ach cuirfeadsa gráin air, má bhíonn mé i mo shláinte
Mar is fear é a níos dánta a mhilleadh.

FIACH MHARCAIS UÍ CHALLANÁIN

TARLAÍONN POINTE I SAOL DUINE AR BITH gur mhaith
leis beagán compoird a bheith aige. Tá sé go breá is tú i do
dhuine óg a bheith ag taisteal, fidil nó píob faoi d'ascaill,
ag casadh ceoil agus ag caitheamh siar, ag radaireacht agus ag baint
taitnimh as saoirse na hóige.

Ach de réir mar a chasann an samhradh ina fhómhar agus an
fómhar ina gheimhreadh, arís is arís agus arís eile, éiríonn sé níos
deacra cur suas le saol gan chinnteacht. Tagann an lá go bhfeiceann
duine deireadh an aistir ag síneadh roimhe. Níl sé ag iarraidh bheith
ocrach nuair nach bhfuil an fonn air níos mó a bheith amuigh oíche
i ndiaidh oíche ag ithe greim anseo agus plaic ansiúd. Ba mhaith leis
beagán de mhaoin an tsaoil a bheith aige.

An té a bhfuil bonn níos fearr faoina shaol ó thaobh ioncaim de,
bíonn rudaí eile ag déanamh scime dó. Ba mhaith leis é féin a chur
in iúl. Ba mhaith leis a mharc a fhágáil ar an saol ar bhealach éicint.

Ba mhaith leis aitheantas a bhaint amach os comhair a phobail féin. Is mianta nádúrtha daonna iad sin ar fad. Chuir an síceolaí Abraham Maslow síos ar na mianta sin agus tuilleadh nach iad sa leabhar *Motivation and Personality* a tháinig ar an saol sa mbliain 1954. Rinne Maslow amach go raibh leibhéil éagsúla i gceist le mianta an duine. Chuir daoine eile an teoiric sin in iúl i bhfoirm pirimide (cé nár úsáid Maslow é féin riamh léaráid de phirimid lena chás a mhíniú). 'Pirimid Maslow' a thugtar go coitianta ar an teoiric sin anois agus is mar seo a leagtar amach é:

In íochtar ar fad, ag an leibhéal is bunúsaí, teastaíonn cothú fisiciúil ón duine: le fanacht ina bheatha caithfidh sé bheith in ann análú, teastaíonn bia uaidh, uisce agus codladh. Ag an gcéad leibhéal eile, tá gá le slándáil agus sábháilteacht, fostaíocht, acmhainní áirithe le coinneáil ag imeacht, sláinte, maoin agus córas morálta. Taobh thuas de sin arís, tá gá le féinmheas, féinmhuinín, meas ar dhaoine eile, meas a thuilleamh ó dhaoine eile agus rudaí a bhaint amach sa saol. Ag an leibhéal is airde tá cruthaitheacht, easpa claontachta, an cumas fadhbanna a réiteach agus an cumas glacadh le fíricí.

Ón uair a scríobh Maslow a leabhar, glactar leis nach gá gur san ord áirithe sin a bhainfeadh daoine amach na mianta atá liostáilte thuas, ach thairis sin, creidtear go bhfuil bunús maith céille leis an teoiric a chuir sé chun cinn.

Faoin mbliain 1828, bhí cuid mhaith bainte amach ag Raiftearaí sa saol a bhí cruthaithe aige dó féin ar Achréidh na Gaillimhe. Bhí aithne air agus eolas ar a chuid véarsaíochta. Bhí pobal éisteachta aige, pobal a chothaigh sé leis an bpáirt a ghlac sé sa dioscúrsa poiblí faoi chúrsaí a linne. Bhí Dónall Ó Conaill, an Rí gan Choróin, molta aige. Bhí an réabhlóidí áitiúil, Anthony Daly, caointe aige. Bhí sé tar éis cur in aghaidh na mBíoblóirí agus an scéal a scaipeadh go gcuirfeadh tairngreacht Phastoiríní deireadh le cumhacht na bProtasúnach. Bhí tacaíocht phoiblí tugtha aige do na Fir Ribín, rud misniúil go maith le déanamh – go deimhin, tá sé ráite sa seanchas gur chaith sé seal i bpríosún dá bharr, cé nach bhfuil aon chruthúnas againn gur chaith nó nár chaith.

Bhí cion ag pobal an Achréidh ar fhile Mhaigh Eo, agus faitíos ar chuid acu roimhe. Bhí cáil air mar cheoltóir measartha maith agus mar chumadóir cumasach véarsaíochta. Bhí meas ag daoine ar an tallann a bhí aige agus chreid cuid mhaith den phobal go raibh bunús osnádúrtha lena bhua filíochta. Bhí bean aige, cé nár phós siad riamh. Bhí beirt mhuirín orthu, mac agus iníon. Dá réir sin, faoin mbliain 1828, agus é i bhfoisceacht bliana den leithchéad, bhí cuid mhaith de mhianta Maslow sásaithe ag Raiftearaí. Bhí sé fós ar an saol, agus ní raibh sé ag fáil bháis den ocras. Bhí na hardmhianta sásaithe go háirithe aige, an chuid a bhaineann le cruthaitheacht agus cur in iúl go mór mór.

Ach bhí mianta eile, cinn a bhí bunúsach go maith, nach raibh á sásamh go leanúnach. Tá a fhios againn go raibh bothán tí aige, i gCill Chonaill, lámh le hEachroim, ceann bunúsach go maith, de réir an chur síos tarcaisneach a rinne file eile air:

I gCill Chonaill gan dídean tá a bhotháinín fíorbhocht,
Faoi raithneach, faoi chíb is faoi fhiontarnach,
Is nuair a thagas na síonta, ní choinníonn sé dídean,
Mar scaoileann sé síos ina thonntarnach.

Ní raibh fostaíocht leanúnach ach oiread aige, ach é ag brath ar fhlaithiúlacht an phobail, ar dhaoine áirithe a raibh meas ar leith acu air agus spéis ar leith acu ina shaothar, le greim a choinneáil ina bhéal. Ní móide go raibh an tsláinte go rómhaith i gcónaí aige, ó tharla go gcaithfeadh sé oiread ama ag siúl na mbóithre, ag dul ar an bhfoscadh faoi sceacha agus crainnte ón mbáisteach. Bhronnadh daoine éadach air ó thráth go chéile, mar ní móide go mbíodh an t-airgead aige éadach a cheannach nó cuid a fháil cniotáilte nó sníofa. Ag tabhairt san áireamh an méid tagairtí atá ar fud a shaothair don ólachán, tá sé sábháilte go leor a rá go raibh sé ceanúil ar an deoch mheisciúil, murabh alcólach amach is amach é. Agus cé go raibh páirtí mná aige agus gur rugadh beirt mhuirín dóibh, is cosúil gur caidreamh achrannach a bhí ann.

Daoine de chineál eile ar fad a bhí sna deartháireacha Marcas
agus Peatsaí Ó Callanáin ó Chaithrín an Duibhéin i bparóiste
Chreachmhaoil, sráidbhaile atá suite leath bealaigh idir Órán Mór
agus Baile Locha Riach. Feilméaraí láidre a bhí iontu, oibrithe
díograiseacha a shaothraigh an talamh go héifeachtach agus a
bhain sa bhfómhar de réir mar a chuir siad san earrach. Le hais
Raiftearaí, bhí siad ag déanamh go maith sa saol. Bhí go leor de
mhianta Maslow sásaithe acu – neart le n-ithe agus le n-ól i gcónaí,
togha na tithíochta agus dea-shláinte dá réir, fostaíocht leanúnach,
slándáltacht agus tacaíocht teaghlaigh ina dtimpeall. Bhí meas ag
a gcomharsana orthu, bhí meas ag na Callanáin ar a gcomharsana,
agus bhí meas acu orthu féin.

Ina dhiaidh sin, bhí mianta eile a raibh siad beirt, Marcas agus
Peatsaí, ag iarraidh a shásamh – bhí fonn orthu iad féin a chur
in iúl go cruthaitheach agus a marc a fhágáil ar an saol i bhfoirm
véarsaíochta. Ní hionann agus Raiftearaí a chum dánta faoi oícheanta
ólacháin, faoi éirí amach in aghaidh na dtiarnaí talún, nó faoi bheith
ag fánaíocht ar fud na tíre, glórtha stuama, freagracha atá le cloisteáil
i véarsaíocht na gCallanán.

Ó tharla go raibh suim ag an dá dheartháir sa bhfilíocht, chuir
siad fáilte roimh Raiftearaí nuair a tháinig sé thart ar Chreachmhaoil
i dtosach aimsire. De réir mar a chuir siad aithne air, chuir siad eolas
chomh maith ar amhráin agus ar dhánta Raiftearaí. Thug siad faoi
deara an meas a bhí ag an bpobal ar an amhrán a rinne file Mhaigh
Eo faoi Mháire Ní Eidhin. Ó tharla gur cumadóirí iad féin, thuig
siad, mar a thuig formhór an phobail, gur scéal ficseanach a bhí san
amhrán; drochsheans go raibh Máire riamh tar éis a rá leis an bhfile
siúil go raibh a hintinn sásta, ná gur thug sí cuireadh dó gluaiseacht
ar láimh léi go Baile Uí Laoigh. Seans gur cheap siad go mba dhána an
mhaise ag an bhfile gioblach a bheith á lua féin, más go samhailteach
féin é, leis an ógbhean ba scéimhiúla sa réigiún.

Seans mar sin gur le teann éada é, de bharr an aird a bhí ag an
bpobal ar amhráin Raiftearaí, ach ar chúis éicint, shocraigh Marcas
amhrán molta dá chuid féin a chumadh faoi Mháire Ní Eidhin.

Agus bhí plean aige le haird bhreise a tharraingt ar a iarracht féin
– shocraigh sé gur i mBéarla a chumfadh sé an dán. Seo toradh na
hoibre:

> To you, Miss Mary Hynes,
> I write these few lines,
> To acquaint you of my mind,
> And yours I'd wish to know,
> If you would combine,
> In marriage we would join,
> And whether you'll be mine,
> Dear jewel! say yes or no.

Ocht véarsa ar fad atá san ámhrán, agus cé gur friotal leamh go maith
atá ann, is cinnte go raibh meas ag an bpobal ar an té a raibh oiread
greime aige ar chaint na mboc mór go raibh sé in ann amhrán de
chineál ar bith a chumadh ann. Go deimhin, bhí cumas na gCallanán
bheith ag véarsaíocht i mBéarla luaite go sonrach mar bhua ar leith
ag an tseanbhean a chuala Lady Gregory á moladh, blianta maithe
ina dhiaidh sin i dTeach na mBocht i nGort Inse Guaire. Bua breise
a bhí ann, dar léi, bua a d'fhág gurbh fhearr an file an Callanánach
ná fear Mhaigh Eo (is cosúil go raibh an tseanbhean den tuairim
nach raibh ann ach Callanánach amháin, seachas beirt):

> Callinan was a great deal better than him [Raiftearaí]; and
> he could make songs in English as well as in Irish...

Ní móide go raibh Raiftearaí sásta go raibh Máire Ní Eidhin nó
Mary Hynes féin roghnaithe ag an gCallanánach le moladh. Ach
mura raibh, is cosúil nárbh é cumadh an amhráin sin amháin ba
chuis leis an titim amach a bhí eatarthu.

Bhí tuilleadh le theacht ó Mharcas maidir le moladh na mban,
áfach. An chéad amhrán eile a chum sé sa seánra sin ná píosa a rinne
cur síos ar áilleacht cailín darbh ainm Máire Brún. (Ní miste a lua

go leagann roinnt daoine an t-amhrán seo ar dhearthráir Mharcais, Peatsaí Ó Callanáin). *Amhrán macarónach* a bhí i gceist leis an gceann sin:

> Tá cailín spéiriúil a dtug mé spéis di,
> Ar an gCreig Dhubh an taobh seo d'Eanach Cuain;
> Tá a pearsa scéimhiúil i gclár a héadain,
> Is a leaca gléigeal mar bhláth na n-úll.
> Dúirt mé an méid seo is mé ag comhrá léithe:
> Is tú mo chéadsearc agus togha mo shúl,
> Ní beo i do dhiaidh mé, is ná déan mé a shéanadh,
> Ba chóir dhuit éalú liom, a Mháire Brún!

> In her habitation there is entertainment,
> Where the fruits of labour are to be found,
> She is counted graceful in her generation,
> Which has been decent both young and ould.
> In admiration I did embrace her,
> But not by reason of her stock or ground,
> But her good behaviour and education,
> In fact I'm eagar for Mary Browne.

Seacht véarsa ar fad atá san amhrán seo – ceithre cinn acu i nGaeilge agus trí cinn i bhfriotal Béarla atá bacach go leor in áiteacha. Ach arís, seans nár aithin an lucht éisteachta go raibh locht ar bith ar na línte Béarla nuair a chuala siad an t-amhrán á chasadh. Maidir leis an bhfonn ceoil lenar casadh an t-amhrán, bhí an píosa eolais seo ag scríbhneoir anaithnid in alt a foilsíodh in *An Claidheamh Soluis* ar an 14ú Nollaig, 1912:

> The air is reminiscent of 'Máir' Ní Eidhin.'

Más é sin an fonn a cuireadh le *Máire Brún* ó thús, ní móide go raibh Raiftearaí róshásta leis mar rogha. Ní hamháin go raibh Marcas ag cumadh amhrán le dul in iomaíocht lena shaothar cáiliúil féin faoi Mháire Ní Eidhin, bhí an fonn céanna a bhí luaite roimhe sin le hamhrán Raiftearaí curtha aige lena amhrán féin. Is fiú cuimhneamh chomh maith gur cuireadh an fonn céanna atá le hamhrán mór grá eile de chuid Raiftearaí, *Brídín Bhéasaigh*, le hamhrán eile a chum Marcas Ó Callanáin, an ceann is mó atá fós i mbéal an phobail thiar: *A Sheáin a Mhic na gComharsan*. Cibé cén duine ba thúisce a chum, Raiftearaí nó Marcas, ní móide go raibh sé sásta an chéad uair a chuala sé amhrán an fhir eile, agus an fonn céanna lena amhrán féin curtha leis.

Ní raibh ann ach ceist ama nó go dtosófaí ag cur an teannais in iúl i bhfoirm véarsaíochta. Is cosúil gurbh é an file siúil a thug faoin obair sin i dtosach sna línte deiridh den amhrán a chum sé mar mholadh ar Mháirín Staunton:

> Bhuail mé ag labhairt is ag comhrá léi
> is múinte a d'fhéach sí orm, bláth na n-úll,
> seo bannaí béil daoibh gan focal bréige,
> go dtug sí an sway léi ó Mháire Brún.

De réir Sheáin Uí Cheallaigh, údar *Filíocht na gCallanán*, is iad muintir Eanach Dhúin, ceantar dúchais Mháire Brúin, a ghriog é lena dhéanamh, le hamhrán molta níos fearr a chumadh ná an ceann a bhí déanta ag an gCallanánach ar chailín a ndúiche féin:

> Lena cheart a thabhairt do Reaftaraigh, deirtear gurbh iad muintir Eanach Cuain a spreag é chuige. Bhíodar istigh i dteach ósta i mBarr an Chalaidh i nGaillimh, agus chuireadar geall le Reaftaraigh nach bhféadfadh sé cailín a mholadh chomh maith is a mhol Marcas Ó Callanáin Máire Brún. Leis sin, rinne Reaftaraigh an t-amhrán Máirín Staunton, ag moladh an chailín a bhí ag freastal orthu sa teach ósta, agus cé go ndeirtear nach raibh sí le moladh as a breáthacht ná dada dá shórt, shílfeá ón amhrán gurbh éard a bhí inti spéirbhean amach is amach.

Is deacair a dhéanamh amach cén t-achar ama a bhí caite idir *Máire Ní Eidhin* a bheith cumtha ag Raiftearaí agus *Mary Hynes* a bheith déanta ag an gCallanánach. Sa gcéad véarsa de *Máirín Staunton* tá an méid seo le rá ag Raiftearaí :

> Tá gile 's lasadh inti, do réir a chéile,
> is binne a béilín ná cuach ar chraobh,
> is a méin ná a tréithe ní bhfaighfeá in aon bhean
> ó d'éag an péarla a bhí i mBaile Uí Laoigh.

Más í Máire Ní Eidhin 'an péarla a bhí i mBaile Uí Laoigh', is cosúil go raibh sí caillte faoin am a cumadh *Máirín Staunton*. Shílfeá go gcaithfeadh sé go raibh sí fós beo nuair a chum an Callanánach *Mary Hynes* – bheadh sé an-aisteach amhrán molta a scríobh faoi bhean a bhí imithe ar shlí na fírinne, murar marbhna nó caoineadh a bhí i gceist.

Ar chaoi ar bith, níl aon amhras ann ach gur ghéaraigh an teannas idir an file siúil agus fir Chreachmhaoil agus tá sé sin le feiceáil i véarsaí eile dá gcuid. In 1825, chum Marcas ceann de na píosaí ba shubstaintiúla dá chuid, an dán dar teideal *An Láí*.

Sa dán sin, cloiseann muid comhrá samhailteach idir an file feilméara agus an láí a raibh sé ag cartadh an gharraí léi. Cuireann an file a thuiscint féin in iúl dá ról mar fheilméara agus mar thuismitheoir araon. Mar seo a labhraíonn an láí ar a cuid oibre sise, arb'í obair Mharcais chomh maith í, ar ndóigh:

> Is de mo bharr bhíos glaoch ar mhuca,
> Ag mná is páistí mhéadaíonn pluca,
> Coinním a lán ó iompar an phluca,
> Saothraím an t-arán is ní fhaighim aon phioc de.

Cé gurb é glór na huirlise oibre atá le cloisteáil, is á mholadh féin atá an file. Tá maíomh i gceist chomh maith – de bharr a chuid oibre ar an bhfeirm, soláthraíonn sé bia dá chomhluadar. Is cinnte gur chuala Raiftearaí an dán seo agus is mór an seans gur chuir an píosa in iúl don fhile siúil fíric nár thaitin leis: gur bhain na Callanáin le haicme shóisialta níos airde ná é féin, ó thaobh mhaoin an tsaoil de, ar chaoi ar bith. Is léir gur chuir an maíomh atá le haireachtáil idir línte an dáin sin pian sa tóin ar Raiftearaí. Tá an chosúlacht chomh maith ar an scéal gur cuireadh eolas maith ar *An Láí* sa gceantar. Ba ghearr ina dhiaidh sin gur chuir an Callanánach dán nua eile i láthair, píosa molta faoi shiúinéir áitiúil, an Ciníneach:

Chonaic mé céachta déanta uaidh is tá an saol ag dul i bpeaca leis,
Céachta Gaelach Albanach a threabhfadh gan aon stró

Cé gur fear uasal é an Ciníneach chomh maith le bheith ina cheardaí cumasach, is cosúil nach raibh aon rath mór air ó thaobh an ghrá de:

Buachaill barrúil saothrúil é, lúfar éadrom aigeanta,
De mhianach feara maithe é, is a bhfaca muid dá phór,
Sé an truaighe nach bhfuil sé i gcrích agam le reed de chailín óg éicint,
Is níorbh fhearr liom bean dá gceapfainn dó ná iníon seo Lamhnaigh óg.

Níor aontaigh Raiftearaí leis an gcur síos dearfach a bhí ag Marcas Ó Callanáin ar an gCiníneach agus ní fhéadfadh sé fanacht ina thost. Mar chineál aguisín do dhán molta dá chuid féin, píosa faoi shiúinéir eile darbh ainm Seán Ó Branáin, thug Raiftearaí sonc do Mharcas agus dá dhán a mhol an saor adhmaid ab fhearr leis féin. Tá blas réasúnach ar an tagairt i dtosach ama:

Is oibrí maith an Ciníneach
a deir siad liom is preabaire,
is do réir mar fuair mé teastas air
mhol Marcas é dá réir.

Ach de réir Raiftearaí, réice a bhí sa gCiníneach, fear nár mhór do na mná óga a bheith cúramach ina thaobh. Dá mba mise a bhí tar éis amhrán a chumadh faoin gCiníneach, a deir sé, bheinn tar éis lomchlár na fírinne a inseacht ina thaobh:

> Is dá leagtaí an obair chugamsa,
> dar mo chúis, is mé chuireadh bail uirthi,
> mar chluinim ó na cailíní
> nach ciotach aduain aon ghléas.
> Siúd é a rachadh fúthu
> is faoi Lúnas' theastódh banaltraí
> an méid a rithfeadh seasc acu
> a scaoileadh amach chun féir.

Mar fhocal scoir, tá an cur chuige céanna ag Raiftearaí is a bhí i gcás *Máirín Staunton:* fógraíonn sé go bhfuil a rogha féin (sa gcás seo, an siúinéir Séan Ó Branáin) níos fearr ná an té a bhí á mholadh ag Marcas. Agus an tuairim sin á cur in iúl aige, tá sé ag cosaint a údaráis féin mar phríomhfhile an cheantair:

> Dá dtéadh a cháil sa nuaíocht
> an chúis ní bheadh in aisce leis
> chúns mhairfeas Raiftearaí
> is ag Johnny a bheas an chraobh.

Ar ndóigh, ní fhéadfadh Marcas fanacht ina thost ach oiread. Thuig sé cén áit leis an mbuille a dhíriú agus siúd ar ais leis le cur i gcuimhne don fhile siúil nach raibh aon talamh le treabhadh aigesean ná seasmhacht dá réir. Ní raibh ann ach ceoltóir dall bóthair:

> Féach éanlaith an aeir
> Ní threabhann siad agus ní fhoirseann siad,
> Agus ní ghuidheann siad a ngaoltas,
> Ach ar ndóigh ní comórtas iad

Le bheidhleaidóirí caocha!

Agus is cosúil gur chuir Peatsaí a ladar sa scéal chomh maith. Is i mBéarla a scríobh sé siúd rann, leis an oideachas leathan a bhí air a chur in iúl agus le tabhairt le fios chomh maith gur ag brath ar an bhfeilméara measúil a bhí an bacach bóthair le greim a choinneáil ina bhéal, fiú má bhí ceol veidhlín ag an mbacach céanna:

> The fiddle and the spade are pushing for the lead,
> But the difference is great between them,
> Those who cultivate give the sluggard food to eat,
> And the poor lodging late in the evenings.

Ghoill an focal maslach sin 'sluggard' ar Raiftearaí agus ba gheall le dorn sna fiacla é a bheith luaite, i mBéarla, mar bhochtán bóthair. Faoin tráth seo, bhí cuthach air. Níor leor níos mó soncanna agus sáiteáin chliathánacha. Bhí sé in am dúshlán na rannairí amaitéaracha seo a thabhairt. Ba ghá a stádas mar fhile gairmiúil a fhógairt go neamhbhalbh.

Níorbh é Peatsaí an duine ba mheasa den dá dhearthár, dar le Raiftearaí, agus chum sé dán, *Comhairle Raiftearaí don chompastóir Peatsaí Ó Calláin as Caithrín an Duibhéin* agus é ag moladh dó siúd fanacht ina thost. Bí sásta leis an bhfeilméaracht, a dúirt sé, aimsigh bean dheas duit féin agus coinnigh amach ón véarsaíocht nuair nach bhfuil scil agat inti:

> Dá mbeadh Peatsaí tuisceanach nó sách críonna,
> dánta a dhéanamh níor fheil sé dó –
> ach bheadh caoifeach leapa aige le haghaidh na hoíche,
> in aimsir tíobhais a bhlífeadh a bhó.

> Teach agus talamh agus ceannach ar aonach,
> gabháil chun Aifrinn is scilling a ól,
> b'fhearr an bealach é le triail ar Chríosta
> ná ag gearradh daoine is á n-ithe beo.

Dá bhfágfadh fear Mhaigh Eo ansin é, bheadh cuma thomhaiste air
mar achainí, ach ní shásófaí é nó go mbeadh an sonc pearsanta caite
isteach chomh maith aige:

> Bean ná céile ní bhfaighidh sé choíche,
> gabhar, caora, lao nó bó,
> ach mura seasa sé talamh liom os comhair na ndaoine,
> go cinnte mí ní bheidh mé beo.

Bhí Peatsaí tar éis aird an phobail a dhíriú ar an scil a bhí ag na
Callanáin sa mBéarla, rud a thuill meas na cosmhuintire. Leis an
léann fairsing a bhí air féin a chur in iúl, chuir file Chill Liadáin
uaidh *An Dia darbh ainm Iúpatar,* áit ar leag sé amach an t-eolas
cuimsitheach a bhí aige ar an miotaseolaíocht Chlasaiceach. Dán trí
véarsa atá ann, agus ina dheireadh, d'fhógair sé ar fhilí an réigiúin,
agus é ag cuimhneamh go háirithe ar fhilí cheantar Chreachmhaoil,
ómós a bheith acu dó:

> File ar bith sa gcúige a déarfas in aghaidh Raiftearaí,
> tagadh sé leath bealaigh is rachaidh gobán ina bhéal.

Ní raibh deireadh ráite fós aige, ná baol air. Ach leis an bpobal a
choinneáil ar a thaobh seisean, shocraigh Raiftearaí go gcuirfeadh
sé i gcuimhne dá lucht éisteachta nach raibh tada déanta as bealach
aige féin. Ionsaí míréasúnach a bhí déanta ag Marcas air. Sin mar a
thosaíonn an dán *Fiach Mharcais Uí Chálláin:*

> Nár suarach an t-ábhar do Mharcas mé a cháineadh,
> má labhair mise ar cheardaí glan sciobtha,
> a leagfadh síos cláraí le casúr is le tairní,
> sin staighrí agus ráillí go cliste.

Agus an chaint sin déanta aige ar a scil sa dea-cheardaíocht, bhí sé in
am a chur in iúl don fhile amaitéarach nach raibh mórán caoi ar a

chuid ceardaíochta féin, i gcás na filíochta go mórmhór:

> Síleann fear fánach níos caint bheag faoi láí
> go mbuailfeadh sé báire in aghaidh file,
> ach cuirfeadsa gráin air má bhím i mo shláinte,
> mar is duine é a níos dánta a mhilleadh.

Fiú dá bhfágfadh Raiftearaí aige sin é agus gan ach cumadóireacht an Challanánaigh a tharraingt anuas, ní bheadh an iomarca dochair déanta. Ach níorbh shin an cineál duine é. Díreach mar a bhí moráltacht lochtach an Chinínígh i leith na mban tarraingthe anuas roimhe sin aige, bhí fonn ar fhile Mhaigh Eo gortú níos pearsanta a dhéanamh. Agus sin é go díreach a rinne sé:

> Is uair insa ráithe a níos Marcas gáire,
> mar is cosúil le béar é cois balla,
> ghlac na mná gráin air, ní théann siad dá láthair,
> mar labhrann sé ar nós an mhacalla.

Níor leor é sin féin. Agus é anois ag baint spraoi as na sáiteáin ghéara a bhí sé a chaitheamh i dtreo Mharcais, tharraing sé anuas ábhar eile: cumas an fheilméara mar chéile leapan. Bhí a fhios aige go raibh bród ar leith ag an gCallanánach as an dán a bhí cumtha faoin láí aige, agus an chaoi ar chuir an píosa sin a stádas sócúil sa bpobal in iúl. Chuimhnigh Raiftearaí ar an gcomparáid a bhí déanta roimhe sin ag Marcas idir a chuid ceoil fidile féin agus ceol éanlaith an aeir, agus an chaoi ar tugadh le fios nach raibh tada de mhaoin an tsaoil ag fear Chill Liadáin ach an oiread le lon dubh ná céirseach. Chuimhnigh sé chomh maith ar an gcaoi ar úsáid Peatsaí an fhidil agus an láí mar shiombailí ar na Callanáin agus ar Raiftearaí, faoi seach, sa véarsa Béarla a chuir seisean uaidh. D'fhéach an file siúil anois le casadh a bhaint as meafar an láí agus an veidhlín araon leis an mbeirt a mhaslú i gceart. Bhí sé in am bheith gáirsiúil:

Maidir le láí a bhíos á plátáil i gceárta,
go síoraí á sá is á cuimilt,
nuair a bhíonn sé fliuch sáraithe ag cur aghaidh le gach bearna,
bíonn an veidhlín ar parlús ag imirt.

Agus níor leor é sin féin. Nuair a bhí a dhóthain ráite faoi Mharcas aige, dhírigh Raiftearaí a chuid feirge ar Pheatsaí, ar ceoltóir agus file é féin. Thosaigh sé le sonc nach raibh mórán dochair ann, ag tabhairt le fios go mbíodh Peatsaí seasta i dteach an óil ag casadh na feadóige, ach nach gceannaíodh sé riamh deoch, ach é ag fanacht i gcónaí ar dhaoine eile le gloine nó cárt a chur os a chomhair:

Níl aon teach tábhairne ó Chreachmhaoil go hÁrainn,
tá a fhios ag a lán air sin cheana
nach mbeadh Peatsaí ann sáite agus a fhídeog in airde
ag féachaint cé a d'ardódh air gloine.

Is ansin a thóg Raiftearaí an chéim a tharraing olc na gCallanánach i gceart air. Mhaslaigh sé, agus mhaslaigh sé go fíorghránna, bean Pheatsaí. Ó tharla gur dhúirt sé sa dán *Comhairle don Chompastóir* nach bhfaigheadh Peatsaí bean go brách, ní fios an raibh Peatsaí díreach i ndiaidh a phósta nuair a cumadh an méid seo a leanas. Más mar sin a bhí, is cinnte gur chuir sé go mór leis an masla. Seo an cur síos a rinne sé ar chéile Pheatsaí:

Ag tígh Chonaill, an tábhairne, a tógadh an rálach
agus bhíodh sí de ghnách ann ar meisce.
Mar chuala mé a cáilíocht, níl magadh ar bith ráite,
nach minic a ardaíodh a sciorta!

Lena stádas léannta féin a chur in iúl aon uair amháin eile, chríochnaigh sé an dán le dhá cheathrú de thagairtí clasaiceacha. Ar deireadh thiar ar fad, chuir sé *dare* (a fhocal féin) ar Mharcas freagra a thabhairt air.

Is cosúil gur shíl Raiftearaí go gcuirfeadh an méid sin deireadh leis an aighneas agus go mbeadh an focal scoir aige féin. Bhí sé tar éis na hamaitéaraigh a náiriú agus dá mbeadh ciall acu, thuigfidís gurbh fhearr éirí as agus géilleadh don ghlór gairmiúil ina measc.

Bhí sé in am anois ag na Callanáin cuimhneamh orthu féin agus ar an gcontúirt a bhí ann go mbuailfeadh mí-ádh tubaisteach éicint iad dá gcoinneoidís orthu ag cur oilc ar an bhfile ab aitheanta ar an Achréidh. Is léir nár tháinig an faitíos idir Marcas agus codladh na hoíche. Má choinnigh rud ar bith ina shuí go deireanach é, b'í an fhearg í. Mar faoin tráth sin, bhí sé féin le ceangal chomh maith.

Faoin tráth seo chomh maith, bhí eolas maith ag an bpobal ar an aighneas. Thaitníodh an cineál seo béadáin thar barr le daoine: b'iontach an faoiseamh é ón saol dian a chaith siad ó lá go lá. Ba gheall le mórscéal drámatúil i sobalchlár an phobail é, agus é ag spíonadh os a gcomhair amach go beo beathaíoch. Bhí tír agus talamh ag caint air mar scéal, iad bíogtha go bhfeicfeadh siad céard é an chéad chasadh eile a bhainfí as.

Tháinig an choimhlint chun buaice sa mbliain 1828. Cailleadh duine de mhuintir Uí Fhiúraigh ó Chill Fhínín agus bhí Raiftearaí i láthair ag an tórramh. Ar mhaithe leis an scléip a spreagadh, iarradh ar an bhfile dall dán faoi na Callanáin a aithris.

De réir an tseanchais, ní dán a bhí cumtha faoin aighneas leis na Callanáin a d'aithris Raiftearaí, ach leagan de cheann eile a chaith anuas ar an bhfile Seán de Búrca ó Cheapaigh an tSeagail. Dán fada atá ann a bhfuil dhá chéad tríocha líne ar fad ann. Sé an chaoi gur chóirigh an file an dán agus é á aithris, agus ainm Mharcais a chur isteach in ionad Sheáin de Búrca ar feadh an bhealaigh.

Sa dán, samhlaítear go bhfuil fiach á dhéanamh ar dhuine daonna tríd an tír. Dán siamsúil atá ann, píosa a d'fheilfeadh ar a bhealach féin don scléip a bhainfeadh le tórramh. Tá sraith iontach maslaí san áireamh ann, rud a mbainfeadh an lucht éisteachta súp as:

Bearradh crosach is lomadh Luain ort.
Nár thé ort úir ná cónra chlár,
ach an ghaoth ag séideadh go géar ó thuaidh ort,
ar chúinne fuar is tú i do chuaille fáil.

Neascóid chléibhe agus folún fuar ort,
creathán, múchadh agus seile siáin
domlas dragúin is nimh tríd suaite,
agus go mba é deoch do shuain é ar uair do bháis.

An rud a bhí ag Raiftearaí in aghaidh Sheáin de Búrca ná go raibh sé
tar éis rud éicint a ghoid ón bhfile siúil. Tá an líomhain sin ar fud an
dáin agus d'fhág Raiftearaí ann é agus é anois ag caitheamh anuas ar
Mharcas Ó Callanáin.

Agus é ag baint sásaimh as na rachtanna gáire a bhí ag pléascadh
ar fud an tseomra, dhírigh Raiftearaí ar nimh cheart a chur sa gcur i
láthair. Ó tharla é bheith dall, níor thug sé faoi deara go raibh duine
eile tar éis teacht isteach i measc an chomhluadair, duine a chuir an-
suim san aithris.

De réir mar a choinnigh an file air ag cur gadaíocht gan náire
i leith Mharcais Uí Challanáin, dhearg an cuairteoir. Bhreathnaigh
an comhluadar ó dhuine go duine ar an mbeirt, na súile ag leathadh
orthu le meascán teannais agus fonn gáire. Faoi dheireadh, tháinig
deireadh leis an dán. Is ansin a labhair Peatsaí Ó Callanáin.

Baineadh siar as Raiftearaí nuair a chuala sé a ghlór siúd sa seomra.
Thriail sé údar gáire a dhéanamh den dán a bhí díreach ráite aige,
á rá nach i gcónaí a leanann an fhírinne an fhilíocht. D'fhreagair
Peatsaí go borb é, á rá go gcuirfeadh sé píosa filíochta uaidh féin a
raibh an fhírinne inti ó thús deireadh. Is ansin a thosaigh sé ar dhán
fada maslach faoi Raiftearaí a rá, dán a bhí cumtha ag a dheartháir
Marcas, dán nár chualathas á aithris go poiblí roimh an oíche sin.

Tá *An Sciolladh* ar chuid den véarsaíocht is cumhachtaí dar chum
Marcas Ó Callanáin riamh. Cé nach n-éiríonn leis i gcónaí smacht
a choinneáil ar an gcóras meadarachta atá roghnaithe aige, tá línte

agus ceathrúna iontacha sa dán. Tá sé binibeach, míthrócaireach, cruálach go fiú. Cumadh é le Raiftearaí a ghortú agus a náiriú os comhair an tsaoil.

I ndiaidh dó dáta na bliana inar chum sé an dán a ríomh, mar a chuirfí dáta ar phíosa fianaise i dteach cúirte, luíonn Marcas isteach ar an obair. Glacann sé go fonnmhar le dúshlán Raiftearaí – ní chuirfear ina thost é:

> Siúd mar tharla ins an aimsir chéanna,
> File de dhall gan radharc gan léargas,
> Á rá de ghlór gan chiall gan réasún,
> Go gcuirfeadh sé gobán i mo bhéalsa.

Is sa dán seo a fhaigheann muid an cur síos fisiciúil is cuimsithí dá bhfuil againn ar Raiftearaí an file – cur síos, más feargach claonta féin é, a thugann léargas dúinn go pointe áirithe ar an gcuma a bhí ar an bhfear agus ar an bpearsantacht a bhí aige. Is le nádúr an fhile a thosaíonn Marcas:

> Mar siúd a thréithe, bagarach béalach,
> Scéaltach, scannalach, bladarach, bréagach,
> Claonach, cleasach, cealgach, sléachtach,
> Méalach, abartha, santach séantach.

Tá an cur síos a leanann an méid sin ar thréithe fisiciúla an fhile maslach, ach tá léargas le fáil iontu ar an gcaoi a raibh an saol crua a bhí caite ag Raiftearaí le feiceáil ar an mbail a bhí ar a cholainn agus ar a éadan. Is cosúil gur ag tagairt don leonadh a bhí déanta ag an mbolgach atá an véarsa seo a leanas:

> Is mar siúd atá a chréachta péacach marcach,
> Tineach péisteach léarsach claimheach,
> Salach tréadach, céireach carrach
> Baladh mór ar a chneácha cnapach.

Coinníonn sé air le cur síos díspeagúil ar cholainn agus ar dhreach Raiftearaí:

> Tá cosa faoi mar mhaide bacaigh,
> Is a shrón chomh caol le snáthaid phaca,
> Lag ina lár in áit an phuca,
> Is é iompar an mhála a d'fhág ina chruit air.

> Tá a éadan buartha suaite snoite.
> Is is duibhe a ghruaig ná gual Chill Choinnigh,
> A mhalaí gruama mar ghuaireach muice,
> A shúile ag gluaiseacht mar dhá pholl uisce.

Tá cur síos chomh maith ann ar an ngléasadh bocht a bhí ar Raiftearaí nuair a leandáil sé i gCreachmhaoil an chéad lá riamh. Tapaíonn Marcas an deis le cur in iúl don lucht éisteachta gur duine ón taobh amuigh é agus go bhfuil file Mhaigh Eo beo bocht:

> Ag iarratas a bhí sé nuair a thriall sé eadrainn,
> Ruaigeadh aníos é ó thír na mbratach,
> Ní raibh fáscadh ná dídean ná slí ar bith leapa aige,
> Ach seanphluid bhuí a raibh míle paiste air.

> B'olc í a ghustal ag tíocht don tír seo,
> Bhí cáibín hata air chomh rua le snaoisín,
> Sreangán barraigh air, casta sníofa,
> Agus is fada a chaith sé ar an gcarn aoiligh.

> Bhí seancheirt de veiste bhriste ar an ngioblachán,
> Ag falach na peilte a cheileadh na mílte mál,
> Bhí beilt ar an ngeilt, is é teannta ar a imleacán,
> Is go ligeadh sé léithi nuair a bhíodh a bholg lán.

Ach ní raibh sa méid sin ach réamhrá beag séimh le hais a raibh le teacht. Bhí fonn díoltais ar Mharcas agus dhírigh sé gan trócaire gan taise ar an ábhar a bhí tarraingthe anuas ag Raiftearaí cúpla geábh agus é siúd ag iarraidh an dá dheartháir a mhaslú: b'shin cúrsaí collaíochta. Má bhí amhras riamh ar dhuine ar bith go raibh oiread agus gráinne den fhírinne sa leagan uasal, séimh, mealltach a bhí curtha in iúl ag fear Mhaigh Eo dó féin agus é i mbun *Máire Ní Eidhin* a chumadh, bhí a mhalairt de leagan anois ann.

Bhí scéal le hinsint ag Marcas, scéal a chuir scian go feirc in *ego* mustarach Raiftearaí. An chéad chéim ná carachtar nua a chur i láthair: Donncha Mac Fhiachraigh, fear *'Fearúil, fiúntach, barrúil béasach.'* Leagann Marcas béim mhór, le teann íoróine, seans, ar uaisleacht iompar Dhonncha sa scannal atá le nochtadh aige. I dtosach, cuireann sé in iúl gur nocht Siobhán, bean Raiftearaí, rún cigilteach le Mac Fhiachraigh maidir lena caidreamh leis an bhfile:

> Ní le dímhúineadh ar bith a chuaigh sé á céilíocht,
> Ach mar lig sí a rún i gcuntas ghéar leis,
> Nach raibh aon phósadh orthu ach gabháil le chéile,
> Is go bhfuil sí i gcall ag dall gan léargas.

Ar an gcéad léamh, ní hé an oiread sin dochair atá sa líne sin '*Nach raibh aon phósadh orthu ach gabháil le chéile*' Níorbh ábhar scannail ann féin é an t-eolas sin sa tréimhse roimh an nGorta: bhí daoine go leor ann a tháinig le chéile mar lánúin, gan beannacht na hEaglaise a iarradh ar an gceangal. Ach is cosúil go raibh eolas i bhfad níos pearsanta agus i bhfad níos íogaire á nochtadh ag an gCallanánach: bhí sé ag maíomh nach raibh Raiftearaí in ann bheith ina athair mar go raibh éagumas collaíochta air.

An bhféadfadh go raibh bunús ar bith leis an scéal sin? Ní bheidh a fhios againn go deo bealach amháin nó bealach eile go cinnte, ach luaitear an bholgach i litríocht an leighis mar chúis ag fear a bheith ina chábúnach – is é sin, éagumas collaíochta a bheith air. Luaitear an bholgach mar chúis ag fear a bheith seasc chomh maith, má déantar seargadh ar úiríocha an té a bhíonn buailte ag an tinneas. Más mar sin a tharla i gcás Raiftearaí, is cinnte gurbh fhearr leis é a choinneáil ina rún docht daingean mar scéal, go háirithe agus gasúir a mhná, Siobhán, curtha i láthair riamh go dtí sin mar mhac agus iníon an fhile. Bhí sár-iarracht déanta aige ina shaol poiblí a áit a shaothrú sa bpobal mar fhear misniúil, fear nár chuir fórsaí na Corónach fuacht ná faitíos air, fear a bhí i gcónaí sásta an fód a sheasamh, in ainneoin é bheith dall agus bocht. Má bhí rún le ceilt aige faoina fhearúlacht de réir mar a bhain sé lena shaol príobháideach, rún a bhain lena chumas mar chéile leapan nó lena chumas bheith ina athair, bhí náiriú míthrócaireach i gceist leis an rún sin a bheith nochtaithe os comhair an tsaoil. Más fíor an t-eolas a nocht dán an Challanánaigh le fios, is cinnte go raibh náire shaolta ar Raiftearaí an oíche sin i gCill Fhínín.

Cuireann cumadóir an dáin leis an náire sin go míthrócaireach agus é ag tabhairt le fios gur gníomh carthanachta a bhí i gceist ag Donncha nuair a luigh sé le Siobhán, seachas gníomh drúisiúil:

> Mar bhí Donncha go cráifeach déirceach,
> Thuig sé go mb'fhearr an cás a réiteach,
> Do bhuail sé a lámh faoi bhráid a cléibhe,
> 'S ea bhí a cabhlacht's a cnámha ag pléascadh.

Sa seacht líne agus seachtó a leanann an cheathrú thuas, déanann Marcas cur síos, céim ar chéim, ar an gcaidreamh gnéis a bhí ag Donncha Mac Fhiacraigh le bean Raiftearaí. Dá dhonacht an méid sin, coinníonn sé air leis an bhfianaise atá aige go bhfuil an fhírinne déanta aige: is é Mac Fhiachraigh athair an bhuachaill atá mar mhac ag Siobhán, ní hé Raiftearaí. Is léir go bhfuil Marcas an-mhuiníneach as a chuid fíricí agus é ag trácht ar na cosúlachtaí atá ann idir an buachaill agus Donncha Mac Fhiacraigh:

> D'éirigh sé suas i mbrí is in éifeacht,
> is bhí ceann bán gléigeal catach air,

Is níl aon duine ar an saol seo a dhearcfadh a chréachtaí
Nach n-aithneodh as tréathraí a athar é.

I súil is i mbéal, 's é is samhail dom féin
Gur mór le chéile is ionann iad:
Na plucaí na déid an cruth is na méir
Na roisc is an t-éadan soineanta.

Anois a thuigeann muid go cruinn an chúis a bhí leis an gcur síos
fisiciúil ar fhear Mhaigh Eo i dtús an dáin. Ní raibh tada maslach ag
baint leis an gcur síos ar dhath gruaige Raiftearaí, ar *duibhe í na gual
Chill Choinnigh,* ná an cur síos ar a éadan, atá *buartha suaite snoite.*'
Ach nuair a chloiseann muid faoin *gceann bán gléigeal catach* atá ar
an mac agus na plucaí atá chomh maith air, feiceann muid go bhfuil
Marcas ina mháistir ar an teicníc a dtugann muintir Hollywood *set-
up and pay-off* air: is é sin blúirí eolais a chur i láthair go luath sa
scéal gan aird mhór a tharraingt orthu, agus a dtábhacht a nochtadh
níos faide anonn, nuair atá éifeacht láidir drámatúil leis an eolas a
bheith againn.

Ag an bpointe seo den dán, tá Raiftearaí ar na rópaí go maith ag
Marcas. Is ansin a bhuaileann sé dhá bhuille eile go neamhthrócaireach
air:

Cuing a gcléibh ag tíocht le chéile,
Na glúine go léir is na colpaí,
Is marach é féin bheith 'na dhall gan léargas
D'fheicfeadh sé an méid sin abraímse.

Ní hamháin gur cheil an daille an fhírinne ar Raiftearaí faoin mac
a cheap sé a bheith aige, ach bhí Siobhán ag fiodmhagadh faoina
éagumas gnéis, taobh thiar dá dhroim:

Ansin a labhair Siobhán is preab ina hanáil,
Goirm do shinneán, a Dhonncha,

Is agat tá an táiplis a riarfadh na dánta
Ní hionann 's an seandall s'agamsa.

Chaith mé mo dháta ar leaba gach tráth
Is ní dhearna sé sásamh ormsa
Ach molaim go brách thú, is tú d'imreodh an cárta,
Gan cuileat gan mámh tá an cluiche agat.

Tá nimh ar leith ag baint leis an úsáid a bhaineann Marcas as samhail
an chluiche cártaí, móitíf a bhí ag Raiftearaí go minic ina chuid
dánta polaitiúla, go mórmhór agus gníomh buacach á chur in iúl
aige. Bheadh eolas ag pobal éisteachta na gCallanán ar an móitíf agus
bhainfeadh an dá líne sin gáire astu.

Agus nochtadh déanta aige ar rún an-leochaileach agus náiriú
míthrócaireach déanta aige ar Raiftearaí, caitheann Marcas an dá
líne agus caoga atá fanta sa dán le cur i gcuimhne don phobal gur
bochtán gan dídean é fear Mhaigh Eo, go bhfuil claonadh ann bheith
ag bagairt ar dhaoine, agus ag úsáid na gcumhachtaí osnádúrtha a
shamhlaíonn an pobal lena ról mar fhile chun tathaint ar dhaoine
lóistín agus bricfeasta a chur ar fáil dó:

Is mura bhfagha seisean dídean is a ghibisc a líonadh,
Beidh a dheimheas i bhfaobhar ag bearradh aige.

Mar ní hionann agus an gnáthdhuine, is file é Marcas chomh maith.
Tuigeann sé nach bhfuil aon fhírinne sa nóisean go bhfuil cumhacht
osnádúrtha ag file - níl ann ach pisreog agus níl aon bhuairt air ina
thaobh. Duine measúil chomh maith é agus ní raibh ceart ar bith ag
an bhfile siúil bheith á mhaslú:

Ní bhainfidh sé béic ná geit as mo chléibhse,
Mar nach ndearna mé aon ghníomh scannalach,
Ar ndóigh dhá ndéanfainn bheadh fios ag an saol air,
Is gan an seanscramaire caoch bheith á aithris daoibh.

Críochnaíonn sé an dán go máistriúil, ag baint macalla as an dúshlán a thug Raiftearaí i ndeireadh a dháin siúd, *An Dia darbh ainm Iúpatar*:

File ar bith in sa gcúige a déarfas in aghaidh Raiftearaí
Tagadh sé leath bealaigh is rachaidh gobán ina bhéal.

Tá freagra ag Marcas ar an mbagairt sin agus is ag fiodmhagadh atá sé anois faoin gcumhacht osnádúrtha a shamhlaíonn Raiftearaí lena ghairm mar fhile, cumhacht a d'úsáid sé roimhe seo le faitíos a chur ar dhaoine de réir mar a d'fheil dó féin. Ach níl fuacht ná faitíos ar an gCallanánach :

D'ainneoin a chumhachta, chinn agus shliúc air,
Gur chuir mé gobán go dlúth ina charbad.

Tá an file siúil sínte ar an gcanbhás anois, agus is geall le comhaireamh na soicindí ag buaicphointe babhta trom-mheáchana í an cheathrú dheireannach den '*Sciolladh*':

I gcaitheamh do shaoil fad is mhairfeas tú aríst,
Ná cuir iomadh ná saoiste ar dhuine ar bith,
Ná tuig is ná síl, a scramaire chaoch,
Go dtabharfá an chraobh leat as Connachta.

Tá cosúlacht áirithe idir an náiriú míthrócaireach a rinne na Callanáin ar Raiftearaí an oíche sin sa mbliain 1828 agus an t-ionsaí fuilteach a rinne muintir Uí Eadhra ar Thadhg Dall Ó hUiginn i 1591, an tráth a maraíodh a bhean agus a pháiste agus a gearradh an teanga as a chloigeann féin. Cé gur ionsaí i bhfad níos tromchúisí a rinneadh ar Ó hUiginn, sa dá chás fuair uabhar an fhile an ceann ab fhearr ar a chríonnacht. D'airigh Raiftearaí agus Ó hUiginn araon go ligfí dóibh a rogha ruda a rá agus go ndéanfadh stádas ghairm an fhile iad a chosaint ar chuile chontúirt. Agus cé go raibh faitíos ar fhormhór mór na ndaoine roimh an bhfile agus an cumas a bhí ann náire nó mí-ádh a tharraingt ar an té a chuirfeadh as dó, ní hé chuile dhuine a chreid é sin.

Níor chuir *An Sciolladh* deireadh leis an aighneas ar fad. An bhliain dar gcionn, chum Raiftearaí an dán deireanach a bhain leis an gcoimhlint: *Críochnú Uachta agus Éachta Pheatsaí agus Mharcais.* Cé go bhfuil spreacadh áirithe sa dán agus go mbaineann an file macalla éifeachtach as cuid de na maslaí a chaith Marcas leis sa *Sciolladh,* tá sé scaipthe go leor mar iarracht. Maíonn sé nach raibh údar ar bith ag na Callanáin a bheith á ionsaí:

> Tá a fhios ag an saol nár labhair mise
> gur bhuail tú fúm gan fios cad chuige.

Nuair nach bhfuil mórán eile le cur i leith Mharcais aige, luíonn sé isteach ar shraith mallachtaí. Is cinnte go scanródh a leithéid d'ionsaí an gnáthdhuine, ach bhí a fhios ag an bpobal nach raibh aon fhaitíos ar Mharcas roimh mhallachtaí file. Tugann Raiftearaí athrú eile treo air féin agus cromann sé ar dhán atá ar aon dul le *Fiach Sheáin Bhradaigh* a chumadh, ag cur i gcéill go bhfuil Marcas á sheilg ó cheann ceann na tíre. Tá an chuid seo míshlachtmhar ó thaobh na meadarachta de, é ina liosta gan mórán éifeachta de logainmneacha an Achréidh. Is cosúil gur airigh Raiftearaí nach bhféadfadh sé an scéal a fhágáil mar a bhí, i ndiaidh don *Sciolladh* bheith ráite an oíche sin i gCill Fhínín, ach is léir chomh maith nach raibh a chroí sa bhfreagra a chum sé.

Tá breithiúnas an ama ar fhiúntas an fhreagra sin ar fáil in *Clár Amhrán an Achréidh:* tá tuairisc ann ar leagan cúig véarsa déag de *Sciolladh Raifteirí,* mar a thugtar ann ar dhán cáinte Mharcais Uí Challanáin, a bailíodh ó bhéal Sheáin Uí Cheallaigh as Cluain, Baile Chláir na Gaillimhe ar an 5ú lá de mhí Mheán an Fhómhair 1935. Lena thaobh, tá iontráil a bhaineann le freagra fhile Mhaigh

Eo: *Sciolladh na gCollán* an teideal a thugtar air; sa mbliain 1952 a bailíodh é, ó bhéal Phádraig 'Patch' Silke as an bPáirc Gharbh, Carn Mór, lámh le hÓrán Mór. Véarsa amháin den dán a bhí aige. Deir an seanchas linn gur scar Raiftearaí lena bhean agus an dá pháiste a bhí luaite leis. Agus é ag saothrú an bháis i scioból Dhairbí Uí Chluanáin lámh le Creachmhaoil, ag druidim le Nollaig na bliana 1835, fiafraíodh de ar mhaith leis fios a chur ar a bhean agus a chlann. Dúirt sé nár mhaith, mar nár chaith siad go maith leis.

Má bhí údar riamh aige scaradh le Siobhán, is é an scéal a nocht Marcas Ó Callanáin sa *Sciolladh* é. Más é sin ba chúis leis an teaghlach achrannach titim as a chéile, is go daor a d'íoc Raiftearaí as na maslaí a bhí caite aige i gcaitheamh an aighnis leis an dá dheartháir.

Níl a fhios againn cén sloinne a bhí ar Shiobhán ná cérbh as di go díreach. Deir an seanchas linn go raibh ceol fidile ag an mac agus gur imigh sé ag casadh ceoil le sorcas a bhí ag taisteal na tíre: bhí an-tóir ar an sorcas mar ábhar siamsaíochta in Éirinn sa 19ú haois. Bean siúil ab ea iníon Shiobháin chomh maith, agus fiú mura raibh Raiftearaí mar athair aici ó thaobh na bitheolaíochta de, is mar iníon an fhile a chuimhnigh sí uirthi féin riamh agus is mar sin chomh maith a d'aithin muintir an Achréidh í. Bailíodh an cuntas seo a leanas uirthi ó Mrs. Murphy, an Ballán, lámh le Baile Locha Riach i mí Lúnasa na bliana 1938:

I knew Raftery's daughter – Raftery the poet. She was a small little woman and I don't think she could be the seventy years buried.

D'fhágfadh sé sin gur thart ar an mbliain 1868 a cailleadh í, dhá bhliain agus tríocha nó mar sin i ndiaidh do Raiftearaí féin imeacht den saol. Saol gearr go leor a fuair sí féin más ea. Is cosúil gur lean an iníon na pátrúin a bhí feicthe aici óna hathair, maidir le cúrsaí ólacháin agus cúrsaí iompair de:

She was a poor travellin' woman and she used have her

little basket on her back and she selling pins, needles and little nick nacks. She was a cantalach little woman, and she'd get mad if she was not left within until morning...She was fond of a drop of whiskey and she was such a small little woman that it did not take much to put her drunk.

Sé nó seacht gcinn d'amhráin ghrá a chum Raiftearaí. Amhráin iad atá fós beo, beathaíoch i dtraidisiún Chonamara, agus chuile bhliain ag comórtais amhránaíochta Oireachtas na Gaeilge, cloistear iad á rá. Ní heol dúinn gur chum an file amhrán ar bith faoin mbean a bhí mar pháirtí ar feadh roinnt mhaith blianta aige.

Bhí Raiftearaí seacht mbliana le cois an dá scór an uair a tharla an t-aighneas mór leis na Callanáin, sa mbliain 1828. Seans go raibh a chuid laethanta mar chumadóir amhrán grá caite faoin tráth sin. Is deacair a shamhlú go mbeadh mórán fonn air é féin a chur in iúl arís mar pháirtí inchreidthe ag leithéidí Mháire Ní Eidhin i ndiaidh don scéal a nochtaíodh sa *Sciolladh* a bheith á scaipeadh ar fud an Achréidh. Ach ní raibh deireadh déanta aige fós maidir le hamhrán a chumadh a mbeadh trácht go ceann i bhfad air. Ar an 4ú lá de mhí Mheán an Fhómhair an bhliain chéanna sin, tharla tragóid a spreag ceann de na hamhráin is fearr aithne dá chuid.

15

SCREADACH IS CAOINEADH
A SCANRÓDH DAOINE

A Rí na nGrásta, a cheap Neamh is Párthas,
nár bheag an tábhacht dúinn beirt nó triúr,
agus lá chomh breá leis, gan gaoth ná báisteach,
lán an bháid acu a scuabadh chun siúil.

EANACH DHÚIN

M Á BHÍ RAIFTEARAÍ IN ÍSLE BRÍ tar éis an méid a thit
amach idir é agus na Callanáin, ba ghearr gur aimsigh
sé ábhar eile amhráin a chuir a chuid trioblóidí féin ar
leataobh. Agus cé go raibh an ghaoth bainte as a chuid seolta ag an
sciolladh a thug filí Chaithrín an Duibhéin dó, ní raibh a chumas
mar urlabhraí cumasach pobail tráite, ná baol air.

Maidin ghlan i bhfómhar na bliana sin, 1828, d'fhág aon duine
dhéag agus fiche, idir fhir agus mhná, Eanach Dhúin, baile a raibh
eolas maith ag Raiftearaí air, agus iad ag tabhairt aghaidh ar chathair
na Gaillimhe. Ocht míle bealaigh ó dheas a bhí a dtriall ar an mbád
a bhí le hiad a thabhairt ann, síos le bruach thoir theas Loch Coirib,
isteach chuig an mbaile mór. Bhí aonach ar siúl ar an mbaile agus
chomh maith leis na daoine a shuigh isteach ar an mbád, cuireadh
lastas ar bord a bhí le díol an lá sin: ualach adhmaid agus deich gcinn
de chaoirigh a bhí á mbeathú ar feadh an tsamhraidh agus a bhí

réidh anois le cur ar an margadh.

Bealach réidh a bhí ann le triall ar an aonach, seachas bheith ag siúl bóthair nach raibh mórán caoi air ag an am, go háirithe agus ainmhithe le tabhairt ann. Ghluais an bád agus a raibh inti gan stró formhór an bhealaigh, oibriú rithimiúil na maidí rámha ina thionlacan ag monabhar cainte na bpaisnéirí agus méileach bog na gcaorach.

Dá mbeadh caoi mhaith ar an mbád, bheadh sí tar éis ceann scríbe a bhaint amach gan stró gan trioblóid an mhaidin Fhómhair sin, mar a rinne báid dá cineál ná céadta uair roimhe. Bheadh an gnó déanta, na caoirigh díolta, ábhar eile ceannaithe, cárt nó dhó leanna caite siar agus an grúpa fillte an oíche sin in athuair ar Eanach Dhúin, gan trácht ar bith déanta ar an aistear riamh ina dhiaidh. Ach ní mar sin a tharla. Bhí droch-chaoi ar an soitheach; bhí cláracha lofa i dtóin an bháid. Má bhí féin, seans go mbeadh ceann scríbe bainte amach, murach caora a d'éirigh neirbhíseach agus an bád beagnach buailte le Páirc na Sceach, dhá mhíle ó thuaidh de bhaile na Gaillimhe. Thriail sí éalú ón té a bhí ag breith uirthi. Nuair a streachail sí í féin amach as greim a húinéara, thug sí léim. Thuirling sí ar chlár lofa i dtóin an bháid, clár nach raibh in ann ag meáchan tobann caora bheathaithe. Phléasc a crúb tríd an gclár agus thosaigh an bád ag déanamh uisce.

I measc an aonar déag agus fiche, bhí daoine ann nach raibh cleachtach ar bháid. Bhí siad féin chomh neirbhíseach leis na caoirigh. Nuair a chonaic siad uisce buí an locha ag scardadh isteach thart ar a rúitíní, scanraigh siad. Bhain fear acu a sheaicéad de agus thriail an poll a líonadh leis. Ach nuair a bhrúigh sé an seaicéad isteach in éadan an scardáin uisce, ghéill clár eile agus mhéadaigh an poll. Anois bhí an t-uisce ag druidim le glúine na bpaisinéirí agus gan snámh ag mórán duine ar bith acu.

Blas truamhéileach atá ar an tuairisc a foilsíodh sa nuachtán áitiúil, an *Connaught Journal*, faoin méid a thit amach an lá sin ar Loch Coirib:

It is with unaffected sorrow that we have to record a most distressing circumstance which took place this day,

(Thursday) by which it is supposed that at least nineteen unhappy fellow creatures perished.... Eighteen of the bodies have been found; 12 have escaped, and one is missing.

Seans go mbeadh an t-aonar déag agus fiche ar fad báite, murach gur tháinig bád eile i gcabhair orthu. Dhá dhuine dhéag a tháinig slán ón tubaiste agus naonúr déag a bádh, ina measc aon bhean déag. De réir tuairisc an *Connaught Journal*, seo a leanas na daoine ar fritheadh a gcoirp: Mary Corr, Mary Costello, Bridget Curley, Bridget Faraher, Mary Flynn, Winifred Jourdan, Bridget Hynes, Catherine Molloy, Mary Newell agus Judith Ryan. Ochtar fear a bádh, agus is mar seo a leanas a liostáil an nuachtán iad: Thomas Burke, Michael Cahill, John Concannon, John Cosgrave, Michael Faraher, John Ford, Patrick Ford agus Timothy Goley. Bhí corp duine amháin ar iarraidh, ach ní luann an nuachtán ainm an duine sin.

Dhearbhaigh coiste fiosrúcháin an liosta sin ainmneacha ag an am agus an chúis a bhí leis an tragóid: ualach rómhór a bheith sa mbád:

....10 sheep, a quantity of lumber, about 31 persons being on board. Major Dickson and a party of the 64th regiment attended, and rendered every human assistance in their power. An inquest was held on the bodies by John Blakeney, Esq., Coroner, at which James O'Hara, Esq., MP and J.H. Burke, Esq., Mayor, attended, and the jury returned a verdict of 'Accidental Drowning.'

Is cinnte gur scéal mór a bhí sa tragóid ar fud an Achréidh. Is léir gur airigh Raiftearaí an-nádúr leis an dream a bhí fágtha croíbhriste i ndiaidh na tubaiste. Bhí cleachtadh aige féin ina ghasúr dó ar an mbás tobann bheith ina thimpeall agus ar an gcrá croí a lean a leithéid de chasadh scáfar i gcinniúint an duine.

Seans gurb in an chúis go bhfuil paisean agus fuinneamh ar leith ag baint le filíocht an amhráin *Eanach Dhúin*. Is ann atá fáil ar chuid

de na híomhánna is láidre dár chruthaigh an file riamh. Ina measc, tá
an pictiúr seo den radharc maidin lá arna mhárach, nuair a leagadh
amach na coirp ar bhruach an locha le go dtiocfadh a muintir á
n-aithneachtáil agus na coirp a thabhairt leo:

> Ansiúd Dé hAoine, chluinfeá an caoineadh
> ag teacht gach taobh is an greadadh bos,
> is a lán thar oíche trom tuirseach cloíte,
> gan ceo le déanamh ach ag síneadh corp.

Ba mheasa fós an scéal nuair a bhain daoine muinteartha láthair na
tubaiste amach is nuair a chonaic siad a gcuid fear, a gcuid ban, a
gclann mhac agus a gclann iníon sínte fuar marbh ar bhruach an locha:

> Nár mhór an t-ionadh os comhair na ndaoine
> a bhfeiceáil sínte ann ar chúl a gcinn,
> Screadach is caoineadh a scanródh daoine,
> gruaig á cíoradh is an chreach á roinn.

Níos faide anonn, tá cuntas scáfar ann ar an gcaoi ar bádh an fear
óg lúfar, Seán Ó Coscraigh, fear a bhí tar éis siúl *'ó Londain anonn
go Béal na Trá.'* Ach má bhí féin, ní raibh sé sách láidir le teacht slán
agus an méid a bhí ag titim amach ina thimpeall:

> An uair a shíl tú snámh a dhéanamh
> rug na mná óga ort abhus is thall
> is gur shíl do mháithrín dá mbáfaí céad fear
> go dtiocfá féin chuici abhaile slán.

Ar ndóigh, ní fhaca Raiftearaí ceann ar bith de na radharcanna
tragóideacha ar chuir sé síos chomh cumasach sin orthu. Ní fios
ar tháinig sé i láthair agus na coirp á dtabhairt chun bealaigh nó ar
tharla go raibh sé thart ar bhaile Éanach Dhúin nuair a tugadh na
coirp abhaile lena dtórramh. Tá an chuma ar an scéal nach raibh:

an fáth gur féidir é sin a rá ná go bhfuil difríochtaí ann idir na
mionsonraí atá ar fáil sa gcuntas a foilsíodh sa *Connaught Journal*
go luath i ndiaidh na tubaiste agus an cur síos atá ag Raifteraí san
amhrán.

An chéad rud atá éagsúil sa dá chuntas ná líon na ndaoine a
cailleadh. Aon bhean déag a bádh, de réir an nuachtáin agus ochtar
fear. Dhearbhaigh an fiosrúchán oifigiúil an liosta sin, ach mar sin
féin, cuntas éagsúil atá ag Raifteraí:

> Is, a Dhia, nach ansin a bhí an t-ár mór déanta
> ar aon fhear déag agus ochtar mná.

An áit eile a bhfuil bearna ann idir an dá leagan ná an triúr a
luann Raifteraí: Tomás Ó Cathail, Seán Ó Coscair agus Máire Ní
Ruadháin. Is cosúil gurb é an duine céanna Seán Ó Coscair agus
John Cosgrave atá luaite sa *Connaught Journal*. Michael Cahill atá
ar liosta an nuachtáin, seachas Tomás – seans gurb shin é an duine a
bhí i gceist ag Raifteraí, ach ní fíos cé acu leagan den ainm atá ceart.
Maidir le Máire Ní Ruadháin, an t-aon bhean amháin a luann an
file, tá níos mó mionsonraí aige maidir leis an ngléasadh a bhí uirthi
siúd ná mar atá aige do dhuine ar bith eile a bhí ar bord:

> Bhí Máire Ní Ruadháin ann an bhonsach ghléigeal,
> an cailín spéiriúil bhí againn san áit,
> ghléas sí í féin go moch Dé Céadaoin
> le gabháil chun Aonach Chnoc an Dalláin.
> Bhí cóta uirthi de thogha an éadaigh,
> caipín lace agus ribín bán,
> is d'fhág sí a máithrín go brónach cráite
> ag silt na ndeor arís go brách.

Ach in ainneoin go bhfuil cur síos cuimsitheach ag an bhfile ar
an mbean óg, níl Máire Ní Ruadháin ar bith luaite ar liosta an
Connaught Journal.

Ar thaobh na láimhe clé den leacht cuimhneacháin a tógadh in Eanach Dhúin, tá comhaireamh Raifteraí ar an líon a bádh greanta sa gcloch aoil: aon fhear déag agus ochtar mná. Ach má tá, ní thagann liosta na n-ainmneacha ar thaobh na láimhe deise den leacht leis an gcomhaireamh sin. Seo mar a thagann liosta Gaeilge an leachta le liosta Béarla an *Connaught Journal*: Ó thaobh na mban de, is iad na daoine a bhfuil a gcuid ainmneacha greanta i gcloch in Éanach Dhúin ná Máire Ní Choisdealbhaigh (Mary Costello an *Connaught Journal*), Máire Ní Charra (Mary Corr), Bríd Ní Fhearchair (Bridget Faraher), Máire Ní Fhloinn (Mary Flynn), Bríd Ní Eidhin (Bridget Hynes), Cáit Ní Mhaolmhuaidh (Catherine Molloy), Siobhán Ní Riain (Judith Ryan), Máire Ní Thnuthaill (Mary Newell), Bríd Ní Thoirbhealbhaigh (Bridget Curley) Úna Ní Shiúrtáin (Winifred Jourdan) agus Máire Ní Ruadháin, bean atá luaite ag Raifteraí, ach nach bhfuil aon trácht ar a hainm i dtuairisc an nuachtáin.

Maidir leis na fir, seo mar atá: Tomás de Búrca (Thomas Burke an nuachtáin), Micheál Ó Cathail (Michael Cahill), Seán Ó Coscair (John Cosgrave), Seán Ó Concheanainn (John Concannon), Micheál Fearchair (Michael Faraher), Tadhg Ó Gabhalaigh (Timothy Goley), Pádraic Mac Giollarnáith (Patrick Ford), Seán Mac Giollarnáith (John Ford) agus Tomás Ó Cathail, duine den dá fhear a luann Raifteraí san amhrán ach nach bhfuil trácht ar bith ag tuairisc an *Connaught Journal* air.

Aon bhean déag atá luaite ar an leacht, deichniúr atá liostáilte ag tuairisceoir an *Connaught Journal*, ochtar ban an comhaireamh atá ag Raifteraí.

Naonúr fear atá san áireamh ar liosta an leachta, ochtar atá luaite ag tuairisc an nuachtáin agus aon fhear déag an líon atá ag Raifteraí.

Is cosúil gur chloígh lucht an leachta leis an liosta oifigiúil a tuairiscíodh sa nuachtán agus a dhearbhaigh na húdaráis a tháinig chomh fada le láthair na tubaiste. Is léir chomh maith gur chinn siad Máire Ní Ruadháin agus Tomás Ó Cathail a chur leis an liosta oifigiúil mar go raibh an bheirt sin luaite go sonrach sa dán.

Níl sé soiléir cén bunús atá leis an difríocht idir an tuairisc sa nuachtán agus liosta na n-ainmneacha a bhfuil fáil san amhrán orthu. Ó tharla amhras a bheith ann faoi ainmneacha na ndaoine a cailleadh, agus faoina líon, is gá fiafraí cén maisiú breise a rinne an file ar fhíricí na heachtra? An fíor, mar shampla, gur shiúil Seán Ó Coscair ó Londain anonn go Béal na Trá? An fíor gur bádh é mar go raibh mná óga ag breith air abhus is thall? An raibh bunús fírinneach ar bith leis an gcur síos ar fad ar Mháire Ní Ruadháin, an caipín *lace* agus an ribín bán san áireamh? An raibh a leithéid de bhean óg ann beag ná mór? Nó an é gur airigh Raiftearaí go raibh cead aige íomhánna den tsórt sin a chumadh as a shamhlaíocht, ach fanacht dílis do d'fhírinne mhothúchánach na heachtra a bhí á comóradh aige?

Nó an é gur cuireadh véarsaí eile leis an amhrán le himeacht ama, véarsaí nár chum Raiftearaí beag ná mór?

Ocht gcinn de lámhscríbhinní a bhí mar fhoinsí ag Ciarán Ó Coigligh agus é ag cur an amhráin in eagar. Agus é ag póirseáil tríothu, thug sé faoi deara go raibh dhá leagan ar leith den amhrán le sonrú iontu. Bhí an chéad leagan acu ar an gceann ba choitianta go mór fada agus fáil air i gcúig cinn de na lámhscríbhinní. Sa leagan sin, ní raibh ach trí cinn de logainmneacha luaite: Eanach Dhúin, Baile Chláir agus Gaillimh. Sa leagan sin chomh maith, níor luadh ainm duine ar bith. Ní raibh an dara leagan ar fáil ach ó dhá fhoinse: leabhar de hÍde, agus i lámhscríbhinn 1339 i Roinn Bhéaloideas Éireann, áit a raibh dhá chóip de ar fáil. Sa dara leagan sin, bhí ceithre véarsa breise ar fáil agus trácht iontu ar Chnoc an Dalláin, Oileán Úna agus ar Londain. Bhí daoine éagsúla luaite sa dara leagan chomh maith, murab ionann agus an chéad cheann: Tomás nó Micheál Ó Cathail, Seán Ó Coscraigh nó Jack Ó Coscair, Máire Ní Ruadháin nó Máire Ní Eidhin. Luadh fear darbh ainm Séamas Ó Fearachail ar leagan eile. *Eanach Dhúin* an t-ainm a luaitear leis an amhrán tríd síos in *Clár Amhrán an Achréidh*.

Sa réamhrá atá ag de hÍde, luann sé Eanach Dúin mar mhalairt ainm ar Anach Cuain, an t-ainm atá aige i gclár an leabhair agus mar theideal ar an dán. In áit eile sa réamhrá, Eanach Cuain a thugann sé air. Glacann sé le comhaireamh Raiftearaí ar líon na ndaoine a bádh:

...báitheadh naoi ndaoine dhéag acu, daoine óga, lúthmhara láidre.

I Mí Dheireadh Fómhair a tharla an tragóid, de réir de hÍde. Tá blúire spéisiúil eile eolais aige:

Do fríth na corpáin uile as an uisce ach aon cheann amháin.

Maidir lena chuid foinsí seisean, tá an cur síos seo aige a thagann le cur síos Uí Choigligh ar dhá leagan ar leith den amhrán bheith ar fáil, ceann amháin acu atá níos faide ná an ceann eile:

Fuair mé an chuid is mó de na bhéarsaibh ó Prionsias Ó Conchubhair do chuala iad ó shean-mhnaoi do rugadh i n-Eanach Cuain í féin, agus do chuimhnigh go maith mar do thuit an mí-ádh amach, agus bhí cuid eile dhe ag sean-dall i ngar do Thuaim. Bhí cuid de de mheabhair ag an gComaíneach mar an gcéadna, agus tá cuid de in san sgríbhinn tá san Acadamh. Do chuir mé le chéile é chomh maith agus d'fhéadas, acht tá sé measgtha go mór tríd a chéile, agus níl acht buille fá thuairim in san eagar do chuir mé ar na bhéarsaibh. Tagann bhéarsa nó dhó aca isteach fá dhó fá chulaidh éagsamhail, mar do bhíodar ag daoinibh éagsamhla, acht níor mhaith liom iad d'fhágbháil amach. Is cinnte nach mar tá sé anois do tháinig sé ó bhéal an Reachtabhraigh féin, acht go raibh barr slaicht thairis sin air.

Is beag amhrán sa gcnuasach uaidh a bhfuil oiread amhrais faoina bhunús curtha in iúl ag de hÍde. Tá sé suimiúil, dá bharr sin, go bhfuil an dá leagan ann sna lámhscríbhinní, arb é an leagan sé véarsa is coitianta go mór fada. Ó tharla go gcuireann an dá eagarthóir, Ó Coigligh agus de hÍde araon, an t-amhrán i láthair mar shaothar deich véarsa, is é an leagan fada a bhfuil glacadh anois leis.

Tá an méid seo d'eolas cúlra ag Eibhlín Bean Mhic Choisdealbha ar an leagan a bhreac sise ó bhéal Pat O'Neill ó Dhroim Grifín lámh le hEanach Dhúin, eolas a thacaíonn le nóisean nárbh é Raiftearaí a chum gach ceann de na deich véarsaí a bhfuil eolas fairsing orthu ar na saolta seo:

> Pat always maintains that there were two songs written on the subject, one by Raftery, and one by a local poet named Cosgrave (Cosgorach), as he says Raftery was a stranger and could not have known the people's names or anything about them. What probably happened was that some local man added verses to Raftery's original poem.

Ach fiú dá ndéarfaí gurbh é Raiftearaí a chum an leagan is coitianta sna foinsí is sine, an leagan sé véarsa, agus gur duine nó daoine eile a chuir na véarsaí leis a bhfuil ainmneacha daoine agus áiteacha éagsúla luaite iontu, ní mhíníonn sé sin an difríocht atá ann idir comhaireamh an fhile ar líon na marbh agus an comhaireamh oifigiúil.

Pé ar bith cé mhéad véarsa a chum an file dall é féin, is cinnte gur éirigh leis imeachtaí truamhéalacha an lae sin i bhfómhar na bliana 1828 a choinneáil beo i gcuimhne an phobail anuas go dtí an lá inniu féin.

Fuair sé lámh chúnta ón mbéaloideas, ní hamháin ó thaobh eolas ar an amhrán a scaipeadh, ach maidir leis an tuiscint a bhí ag an bpobal ar thruamhéala na tragóide. Sa leagan den amhrán a chuir Ciarán Ó Coigligh in eagar, leagan ar cumasc é de na lámhscríbhinní is sine agus is údarásaí, cuireann Raiftearaí in iúl go bhfuil briseadh croí ar leith ag baint le bás daoine óga: is ag triall ar bhainis na n-ógfhear lúfar agus ná n-ógbhan spéiriúil ba cheart don phobal a bheith, seachas bheith ag teacht ar a dtórramh:

> I lár an fhómhair, daoine óga
> a bheith á dtórramh is á síneadh i gceall;

in áit a bpósta a bheith gléasta i gcónra
Is a Dhia na Glóire nár mhór an feall.

Is léir gur thaitin nóta sin na híoróine leis na fonnadóirí agus leis
na cumadóirí a d'fhéach le truamhéala an scéil a threisiú. De réir
a chéile, cuireadh le móitíf an phósta agus an tórraimh: is ag triall
ar Ghaillimh le héadach a bpósta a bhí an dream óg i leaganacha
áirithe. Cuireadh an nóisean sin san áireamh sna liricí agus sa lá atá
inniu ann, is fearr aithne go mór fada ar an leagan sin den véarsa ná
an leagan a chuir Ó Coigligh in eagar. Seo leagan den véarsa thuas
a chasadh an t-amhránaí sean-nóis Seosamh Ó hÉanaí, leagan atá
foilsithe sa gcartlann idirlín, joeheaney.org:

Bhí buachaillí óga ann, ag tigheacht don fhómhar,
dhá síneadh ar chróchair 's dhá dtabhairt go cill;
Ba é gléas a bpósta a bhí dhá dtórramh,
ach a Rí na Glóire, nár mhór an feall.

Tá sé suimiúil gurb é an leagan céanna sin de na línte thuas a bhí ag
Dubhghlas de hÍde sa leabhar *Amhráin an Reachtuire* a tháinig uaidh
sa mbliain 1903, rud a thabharfadh le fios gur foinse béaloideasa a
bhí aige don véarsa sin. Ní fios an ó leabhar de hÍde a scaip eolas ar
an amhrán thiar i gceantar Charna.

Foilsíodh aistriúchán de hÍde in eagrán leabhar 1903 chomh
maith. Blianta ina dhiaidh sin, rinne cúpla fonnadóir éagsúil
taifeadadh ar leagan Béarla de hÍde d'*Anach Cuain*, mar a thug sé féin
ar an amhrán. Tá taifeadadh ar fáil ar YouTube den amhránaí Dolly
MacMahon á rá, cuir i gcás. Is cinnte gur chuir an t-aistriúchán sin
leis an nóisean gur comhluadar bainise iad cuid de na daoine a bádh:

And boys there lying when crops were ripening,
From the strength of life they were borne to clay
In their wedding clothes for their wake they robed them
O King of Glory, man's hope is in vain.

Luaitear an bhean mhistéireach Máire Ní Ruadháin san aistriúchán
Béarla, ach gléasadh brídeoige atá uirthi sa leagan sin:

> And Mary Ruane, too, the star of maidens,
> The sky-bright lady, the light of our lives,
> She was long preparing, that morning early,
> To go to the fair dressed up like a bride.
> In a coat well-made, with a narrow waistband,
> A cap of lace and streamers white,
> But her mother awaited her footsteps vainly,
> And never a day comes to dry her eyes.

Tá cur síos ar fheisteas Mháire sa mbunleagan, ach ní luaiter an focal
brídeog sa véarsa sin:

> Bhí Máire Ní Ruáin ann an bhonsach ghléigeal,
> an cailín spéiriúil a bhí againn san áit,
> ghléas sí í féin go moch Dé Céadaoin
> le gabháil chun Aonach Chnoc an Dúshláin.
> Bhí cóta uirthi de thogha an éadaigh,
> caipín lace agus ribín bán,
> is d'fhág sí a máithrín go brónach cráite
> ag silt na ndeor arís go brách.

Chasadh an t-amhránaí cáiliúil Liam Clancy as Carraig na Siúire
leagan Béarla de hÍde chomh maith: bhí nós aige siúd véarsa a chasadh
agus ansin cúlra na tragóide a thabhairt. Seo an cur síos atá aige ar an
mbádh, ó thaifeadadh a rinneadh ag ceolchoirm chomórtha do Joe
Éinniu sa gCeoláras Náisiúnta i mBaile Átha Cliath sa mbliain 1994:

> It was in the 1840s it happened. Before Lent, all the couples
> who had to get married, or wanted to get married, or had
> to want to get married, they had to go down into Galway
> for the fair. It was a time of great celebration, a great sheep

fair. They were bringing the boat down from the Corrib, down into Galway. And the little pattering of the sheeps' sharp hooves were on the bottom of the boat, of course: the old boat was rotten. And one of the hooves went through and one of the crew members jumped down. He took off the frieze jacket and he jammed it into the hole. He went to stamp it home with the heel of his shoe or his pampootie. The bottom of the boat went down within a hundred yards of shore, on a calm day. Eleven men and eight women died.

Ní hé Eanach Dhúin an t-aon tubaiste báite amháin a tharraing caint in iarthar Éireann i gcaitheamh an naoú haois déag. I mí na Nollag na bliana 1849, cuir i gcás, bádh naonúr agus dhá scór amach ó Chill Rois i gContae an Chláir agus iad ag seoladh aniar ó Mhaigh Fhearta, áit a raibh siad tar éis dul ann féachaint le cúnamh a fháil i dTeach na mBocht de bharr iad bheith ag fulaingt leis an ocras. Tháinig an tragóid sin sna sála ar thubaiste eile: dhá mhí roimhe sin, ar an 7ú Deireadh Fómhair den bhliain chéanna, bádh os cionn deichniúir agus ceithre fichead as Conamara agus Contae an Chláir amach ó chósta Cohasset, lámh le Boston, Mheiriceá, agus iad ag triail ar an Oileán Úr le saol nua a dhéanamh dóibh féin thall. Sa mbliain 1894, bhí grúpa oibríthe feirme ó oileán Acla ar a mbealach ó dheas go Cathair na Mart le dul ar bord galtáin a bhí le hiad a thabhairt go hAlbain le haghaidh séasúr na bhfataí. Chuaigh an húicéir a raibh siad ag seoladh inti go tóin poill agus bádh tríocha duine.

Tá eolas ar na tragóidí sin agus tuilleadh nach iad go háitiúil sna ceantracha lena mbaineann siad agus leachtanna cuimhneacháin tógtha i gcás cuid acu, lena gcuimhne a choinneáil beo. Ach de bharr gur chum Raiftearaí amhrán a raibh anam agus brí ann, agus de bharr gur scaip an t-amhrán sin ó bhéal go béal, go dtí gur glacadh leis ar deireadh mar théacs scoile, is fearr an t-eolas atá ar thragóid

Eanach Dhúin ná ceachtar de na cinn eile atá luaite thuas. Mar a dúirt Liam Clancy:

> But to Raftery, who wrote the song about it, he wrote into it the death of every man, the death of everyone.

16

GO COILLTE MACH RACHAD

Dá mbeinnse i mo sheasamh ann i gceartlár mo dhaoine
D'imeodh an aois díom is bheinn arís óg.

CILL LIADÁIN

IMEASC SCIAR MAITH DE DHAONRA na hÉireann os cionn na
dtrí scór, tá amhrán amháin de chuid Raiftearaí a bhfuil eolas
leathan air. Sin é *Cill Liadáin*, nó *Contae Mhaigh Eo* mar a
thugtar chomh maith air. *Cill Aodáin nó Condae Mhuigh-eo* a thug
Dubhghlas de hÍde air sa gcnuasach a tháinig uaidh sa mbliain 1903
agus de bharr go raibh rath mór ar an leabhar sin, is é Aodán seachas
Liadán is mó atá luaite leis an gcill sin idir Coillte Mach agus Both
Chomhla ó shin. Nuair a ghlac múinteoirí scoile an tSaorstáit ar fud
na tíre leis an amhrán i ndiaidh Chogadh na Saoirse sa mbliain 1923,
cuireadh le húdarás an leagain scríofa sin.

Cill Aodáin is mó a thugtar fós ar an amhrán i gceantar dúchais an
fhile, áit a bhfuil an Ghaeilge imithe i léig le fada an lá mar theanga
an phobail. Tá óstán darbh ainm an Cill Aodáin Hotel i lár bhaile
Choillte Mach. An 'Cill Aodáin Choral Society' is ainm do chór an
bhaile. Sníomhann Sráid Aodáin trí cheartlár an bhaile agus is í a
thugann an cuairteoir amach as an mbaile, soir ó thuaidh i dtreo an
bhaile fearainn a mhol Raiftearaí, an áit ar tháinig sé ar an saol.

Cé gur *Killedan* a scríobhtar mar leagan Béarla ar fhód dúchais
Raiftearaí, is í an tuiscint atá ag an bpobal ar an logainm ná *the*

church of Aidan. Le mo linn féin ar an meánscoil i gCoillte Mach sna seachtóidí, bhí cuid mhaith comhscoláirí i mo thimpeall agus Aidan mar ainm baiste orthu, iad ainmnithe in ómós don naomh Aidan ar chreid muintir na háite baint a bheith aige le fód dúchais Raiftearaí. Cill Liadáin atá mar ainm oifigiúil Gaeilge ar an áit sa lá atá inniu ann, cé go luaitear san iontráil ar logainm.ie gur ainm neamhdheimhnithe é an leagan sin.

Amhrán molta faoi áit dhúchais an fhile atá sa bpíosa. Seachas an t-amhrán grá *Neansaí Walsh,* agus an píosa juvenilia *An Rógaire a ghoid mo hata,* is é *Cill Liadáin* an t-aon amhrán eile dá chuid a bhfuil cur síos ann ar an áit inar rugadh é.

Cé gur amhrán molta áite é agus cé gur áitín bheag chúlráideach atá á mholadh, tá sé spéisiúil go raibh oiread tóir ar fud na tíre air: sa mbliain 1999, nuair a d'iarr an Irish Times ar a lucht léite céad dán ab ansa leo a roghnú, bhí *Cill Liadáin* san áireamh, ag uimhir 46. (Bhain *Mise Raifteirí an file* vóta níos fearr fós amach: ag uimhir 40 a bhí sé sin.) Cuireadh *Cill Liadáin* san áireamh chomh maith sa leabhar *Favourite Poems we learned in School as Gaeilge* a chuir Thomas F. Walsh in eagar is a d'fhoilsigh Mercier Press sa bhliain 1994.

Naoi véarsa atá ag Ciarán Ó Coigligh sa leagan a chuir sé in eagar dá leabhar siúd. Is iad an chéad dá véarsa acu sin atá curtha i gcló i leabhar Thomas F. Walsh. Is iad an péire sin is pearsanta agus is atmaisféarúla ó thaobh na cumadóireachta de agus is iad is mó a bhfuil eolas ar fud na tíre orthu.

Sa dá véarsa sin, cuireann an file síos ar mhian láidir a bhfuil nádúr ag an duine daonna leis: an ceangal a airíonn sé leis an áit speisialta sin dhroim an domhain inar tógadh é agus an fonn a bhíonn air ag pointí éagsúla dá shaol filleadh ar an áit sin agus teagmháil a dhéanamh an athuair le cuimhní na hóige. Tá bá ar leith ag daoine leis an gcur síos sa gcéad véarsa ar an bhfuadar fuinniúil sin a thagann ar dhaoine i ndeireadh an gheimhridh agus na hoícheanta fada dorcha ag druidim chun deiridh:

Anois, teacht an earraigh, beidh an lá 'dul chun síneadh
'S tar éis na Féile Bríde ardóidh mé mo sheol
Ó chuir mé 'mo cheann é ní chónóidh mé choíche
Go seasfaidh mé thíos i lár Chontae Mhaigh Eo.

Do chuid mhaith den líon mór Éireannach a bhfuil cuimhne acu
ar an amhrán óna lacthanta scoile, tá blas íocónach ar na línte sin.
Luaitear go minic iad sa lá atá inniu ann ar na meáin shóisialta,
mar shampla, agus an tEarrach á thuar. Ach má luaitear féin, is
baolach go bhfuil comhartha ceiste ann mar gheall orthu. Táthar
ann a deir nach bhfuil dul nádúrtha Gaeilge ar an líne *Anois, teacht
an Earraigh...* – gur geall le Béarla é, agus Béarla nach gcloisfeá
go coitianta faoin tuath i gContae Mhaigh Eo: *Now, come the
Springtime...* Go deimhin, tá an líne ag brath go mór ar phoncaíocht
le meabhair a bhaint as, poncaíocht nach dtagann go nádúrtha le
rithimí na véarsaíochta Gaeilge.

Trí leagan de na chéad línte sin atá ar fáil in *Clár Amhrán an
Achréidh* agus '*Contae Mhuigheo (nó Coillte Maghach)*' a thugtar
mar theideal ar an amhrán ann. Is é an leagan is sine ná an ceann a
bhreac an scríobhaí William Duggan as an Móinteach, lámh le Baile
Chláir na Gaillimhe. Sa mbliain 1864 a scríobh sé síos an t-amhrán,
agus cé go raibh líofacht Ghaeilge labhartha ag Duggan, ní raibh
scríobh na teanga aige, agus is i bhfogharscríobh Béarla a bhreac sé
an lámhscríbhinn. '*A new song called Kiltee Magh*' an teideal atá ag
Duggan ar *Cill Liadáin* agus is mar seo a thosaíonn a leagan siúd:

In naure huckus in tarragh agus raghus in law in sheeny

I samhradh na bliana 1938 a breacadh an dara leagan, ó bhéal
Éamoinn Mhártain as Rathasáin, lámh le Droichead an Chláirín.
Condae Fuigheo an teideal atá aige siúd agus leagan éagsúil atá aigesan
ar an gcéad líne:

A's tá an tEarrach a'tidheacht a's tá an lá dul 'un síneadh

198

I 1952, bhreac an bailitheoir Ciarán Bairéad leagan eile ó sheanlámhscríbhinn a bhí i seilbh Mike Silke as an bPáirc Gharbh lámh le hÓrán Mór. *Coillte Maghach* an teideal atá aige agus is mar a chéile a leagan siúd le ceann Duggan, ach amháin gur scríobh na Gaeilge atá anois ann:

An uair a thiocfas an tEarrach agus rachas an lá 'un síneadh

Níl ceachtar de na leaganacha sin baileach chomh maith ó thaobh na rithime de leis an gceann atá ag Ciarán Ó Coigligh:

Tiocfaidh an tEarrach is beidh an lá ag síneadh.

Agus cé go bhfuil comhréir an Bhéarla le haireachtáil ar an líne '*Anois teacht an Earraigh*' caithfear a admháil go bhfuil slacht ar an leagan sin chomh maith ó thaobh na rithime de. Cé as a dtáinig na focail sin '*Anois, teacht an Earraigh*' mar sin? D'admhaíodh de hÍde go hiondúil ina chuid nótaí dá mbíodh leasú déanta ar líne ar bith de chuid Raiftearaí aige, ach sa gcás seo, níl a leithéid d'admháil ann.

Seachas an chéad líne chonspóideach sin, tá cosúlachtaí láidre idir an chéad véarsa agus píosaí eile a chum Raiftearaí. Seo iad céad línte an amhráin a rinne sé mar mholadh ar Úna Ní Chatháin, cuir i gcás:

Tar éis na Nollag le cúnamh Chríosta,
Ní chónód choíche, má mhairim beo
Go dté mé arís go Cnocán Íomhair
Mar is áit bhreá aoibhinn é nach dtiteann ceo.

An bua atá ag ag an gcuid eile den chéad véarsa ná go n-éiríonn leis an bhfile dhá rud a dhéanamh: luann sé riar logainmneacha, le haicsean an amhráin a lonnú in áit chinnte ar leith. Ach éiríonn leis chomh maith an tnúthán sin a chur in iúl a bhaineann le bheith ag druidim níos gaire agus níos gaire do cheann scríbe. Cé nach mbeadh eolas ag éisteoir ná léitheoir i gCorcaigh, cuir i gcás, ná ar an Achréidh féin, ar na háiteacha ar fad in oirthear Mhaigh Eo a luaitear san amhrán, tá daonnacht álainn sa bplean a leagann an file amach don aistear: i gClár Chlainne Mhuiris, tá sé le tuiscint go gcasfar cuid dá sheanlucht aitheantais air; i mBalla, taobh thíos de, agus é ag druidim le deireadh an aistir, ólfaidh sé deoch cheiliúrtha nó dhó. Faoi dheireadh, bainfidh sé Coillte Mach amach agus is ann a fhanfaidh sé ar feadh míosa.

Tá an daonnacht chéanna le haireachtáil i dtús agus i ndeireadh an dara véarsa: cuireann sé a éirí croí i gcomparáid le héirí na gréine agus le scaipeadh an cheo. Sa dá líne dheireanacha den véarsa, cuireann sé a aistear pearsanta féin in iúl mar mhian daonna a thuigfeadh duine ar bith: dá bhféadfadh sé bheith ar ais ar a fhód dúchais féin, agus a dhream féin ina thimpeall, bheadh ualach na haoise, na pianta fánacha, an easpa fuinnimh agus dúluachair an anama bainte de.

Tá athrú stíle i gceist leis na seacht véarsaí eile a leanann an péire a bhfuil eolas forleathan orthu. Ón triú véarsa amach, cuirtear an glór pearsanta ar leataobh agus luíonn an file isteach ar liosta de dhea-thréithe a fhóid dhúcháis, liosta atá samhailteach in áiteacha, ábhairín áiféiseach in áiteacha eile, beagáinín seanchaite in áiteacha eile fós.

Caithfear a admháil nach bhfuil an chuid eile den amhrán chomh bunúil ná chomh pearsanta leis an gcéad dá véarsa. Go deimhin, tá na seacht véarsaí deireanacha fíorchosúil le línte a chum Raiftearaí ar mhaithe le háiteacha eile a mholadh. Tóg an seachtú véarsa de *Cill Liadáin*, mar shampla:

> Tá an láir is an searrach i bhfochair a chéile ann,
> an tseisreach is an céachta, an treabhach is an síol,
> na huain ann ar maidin go fairsing ag méiligh,
> caoraigh ina dtréada ann is linbh ag mnaoi.
> Níl tinneas, níl aicíd, níl galar, níl éag ann,
> ach sagairt is cléirigh ag guidhe na naomh;
> tá mionnáin is gabhair is bainbh ag an gcéis ann,
> is an loilíoch ag géimnigh ag triall ar an lao.

Seachas rithim na meadarachta, tá an stíl agus an t-ábhar an-chosúil
le véarsa a hocht den amhrán a rinne se mar mholadh ar Bhéal Átha
na hAbhann:

> Bíonn searrach ag láir ann, is bainbh ag cráin ann,
> is loilíoch ar maidin ag géimnigh,
> asail is múillí go súile i bhfásach,
> uain agus caoirigh ag méiligh.
> I gcuntas mar scríobh na húdair air síos,
> ar ndóigh ní chuirfidh mé bréag air,
> i gcearda ná i gcúige le méin agus múineadh,
> thug Béal Átha na hAbhann an chraobh leis.

Áit ídéalach é *Cill Liadáin* dar leis an bhfile: togha ceantar
feirmeoireachta é, áit a mbíonn uaisle na tíre ag tarraingt air, áit
nach n-íoctar pingin chíosa ann '*ná dadaidh dá shórt.*'

Cuireann sé le dea-thréithe na háite sa gceathrú véarsa nuair a
thosaíonn sé ag trácht ar chúrsaí iascaireachta : chomh maith leis an
gcineál éisc a mbeadh súil leis a bheith ag snámh i locha intíre (*an liús
is an breac is an eascann ina luí ann*) tá cuid eile nach bhfeictear go
hiondúil ach in uiscí na farraige móire, corrmhamach mór san áireamh
(*an portán, an faochán, an ronnach is an rón*). Agus níl ansin ach a thús:

> Tá an bradán is an ballach ag preabadh gach oíche ann,
> is an liabhán ag triall ann ón bhfarraige mhór;
> an tortoise is an gliomach is an turbard riabhach,
> cnúdáin is iasc ann chomh fairsing le móin.

Ón tríú véarsa amach, tá níos mó de bhlas an ghrinn ar an amhrán:
i mbun moladh áite atá an file i gcónaí, ach tá spraoi ag baint leis an
áibhéil atá i gceist. Chuirfeadh na véarsaí seo amhráin ón traidisiún
Béarla i gcuimhne, amhráin a dhéanann moladh ar áit ar bhealach
atá beagán áibhéileach, agus iarracht den mhagadh geanúil i gceist
chomh maith:

You may strain your muscles to brag of Brussels
Of London, Paris or Timbuktu.
Constantinople or Sebastople,
Vienna Naples or Tonga Tabou.
Of Copenhagen, Madrid or Lisbon,
Or the capital of the Rooshian Tsar,
But they're all inferior to the vast superior
And gorgeous city of Mullingar.

Is pátrún é an t-athrú stíle sin in amhráin Raiftearaí atá le feiceáil
thall is abhus ina shaothar: tá fáil air san amhrán grá *Máire Ní Eidhin*
mar shampla. Sa gcás sin, castar an ainnir air, tugann sí cuireadh go
Baile Uí Laoigh dó, leagann sí bord dí os a chomhair. Ansin, tagann
deireadh tobann leis an radharc rómánsúil agus tosaíonn an file ar
mholadh níos ginearálta a dhéanamh ar an ainnir a bhfuil sé tar éis
titim i ngrá léi. In *An Táilliúir Drúisiúil,* cuireann sé síos ar chás
truamhéileach an té atá tréigthe, sula luíonn sé isteach ar shraith
véarsaí a chuirfeas síos ar na himpleachtaí a bheas ann ar an saol
eile don táilliúir a d'éalaigh le bean phósta agus a d'fhág a fear céile
i ndroch-chaoi.

Is mar a chéile ó thaobh struchtúir de an ghluaiseacht atá aige
ón radharc sainiúil go dtí an moladh ginearálta in *Cill Liadáin.* San
amhrán molta áite eile *Béal Átha na hAbhann* atá luaite thuas, tá an cur
chuige céanna i gceist: tá tagairtí pearsanta aige sa gcéad dá véarsa, cé
nach bhfuil siad chomh pearsanta ná chomh bunúil leis an atmaisféar
a chruthaíonn se i dtosach an amhráin faoina cheantar féin:

Faoistin is logha, bíonn fuascailt is cabhair ann,
cóngar muilinn is áithe,
is dá bhfaighinnse mo roghain ar áiteanna an domhain
is i mBéal Átha na hAbhann ab fhearr liom.

Ina dhiaidh sin, luíonn an file isteach ar liosta de dhea-thréithe an
cheantair, cuid acu atá réalaíoch, cuid eile atá áibhéalach go maith.

Tar éis go bhfuil *Cill Liadáin* an-chosúil le hamhráin eile de chuid an fhile, deir de hÍde linn gur chuala sé féin i gceantar Choillte Mach go leagtaí an t-amhrán, nó cuid de, ar fhear áitiúil a raibh Coirnín mar shloinne air. Maor géim a bhí ann, *'fear spóirt agus abhrán'* de réir de hÍde, agus é fostaithe ag Frank Taaffe i gCill Liadáin. Bhailigh de hÍde leagan den amhrán i gceantar Choillte Mach ó chara leis, Seán Ó Ruaidhrigh, fear a d'fhoghlaim óna athair é. 'Amhrán Choirnín' a thugaidís air.

Tugann de hÍde riar seanchais a bhailigh sé faoin amhrán thart ar Choillte Mach: tá cúpla leagan den scéal aige a mhíníonn an chúis gur chum Raiftearaí é. Leagan amháin ná gur ar mhaithe le síocháin a dhéanamh le Frank Taaffe a rinne sé é : chum sé *Cill Liadáin* agus mhúin d'fhear siúil é. Chuir sé an fear siúil go Contae Mhaigh Eo le go ndéarfadh sé an t-amhrán do Frank Taaffe. Ach níor shásaigh *Cill Liadáin* an tiarna talún mar nár luadh a ainm go deireadh thiar ar fad:

> Sháraigh sé an domhan le gach uile dhea-thréithe,
> thug Raiftearaí an chraobh dó ar a bhfaca sé riamh,
> is é deireadh na cainte: saol fada ag Frank Taaffe ann,
> sliocht shinsir Ghaidéalas nár choigil an fial.

I leagan eile den scéal, is de bharr comórtas cumadóireachta le file Gaillimheach a rinne an file an t-amhrán. Bhí siad beirt ag féachaint lena gcontae dúchais a mholadh chomh maith agus ab fhéidir leo. Thug Raiftearaí a iarracht siúd uaidh i dtosach. Nuair a chuala a chéile comhraic *Contae Mhaigh Eo,* shocraigh sé tarraingt siar ón gcomórtas:

> Nuair a bhí sé ráidhte, do ghlaodh an fear eile, agus fearg air: 'Mo chuid tubaiste leat, a Raifteirí, níor fhág tú rud ar bith do Chondae na Gaillimhe,' agus níor thug sé a dhán féin uaidh chor ar bith.

I leagan eile fós, is é Frank Taaffe a bhí ina mholtóir ar an gcomórtas agus thug sé an chraobh d'fhile na Gaillimhe, ar an gcúis chéanna.

Deir de hÍde gur leasaigh Coirnín an véarsa deireanach den amhrán i ndiaidh do Frank Taaffe bás a fháil mar seo a leanas:

Acht anois tá sé imthigthe, agus sinn-ne 'na dhiaidh,
Dá mholadh 's dá éileamh i gCondae Mhuigh Eo.

Measann de hÍde gur lig Coirnín air gurbh é a chum an t-iomlán i ndiaidh dó an dá líne sin a chur leis.

Seans nach raibh Frank Taaffe luaite i mbunleagan Raiftearaí agus gur chuir duine éicint i gceantar Chill Liadáin an tagairt sin leis an véarsa deireanach, ar mhaithe le cur leis an seanchas a mhair i gContae Mhaigh Eo faoin gcoimhlint idir Taaffe agus an file. B'fhéidir gurbh é an maor géim a rinne an leasú sin. Tá seans ann chomh maith gur cumadóir éicint eile seachas Raiftearaí a leasaigh an chéad líne, *Anois teacht an Earraigh,* líne a bhfuil blas aisteach air ó thaobh dul na Gaeilge de: seans gurbh é de hÍde féin an cumadóir a bhí i gceist sa gcás sin, cé nach luann sé féin gurbh ea.

D'fhéadfadh bunús fírinneach a bheith leis an scéal gur comórtas nó *challenge* filíochta ba chúis leis an dán a chumadh. Tá a fhios againn gurbh shin an chúis ar cumadh an dán *Béal Átha an Ghártha,* ar cosúil é le dán a chum an file uaidh luath go maith ina shaol: tá tagairt don chomórtas agus dá chéile comhraic, file darbh ainm Aindriú, i ndeireadh an dáin thiar.

Ní fios dúinn cén uair ina shaol cumadóireachta a chum an file *Cill Liadáin.* An t-aon leide atá againn ina thaobh sin ná an tagairt atá aige don aois atá anois air sa dara véarsa:

Dá mbeinnse i mo sheasamh ann i gceartlár mo dhaoine
D'imeodh an aois díom agus bheinn arís óg.

Faoin mbliain 1830, bhí bliain le cois an leithchéad slánaithe ag Raiftearaí – aois mhaith sa tréimhse chorrach inar mhair sé, go háirithe do dhuine ar bhuail drochráig tinnis ina pháiste é. Ón mbliain sin amach, seans go raibh sé ag cuimhneamh cuid mhaith ar an mbás a bhí roimhe. De réir mar a dhruid sé lena lá deireanach ar an saol, bhí an bás ag dul i dtreise mar théama ina chuid filíochta, agus ní de bharr a aoise amháin. Mar dá mhéad tragóidí scáfara a bhí tar éis titim amach timpeall ar an bhfile siúil lena linn, bhí ceann eile fós le teacht, tubaiste ollmhór a chuir Éire ar fad, idir óg agus aosta, ag cuimhneamh ar a leochailí is atá an ghreim atá ag an duine daonna ar an mbeatha ó lá go lá.

17

AN GRUAGACH CAOL DUBH

Nuair a bheas do chnámha trína chéile,
gan fuil gan feoil ar aghaidh na gréine,
cá mbeidh an lasadh ná an ghile atá i d'éadan
ná an cúl glas gruaige a bhíteá a réiteach?

ACHAINÍ RAIFTEARAÍ AR ÍOSA CRÍOST

BA CHINNIÚNACH AN DÁTA i saol Raiftearaí agus mhuintir na hÉireann araon an t-ochtú lá déag de Mhárta, 1832. B'shin é an lá a tuairiscíodh den chéad uair go raibh an galar marfach *cholera morbus* tar éis duine a bhualadh tinn ar thalamh na hÉireann. I mBéal Feirste, baile calafoirt, a tharla sé. Seachtain ina dhiaidh sin, tuairiscíodh go raibh an galar tagtha i dtír i mBaile Átha Cliath. Ar an 12 Aibreán, bhí an tríú baile calafoirt mór ar an oileán, Corcaigh, bainte amach aige.

Ní gan choinne a tharla an méid sin. Is san India a bhris an ráig sin den chalar amach, sa mbliain 1817. As sin go ceann cúig bliana déag, leathnaigh sé anoir thar dhroim an domhain, ag marú roimhe. Creidtear gur scaip oilithrigh Hiondúcha an chéad uair an calar agus iad ag teacht is ag imeacht ón áit ar shíolraigh an tinneas, ar bhruach abhainn na Gainséise. Scaip arm na Breataine ina dhiaidh sin é, creidtear, á thabhairt anoir ón India, chomh fada leis an Afganastáin. Faoin mbliain 1830, bhí Moscó bainte amach aige. Tháinig sé i dtír i Sunderland Shasana i mí Dheireadh Fómhair 1831.

Ag an am sin, ní raibh tuiscint cheart ar an gcalar ná ar an gcaoi ar scaip sé. Níor tháinig an tuiscint sin chun cinn go dtí beagnach leithchéad bliain ina dhiaidh sin, nuair a d'aimsigh an t-eolaí Gearmánach Robert Koch an bacillus cholera sa mbliain 1883. Is éard atá sa gcalar ná galrú den stéig bheag. Baictéar arb ainm dó *vibrio cholerae* is cúis leis. Scaipeann sé go príomha de bharr daoine bheith ag ól uisce nó ag ithe bia atá tar éis bheith truaillithe ag faecas duine a bhfuil an calar air cheana féin. Buinneach uisciúil agus múisc na comharthaí a leanann é agus is de bharr an corp a bheith ag cailleadh uisce go tubaisteach a chailltear daoine leis. Cé go bhfuil dul chun cinn an-mhór déanta le céad go leith bliain anuas maidir le smacht a choinneáil ar an gcalar, sa mbliain 2010 amháin buaileadh idir trí mhilliún agus cúig mhilliún duine tinn leis, agus cailleadh os cionn 100,000 duine acu siúd.

Ach sa mbliain 1832, ní mór an tuiscint a bhí ag an lucht leighis ná ag an bpobal i gcoitinne ar an gcúis a bhí leis an tinneas fíorchontúirteach, fíorscanrúil a bhí tar éis an tír a ionsaí go míthrócaireach. Go deimhin bhí dóthain ar a n-aire ag an gcosmhuintir na blianta áirithe sin, gan tinneas marfach a bheith sa mullach orthu chomh maith.

Bhí geilleagar na hÉireann ina lagtrá le roinnt blianta roimhe sin. De bharr drochaimsire, bhí fómhar na bhfataí sna blianta 1829 agus 1830 go dona agus bhí sé beagnach ina ghorta in áiteacha sa tír dá bharr. Lean agóidí faoi dhroch-chás na ndaoine in áiteacha éagsúla agus faoi chóras na ndeachúna go mórmhór. Tharla caismirtí leis na póilíní – i mí Bhealtaine, scaoileadh le slua i mBaile na gCros i gContae na hIarmhí agus maraíodh seachtar. Maraíodh ceathrar déag le linn círéibe i ngar do Bhun Clóidí i gContae Loch Garman an mhí dár gcionn.

Bhí an chosmhuintir brúite, bascaithe agus ní haon iontas mar sin gur bhuail sceoin mhíthrócaireach an pobal nuair a tháinig an calar i dtír, sceoin a leath aneas go rábach i gcaitheamh seachtaine i samhradh na bliana 1832.

Thosaigh imeachtaí aisteacha na seachtaine sin le tuairisc a tháinig chomh fada le Caisleán Bhaile Átha Cliath ar an Luan, an 11ú Meitheamh. Dhá oíche roimhe sin, de réir na tuairisce, bhí an Mhaighdean Mhuire tar éis bheith feicthe ar altóir an tséipéil i Ráth Loirc, i dtuaisceart Chontae Chorcaí. D'fhág sí ann ábhar luaithrigh agus d'fhógair gurbh é an t-ábhar sin an t-aon leigheas ar an gcalar. D'ordaigh sí go roinnfí an luaithreach ina cheithre chuid agus go dtabharfaí chuig ceithre theach sa gcomharsanacht é. Chaithfí an luaithreach a leagan isteach faoi fhrathacha an tí agus ina dhiaidh sin luaithreach a bhaint anuas as simléirí na dtithe sin. Ba ghá an luaithreach sin (a raibh bua an leighis anois aige) a roinnt ina cheithre chuid agus é sin a thabhairt chuig ceithre theach eile agus na céimeanna céanna a leanacht ansiúd, agus mar sin de ar aghaidh go dtí go mbeadh cosaint ag chuile theach sa tír ar an gcalar.

Is mar seo a chuir Major General H.G. Barry ó Ballyclough House, lámh le Ráth Loirc, síos ar na heachtraí a lean nochtadh na Maighdine sa séipéal:

> Such was the anxiety to put her orders into execution that the whole country was up in a moment and one of my work people told me that when he was called up at about three in the morning and looked out he saw the fields full of people in their shirts running about as if they were mad'.

De réir mar a scaip an scéal, tháinig athrú ar mhodh an leighis. Faoin am go raibh tuairisc Major General Barry tar éis Caisleán Bhaile Átha Cliath a bhaint amach, bhí slua strainséirí tagtha chomh fada le baile Mhaighean Rátha i gContae Laoise. Ó Ros Cré a bhí siad tar éis teacht agus ní luaithreach a bhí mar ábhar leighis acu siúd ach 'móin choisricthe'. Bhí sagairt tar éis an mhóin a choisreacan agus bhí sé le scaipeadh ar fud an chontae mar chosaint in aghaidh an chalair.

Soip tuí a bhí á n-ofráil ag an slua mór a bhain Baile Átha Luain amach, iad ag tathaint ar mhuintir an bhaile paidreacha áirithe a rá agus na soip a scaipeadh iad féin ar cheithre cinn de thithe éagsúla.

Faoin trí a chlog maidin Dé Céadaoin, bhí an leagan seo de na treoracha leighis tar éis Baile an Mhóta i gContae Shligigh, baile dúchais athair Raiftearaí, a bhaint amach. Idir trí agus ceithre scór duine a leandáil isteach ar an mbaile:

'...running into this town, some dressed, some half dressed, and others with scarcely any covering, with four blessed straws each in their hand'.

Clocha a scaipeadh i gContae an Chabháin. Maidí adhmaid agus iad ag dó a scaipeadh in áiteacha eile. I Ráth Cúil agus i dTamhlacht, gar do chathair Bhaile Átha Cliath, fóid mhóna a cuireadh ó theach go teach agus iad ar lasadh. Treoraíodh do na daoine an fód a dhó ar leic an dorais agus fíor na croise a ghearradh ar an doras leis an luaithreach.

Cé gur deacair a shamhlú gur shábháil ceachtar de na modhanna cosanta sin duine ar bith ón gcalar le linn na seachtaine suaite sin i samhradh na bliana 1832, is cinnte go raibh údar ag an gcosmhuintir faitíos a bheith orthu roimh an *cholera morbus*. Faoi dheireadh na bliana, bhí os cionn caoga míle duine, 50,769 duine le bheith cruinn, caillte leis an gcalar.

De bharr nár tuigeadh gur víoras ba chúis lena scaipeadh, bhí go leor tuairimí éagsúla ann i measc an lucht leighis, tuairimí a bhain le cúinsí éagsúla, cúrsaí cultúrtha agus morálta na cosmhuntire san áireamh:

For much of the century, most European and American physicians believed cholera was a locally produced miasmatic disease—an illness brought about by direct exposure to the products of filth and decay. Climate and geographic location were also factors. It was a common assumption that those who engaged in morally and physically intemperate behavior or who had inferior cultural practices were more likely to get cholera when exposed to these miasmas and environmental

conditions. Observations that the poor, who lived in densely
populated urban slums, suffered from cholera in greater
numbers than the rich, who were much differently housed,
were used as evidence for this assertion.

Níl aon tagairt ag Raiftearaí don scaoll a leath i measc na cosmhuintire
Caitlicí i mí an Mheitheamh na bliana 1832, ach is léir ina dhiaidh
sin go ndeachaigh sléacht an chalair i gcion air. Sa dán a dtugann
Ciarán Ó Coigligh *Achainí Raiftearaí ar Íosa Críost* air agus a bhfuil
An Cholera Morbus mar theideal air ag Dubhghlas de hÍde, impíonn
an file ar Dhia agus ar a mhac Íosa Críost an cine daonna a shábháil
ón mbás tobann atá ag bagairt orthu ar chuile thaobh:

> A Íosa Críost, agus a Rí na nGrásta,
> a chruthaigh an talamh, neamh agus Párthas,
> a dhoirt do chuid fola i gcrann na Páise,
> sábháil sinn ar an gCholera Morbus.

Ní hionann agus na créatúir sceimhlithe a bhí ag rith ó bhaile
go baile ag tairiscint soip tuí agus fóid mhóna, ní ag moladh
deasghnátha eisceachtúla le hiad féin a thabhairt slán atá an file,
ach gnáthchleachtas an chreidimh – aithrí a dhéanamh, maiteanas
a iarraidh agus seachas rud ar bith, bheith ag guí chun Dé. Is léir go
n-aithníonn sé lámh an Chruthaitheora sa tubaiste a bhí tar éis Éire
a bhualadh. Bhí fearg ar Dhia agus ba ghá a mhaiteanas a iarraidh
leis an bhfearg sin a mhaolú:

> Ag gabháil a luí duit ná bí balbh,
> nocht do ghlúine agus brúigh an talamh,
> cuimhnigh i ndiaidh ar chuir tú tharat,
> go gcaithfidh tú triail ar shlua na marbh.

I gceann de na ceathrúna is fearr dár chum sé, cuireann Raiftearaí
síos go gonta ar an ngné is scanrúla den chalar – an bealach tobann

a chailltear an duine folláin atá buailte aige:

> Féachaidh an fear a bhíos luath láidir,
> a léimfeadh sconsa, claí agus bearna,
> a bhíos tráthnóna ag siúl na sráide,
> ag gabháil faoin gcréafóg lá arna mhárach.

Níos faide anonn sa dán, déanann Raiftearaí tagairt go hindíreach do choincheap a bhí an-tréan i measc na mbocht in Éirinn: is é sin gur cuma cén cineál saibhris a bhíonn ag duine ar an saol seo, ní fiú tráithnín é is é ag tabhairt aghaidh ar an saol eile:

> Cá mbeidh do bhróga slíochta daite
> ná an réalt a bhíodh i dtaobh do hata,
> do chuid éadaí daora a bhíodh déanta i bhfaisean
> do chóisir mhór ná do lucht freastail?

> Do chúirt, do theach is do hallaí míne,
> cá rachaidh an bord ar ól tú fíon de,
> do chuid eachraí, cóistí, sróil is síoda
> ná an lucht ealaíne a bhíodh ag déanamh sians duit?

Is cinnte nach raibh mórán daoine i measc an lucht éisteachta a chuala an dán sin a raibh an cineál sin saibhris carnaithe acu. Agus cé gur foláireamh géar a bhí i gceist leis *An Cholera Morbus*, bhí sólás áirithe le baint ag an gcosmhuintir as an mbéim a cuireadh sa dán ar lucht an rachmais agus an dul amú a bhí orthu agus iad ag cur a muiníne i maoin an tsaoil seo. B'fhearr dóibh bheith ag smaoineamh ar an té nach raibh chomh maith as leo féin:

> Ach an fear a shantaíos maoin nó tacair,
> is nach ndéanann truaí don té a bhíos folamh,
> beidh sé fós agus ní maith a leaba,
> gíoscán fiacal air, fuacht is creathadh.

Bhí idir chreideamh agus pholaitíocht i gceist leis an teachtaireacht sin. Is do lucht éisteachta a théadh a luí go minic agus ocras orthu a cumadh an dán, pobal a bhí ag brath ar fhómhar na bhfataí chuile bhliain le hiad a thabhairt slán ón ócras. Ach bhí daoine ina measc, lucht na dtithe móra, a bhí ag taisteal na tíre i gcóistí capall, daoine a raibh rogha gach bídh agus togha gach dí leagtha os a gcomhair chuile thráthnóna, daoine a mbíodh leapacha clúimh míne fúthu san oíche. Ba ghá don chosmhuintir ómós a thabhairt do na huaisle trí bheith ag umhlú agus ag cromadh a gceann dóibh, nuair a théadh siad thar bráid sa gcóiste. Fuair lucht na dtithe móra cosaint ó fhórsaí an stáit, na póilíní agus ón arm. Is iomaí uair a chuir Raiftearaí in iúl an fhearg a d'airigh sé faoin ualach éagóra a bhí le hiompar ag an bpobal ar labhair sé ar a son. Ach in *An Cholera Morbus*, éiríonn leis doimhneacht agus castacht na héagóra sin a roinnt ar bhealach níos séimhe, trí bheith á shníomh leis an tuiscint a bhí aige ar an gceart is an chóir de réir mar a thuig sé a chreideamh Caitliceach féin.

Is dócha go raibh suaimhneas áirithe intinne le fáil ag an bpobal chomh maith ón dán. In aimsir an chalair, agus daoine a bhí i dtogha na sláinte ar maidin ag titim fuar marbh tráthnóna, bhí an bás i mbéal an phobail go tréan. Ach chreid Raiftearaí agus chreid a lucht éisteachta go diongbháilte sa saol eile. Dá ndéanfadh duine a dhícheall agus dá ndéanfadh sé aithrí go mórmhór, bhí an dóchas ann go raibh an tsíoraíocht fhada ag síneadh roimhe, áit a mbeadh an t-uachtarán santach in íochtar agus an t-íochtararán umhal in uachtar.

Sa gcnuasach a chuir Dubhghlas de hÍde i dtoll a chéile d'fhilíocht Raiftearaí, is dhá dhán ar leith iad an ceann 120 líne atá pléite thuas (*An Cholera Morbus* a thugann An Craoibhín air) agus *Aithrí Raiftearaí*. Is mar phíosa amháin a chuireann Ciarán Ó Coigligh in eagar iad ina leabhar siúd. Is cosúil gurb é an bunús atá leis an gcur chuige sin ná paimfléad a cuireadh i gcló sa mbliain 1848, áit a bhfuil an *An Cholera Morbus* agus *Aithrí Raiftearaí* nascaithe in aon phíosa amháin. Má bhí tóir ar an leagan sin, agus is cosúil go raibh, rinne sé a bhealach isteach sa traidisiún béil agus sna lámhscríbhinní a breacadh sa dara leath den naoú haois déag. Bhí leagan Béarla san áireamh i bpaimfléad 1848 chomh maith a rinne an foilsitheoir, fear darbh ainm Keely. Rannaire a bhí ann féin, chomh maith le haistritheoir agus chuir sé an driobaillín seo le dán Raiftearaí, línte atá tar éis a ainm féin a choinneáil beo:

> Le críochnú na haithrí agus í a bheith soléite
> tá Keely feilteach í a aistriú go Béarla
> le bua, biseach, grásta agus trócaire .
> a bheith ag gach duine, glacaidh a comhairle.
>
> Guibhe a dhéanamh Satharn agus Aoine
> don té d'aireodh don chine daonna
> nó don bheirt d'fhág an aithrí sin déanta
> agus cuirimise an achainí ar Íosa Críosta.

Bhí seanchas cloiste ag de hÍde faoin bpaimfléad a deir gur chuala Raiftearaí faoi agus faoin aistriúchán. Bhí an file le ceangal go raibh sé de dhánaíocht ag Keely a ainm féin a chur leis taobh le hainm Raiftearaí agus é ag iarraidh cuid den ghlóir a thuilleamh don saothar. Ó tharla go raibh Raiftearaí caillte agus curtha trí bliana déag sular foilsíodh leagan Keely, ní móide go bhfuil bunús na fírinne leis an scéal. Ach is léir go ndeachaigh foilseachán Keely i gcion ar an bpobal. Bhí sé cloiste ag de hÍde chomh maith go raibh Ardeaspag Thuama, an scríbhneoir Gaeilge Mac Éil an-tógtha leis agus gur dhúirt sé gur leor *Aithrí Raiftearaí* le hanam an fhile a shlánú, dá mbeadh sé ag síorpheacú féin.

Is mar dhán amháin atá an dá phíosa curtha in eagar ag Ó Coigligh, ach is cosúla ina dhiaidh sin le dhá dhán ar leith iad. Tá gaol eatarthu, cinnte, ó thaobh téama de agus is sa mbliain chéanna a cumadh iad. Ach tá an-difríocht le sonrú i nglór an fhile sa dá phíosa.

In *An Cholera Morbus*, tá Raiftearaí ag tathaint ar Íosa Críost agus ar Dhia an tAthair an pobal a shábháil ó bhás tobann an chalair. Tá

sé ag cur comhairle ar an bpobal chomh maith aithrí a dhéanamh
agus saol níos fearr a chaitheamh, ar mhaithe le fearg Dé a sheachaint
agus ar mhaithe le bheith glactha isteach sna flaithis ag deireadh an
aistir ar an saol seo.

Ag seanmóireacht atá sé:

> A lucht an pheaca, tuigidh an cás seo,
> déanaidh an aithrí atá mé a rá libh,
> dúirt Críost féin 'tá lán de ghrásta,
> an té d'iompódh air go mbeadh sé tarrthaithe.

Agus níos faide anonn:

> Ach umhlaigh agus géill don chléir is don eaglais,
> a fuair na cumhachta peacaí a lagadh,
> seas don dlí atá i dteampall Pheadair
> agus ní baol duit bás ach athrú beatha.

Tá meadaracht *Aithrí Raiftearaí*, mar a thugann de hÍde air, éagsúil
ó *An Cholera Morbus*, ach is é an t-athrú glóir is suntasaí. Ráiteas
pearsanta amach is amach atá san *Aithrí*. I véarsaíocht nach bhfuil
chomh snoite slachtmhar leis an ngontacht rialta a bhain sé amach
leis *An Cholera Morbus*, admhaíonn sé go humhal gur peacach é.
Tá blas na fírinne ar an véarsaíocht: is léir go n-airíonn an file nach
fada uaidh a bhás féin. Tá sé ag iarraidh a chuid cúrsaí a chur ina
gceart:

> Tá mé in aois is chríon mo bhláth,
> Is iomaí lá mé ag gabháil amú,
> thit mé i bpeaca os cionn naoi bhfeá,
> ach tá na grásta ar láimh an Uain.

> Is cuaille corr mé in éadan fáil,
> is cosúil le bád mé a gclisfeadh a stiúir,

a buailfí isteach ar bhruach na trá,
a bheadh á bá agus a chaillfeadh a stiúir.

Liostálann Raiftearaí a pheacaí go hoscailte. Bhí níos mó dúile aige
i saol an réice lena linn ná bheith ag comhlíonadh dualgaisí an
Chaitlicigh dhílis:

Nuair a bhí mé óg b'olc mo thréithe,
ba mhór mo spéis i scléip is achrann,
b'fhearr liom go mór imirt is ól,
ná maidin Domhnaigh triall chun Aifrinn.

Chomh maith le bheith tugtha don ól is don achrann, ba pheacach
é ó thaobh na drúise de:

Níorbh fhearr liom suí le cailín óg,
ná bean phósta a éileamh tamall,
leag gach ní ar mo cholainn fós,
agus, a Rí na Glóire, tarrthaigh m'anam.

Nuair a smaoiníonn muid ar an saol a chaith Raiftearaí – a dhúil
san ólachán, é ag fánaíocht gan dídean, ag iarraidh foscaidh ón
mbáisteach is ón bhfuacht faoi sceacha agus tomacha, a bhróga
scoiltithe, é ag brath ar charthanacht daoine dá chuid aráin laethúil,
níorbh aon iontas é go mbeadh babhtaí drochshláinte ag gabháil dó
anois is arís. Is léir gur mar sin atá agus é ag cur na véarsaí seo de.
Airíonn sé nach fada atá fágtha ar an saol seo aige agus tá sé ag impí
ar Dhia a bheith tuisceanach dó :

Seo mé anois ar bhruach an bháis,
is gearr an spás go dté mé in úir,
ach is fearr go déanach ná go brách
agus fógraím páirt ar Rí na nDúl.

Tá muid cinnte gur i mbliain an chalair a cumadh *Aithrí Raiftearaí*
– luann an file an dáta sa véarsa deireanach. Bhí trí bliana fanta ar
an saol aige.

An bhliain dár gcionn, sa mbliain 1833, chum sé píosa eile a chuir
in iúl go raibh an bás go mór ar a intinn aige. Agallamh beirte atá
ann, áit a gcasann Raiftearaí ar an mbás. Ní Dia, ná Íosa, ná an
Spiorad Naoimh féin atá roimhe ach an bás, nó An Bás le bheith
cruinn: carachtar samhailteach atá ina phearsanú ar fheiniméan an
bháis. Ní carachtar é An Bás atá i gceist go mór i dtraidisiún na
Gaeilge. I dtraidisiún na Briotáine, cuir i gcás, tá áit lárnach aige sa
mbéaloideas, agus ainm aitheanta air – An Ankou.

San agallamh, déanann Raiftearaí cur síos scanrúil ar an gcuma
fhisiciúil atá ar an mBás:

> Bhí ceann dubh catach air mar thortán sléibhe,
> a ghrua ba fuaire ná stoc dá ghéire,
> a chosa faoi mar thairní cléithe,
> is ba ní gan fháil samhail dá mhéara.
> Bhí a dhreach is a ghnúis gan snua gan aon rud,
> a chnámha trua gan earra gan éadach.
> Chuirfeadh a bhreathnú criothnú ar chéadta,
> sleá aige fostaithe agus é ag gabháil i m'éadan.

Tá blas an-éagsúil ar an bpíosa seo le hais mar a bhí ar cheachtar
den phéire a cumadh an bhliain roimhe sin, tráth go raibh an slad
á dhéanamh ag an gcalar ar mhuintir na tíre. Píosa poiblí amach is
amach atá san agallamh, mar a bheifí ag súil leis – foirm drámaíochta
atá san agallamh beirte go bunúsach. Cé go bhfuil an réamhrá agus
an cur i láthair scanrúil, tá blas siamsúil chomh maith air – is ag
scanrú an éisteora ar mhaithe lena mhealladh le héisteacht leis an
agallamh atá an file. Is cinnte go raibh aird a lucht éisteachta aige
faoin am gur luigh sé isteach ar an bpríomhábhar plé a bhí faoi
chaibidil san agallamh: cur i gcuimhne dá phobal go raibh an bás i
ndán do gach duine, idir shaibhir agus daibhir.

Tá blas níos dorcha ar an gcur síos seo ar an mbás, ina dhiaidh sin. Samhlaíonn an file an creimeadh a thiocfas ar an gcolainn dhaonna i ndiaidh an bháis, cur síos atá suimiúil nuair a chuimhnítear nach raibh radharc na súl aige féin:

> Do theanga bhinn bhlasta a dhéanfadh véarsa
> gan smid i do cheann ach mar an gcéanna,
> do mhéara a scríobhfadh is do shúile a léifeadh
> beidh dorcha dall gan solas gan léargas.

Díríonn sé na chéad línte eile ar an aos óg, ar mhná óga go mórmhór:

> Do ghrua is do lasadh agus eibhir do scéimhe,
> agus do chúl glas gruaige a bhíos deas gléasta,
> beidh sí ina scuada is san uaigh gan réiteach
> is 'na caonach lofa anuas ar d'éadan.

Tá macalla taibhsiúil sna línte sin den chineál cur síos a chleachtaíodh Raiftearaí sna hamhráin ghrá – leithéidí *Máire Ní Eidhin,* mar shampla:

> A grua trí lasadh is a malaí caola
> A haghaidh dá réir is a béal tais faoi

Don té a mbeadh eolas aici ar na línte sin – agus faoin mbliain 1833, is cinnte go raibh eolas maith ag an bpobal ar chuid mhaith d'amhráin Raiftearaí, caithfidh go raibh éifeacht ar leith ag baint leis an bhfile féin a chloisteáil ag baint casadh chomh dorcha, duairc as cuid de na línte grá ba cháiliúla dá chuid, ag meabhrú do na mná óga go mbeadh a gcúl glas gruaige ina caonach lofa anuas ar a n-éadan go fóill.

Rud eile atá ar siúl ag Raiftearaí chomh maith anseo ná an ghné eile sin dá ról a tharraing sé chuige féin i gcaitheamh a shaoil mar fhile pobail - ról an teagascóra.

Sa mbliain 1833, bhí an chosmhuintir Chaitliceach fós gan aon chóras oideachais. Bhí córas nua bunaithe ag Pairlimint Londan, córas na scoileanna náisiúnta, ach mar a chonaic muid roimhe seo, bhí Raiftearaí go mór in amhras faoin ngréasán nua Stáit sin mar go raibh faitíos air go gcasfadh sé na Gaeil ar an gcreideamh gallda. Sa dán seo, tá sé ag cur ábhar teagaisc ar fáil dá phobal. Ríomhann sé scéal Íosa Chríost agus na míorúiltí éagsúla atá luaite sa mBíobla leis:

> Le beagáinín lóin a riar tú na céadta,
> agus rinne tú fíon den uisce le do sméideadh,
> thóg tú Lasaras a raibh úir agus cré air
> agus thóg tú an t-aspal den tine gan léas air.

Níos faide anonn, cuireann sé síos ar an suipéar deireanach agus ina dhiaidh sin, daoradh Íosa chun báis. Agus ní i nGaeilge chrua, chasta a chuireann sé síos ar na heachtraí sin, ach i ngnáthchaint an phobail, rud a thug deis dóibh drámatúlacht agus daonnacht na n-eachtraí a bhain le scéal Chríost a bhlaiseadh agus a thuiscint ar leibhéal na mothúchán:

> Trí bliana eile ón teach go chéile,
> ag teagasc aspal is dá gcur faoi shéala,
> is fada an troscadh a rinne tú ar aon chuid,
> glóir go deo agus buíochas dá réir leat,
> gur chaith tú leo an suipéar déanach
> is gur imigh tú uathu i gcolainn daonna.
> Is crua an coiste a chuaigh de léim ort,
> Pointias Píoláit, Cáifas is Héaród,
> Is iomdha seile a buaileadh in sa mbéal ort,
> agus púicín siar le ball séire.

Is beag pobal eile i gConnachta seachas muintir an Achréidh a raibh véarsaíocht nuachumtha den chineál seo á cruthú dóibh i nGaeilge sa gcéad leath den naoú haois déag. Cainteoirí aonteangacha Gaeilge a bhí i bhformhór na seanghlúine i gConnachta an uair sin. Bhí eolas ag daoine níos óige ná sin ar an mBéarla, ach is i nGaeilge a bhí siad ag cumarsáid ina measc féin. Bhí Raiftearaí ag labhairt leo mar a labhraíonn *rappers* an lae inniu lena bpobal imeallach ar shráideanna Londan, sna *projects* ar imeall Detroit agus sna túir arda in *banlieues* Páras – ina gcanúint cheilte, neamhoifigiúil, neamhchaighdeánach féin.

Chuir sé síos ar Chríost féin mar dhuine de mhuintir an phobail, díreach mar a rinne péintéirí na hÍsiltíre ar nós Breughel Íosa a athlonnú ina measc féin, i dtírdhreacha agus i mbailte a dtíre féin, agus é a ghléasadh in éadach agus i bhfaisean an 16ú haois.

Nuair a chloiseadh lán tí i gCeapaigh an tSeagail nó ar bhruach Chill Tartan caint ar charachtar bocht cráite, ar *iomdha seile a buaileadh sa mbéal air*, thuig siad cás an Chríost sin i bhfad níos fearr ná an leagan oifigiúil, diaga a chuireadh an sagart i láthair sa séipéal agus é ag dordántacht leis i Laidin nár thuig mórán duine ar bith den chosmhuintir.

Cé gur duine é Raiftearaí a bhí tugtha don ól, cé nach mbíodh leisce air cáil daoine eile a stróiceadh as a chéile, cé gur admhaigh sé féin go bhféadfaí peaca na drúise a lua leis, cé go bhféadfaí seicteachas neamhbhalbh, de réir tuiscintí an lae inniu, a chur ina leith, ina dhiaidh sin agus uile, tá blas láidir láidir na macántachta ar na ráitis phearsanta a rinne sé faoina shaol spioradálta féin agus ar na tuairimí a bhí aige faoin gCríostaíocht. B'fhairsing an t-eolas a bhí bailithe aige faoi scéalaíocht agus *dramatis personae* an Bhíobla. Is léir go ndeachaigh an ghné spioradálta sin dá phearsantacht agus dá shaothar i gcion ar an bpobal. Ó tharla gur file a bhí ann, bhí an iarsma sin den stádas a bhain leis an ngairm fós beo i measc na nGael. Agus mar phearsa poiblí a d'fhéach le treoir spioradálta a chur ar a phobal ar bhealach a chuaigh i gcion ar shamhlaíocht na ndaoine, ní haon iontas go raibh an tuairim ann gur duine beannaithe é Raiftearaí ar a bhealach féin. Ní haon ionadh mar sin gur airigh daoine go raibh rud éicint osréalaíoch ag baint leis an gcaoi ar imigh an file siúil den saol.

I mí na Nollag na bliana 1835, tháinig Raiftearaí go Creachmhaoil.

Bhí sé tar éis tréimhse tinnis a chur de díreach roimhe sin agus é
ag fanacht le cairde i mbaile na Gaillimhe. Bhí na pingeacha gann
agus bhí ábhairín airgid amuigh air sa gceantar. Buaileadh tinn in
athuair i gCreachmhaoil é agus fuair sé lóistín i scioból Dhairbí
Uí Chluanáin, lámh leis an sráidbhaile. Chaith sé coicís ansiúd,
ag saothrú an bháis, dar le seanfhear a thug cur síos ar laethanta
deireanacha an fhile do Lady Gregory, nuair a chuaigh sí i mbun
taighde breis agus leithchéad bliain ina dhiaidh sin:

> He had no pain; only his feet were cold, and the boys used
> to be warming a stone in the fire and putting it to them in
> the bed. My mother wanted to send to Galway, where his
> wife and daughter and his son were stopping, so that they
> would come and care for him; but he wouldn't have them.
> Someway he didn't think they treated him well.

Oíche Nollag a cailleadh é, de réir an chainteora mná ar labhair Lady
Gregory léi i gCill Fhínín, an áit a cuireadh an file; lá Nollag a bhí
ann, dar leis an staraí James Hardiman. Pé ar bith cén lá a bhí ann,
bhí daoine den tuairim go raibh beannacht ar leith ar an bhfile mar
gur cailleadh faoi Nollaig é.

Ní raibh cead bheith ag obair lá Nollag, agus níor déanadh an
chónra go dtí lá 'le Stiofáin. Tosaíodh ar uaigh a chartadh dó i reilig
Chill Fhínín an mhaidin sin, ach cuireadh moill ar an obair mar go
raibh cloch mhór sa mbealach. Faoin am a raibh an uaigh cartaithe
agus an chónra déanta, bhí an oíche ag druidim isteach. Bhí cuid
de na daoine ag iarraidh fanacht go dtí an lá dar gcionn, ach chuir
máthair na seanmhná a labhair le Lady Gregory brú orthu coinneáil
orthu:

> But my mother – the Lord have mercy on her – had a great
> veneration for Raftery; and she sent out two mould candles
> lighted; for in those days the women used to have their
> own mould, and to make their own candles for Christmas.

And we held the candles there where the grave is, near the gable end of the church; and my brother went down in the grave and got the stone out, and we buried him. And there was a sharp breeze blowing at the time, but it never quenched the candles or moved the flame of them, and that shows that the Lord had a hand in him.

Is i gCreachmhaoil a tháinig deireadh leis an aistear saoil ar cuireadh tús leis sé bliana déag agus dhá scór roimhe sin i gCill Liadáin. Ach má bhí an file féin ina thost, bhí na véarsaí a chum sé ar eolas de ghlanmheabhair anois ag na céadta daoine ar fud an Achréidh. Is anuas ó na daoine sin, lucht éisteachta Raiftearaí a chuala na véarsaí ó bhéil an fhile féin, a tháinig breis agus leithchéad dán agus amhrán. Coinníodh beo iad trí chuid de na blianta ba dheacra a chonacthas mórán riamh i gConnachta, an tréimhse dhorcha sin a dtugtar An Gorta Mór air. Ach bhí ainm eile ag an dream a mhair trí bhlianta sin an uafáis ar an tréimhse, ainm a thugann le fios a dheacra is a bhí sé fiú labhairt ar an anró a bhí feicthe acu: aimsir an drochshaoil.

18

ÓLAIDH AS LÁIMH ANOIS
SLÁINTE RAIFTEARAÍ

Ach anois níl gar ag trácht air,
tá an t-oidhre i bhfad ó bhaile,
agus ní fhillfidh sé go brách,
an fhad is bheas Gaeilge i nGaillimh.

AMHRÁN CHILL CHLUAINE

CÉ GO RAIBH CRUATAN AGUS CORRLÁ ocrais feicthe ag
Raiftearaí lena shaol, níor thada é le hais na tubaiste a bhuail
an pobal a d'fhág sé ina dhiaidh sna blianta a lean a bhás sa
mbliain 1835. Aon bhliain déag i ndiaidh dó féin bheith sínte i gcré
na cille, bhí daoine ag titim ar thaobh na mbóithríní mar a bheadh
míoltóga ann, ar fud Chonnacht agus ar fud na hÉireann. Ní gan
chúis a tugadh 'aimsir an drochshaoil' ar an tréimhse.

Ba mhór an t-athrú poirt ag na Callanáin é agus iad ag roghnú
ábhair le véarsa a dhéanamh air. Bhí deireadh le glór an fheilméara
bhródúil a chuir síos ar a ghabháltas torthúil sa dán a chum Marcas
i 1825:

Is de mo bharr bhíos glaoch ar mhuca,
Ag mná is ag páistí méadaíonn pluca

Cailleadh Marcas Ó Callanáin i 1846. An bhliain chéanna sin, chum a dheartháir Peatsaí *Na Fataí Bána,* cur síos ar an gcás inar fágadh muintir na tuaithe nuair a theip ar an mbarr a raibh siad ag brath air mar bheatha:

Nach é seo an scéal docharnach ag tíocht an Fhómhair,
An t-údar bróin dúinn agus briseadh croí,
An bheatha a chleachtamar i dtús ár n-óige,
Bheith lofa dreoite gan mhaith gan bhrí.

Níorbh é an chéad uair é ag Connachtaigh bás a fháil den ocras agus ní bheadh sé ar an uair dheireanach ach oiread. Ach de réir a chéile, tháinig na daoine chucu féin. Dóibh siúd nár scuab rabharta an ghorta chun na huaighe iad nó rabharta na himirce anonn go Meiriceá Thuaidh nó go Sasana, tháinig feabhas áirithe, de réir a chéile, ar an saol in athuair. Thosaigh daoine ag cur suime arís sna hoícheanta áirneáin, sa seanchas agus sa bhfilíocht a bhain riamh leis an saol sóisialta faoin tuath.

Bhí formhór cainteoirí Gaeilge fós neamhliteartha ina dteanga féin, cé go raibh léamh agus scríobh, agus go deimhin labhairt an Bhéarla ag dul i dtreise. Bhí spreagadh breise anois ann don tuismitheoir a bhí ag tógáil clainne don bhád bán agus don duine óg a bhí á réiteach féin lena bhealach a dhéanamh thar lear, i dtír a raibh an Béarla mar ghnáththeanga inti. Bhí daoine muinteartha ag mórán chuile theaghlach i gConnachta i Sasana agus i Meiricéa, daoine a chabhródh leis an imirceach óg a chois a chur i dtaca agus a bhealach a dhéanamh sa saol a bhí roimhe i bhfad ó bhaile.

Ach má bhí an pobal ag díriú go díograiseach ar an mBéarla a fhoghlaim, agus diaidh ar ndiaidh ar an nGaeilge a chaitheamh ar leataobh, bhí daoine árithe ann ar fud an chontae a raibh suim i gcónaí acu i gcultúr na seanteanga, idir léamh agus scríobh. Sa mbliain 1844, mar a dúradh cheana, díreach sular bhuail tubaiste an ghorta an tír, chuir aistritheoir agus foilsitheoir darbh ainm Keely bileog bailéad dhá dhán le Raiftearaí, mar aon le leaganacha Béarla i gcló. Díoladh an bhileog bailéad sin ag aontaí thart ar Chontae na Gaillimhe. *Aithrí Raiftearaí* agus *An Cholera Morbus* na dánta a bhí i gceist agus leagadh amach mar dhán amháin iad. Chuaigh an leagan dátheangach sin isteach sa traidisiún beo agus bailíodh leagan de ó bhéal i mBaile Chláir sa mbliain 1942.

Cé nach raibh mórán athrú ar rátaí litearthachta na cosmhuintire ina dteanga dhúchais, faoi lár an naoú haois déag agus ina dhiaidh, bhí tionchar na scoileanna náisiúnta le feiceáil ar an bhfás a bhí ann ar litearthacht an Bhéarla. Aisteach go leor, is í an scil sin sa mBéarla scríofa a chabhraigh le hoidhreacht Ghaeilge Raiftearaí a choinneáil beo: blianta beaga i ndiaidh a bháis i 1835, tháinig modh oibre nua chun cinn maidir le dúchas an fhile a chaomhnú: thosaigh daoine ag breacadh a chuid filíochta de réir fuaime, i gcóras scríbhneoireachta an Bhéarla.

Is iad an ghlúin nua scríobhaithe sin a raibh léamh agus scríobh an Bhéarla acu, cé nach raibh siad liteartha sa nGaeilge, an chéad dream a d'fhéach le saothar Raiftearaí a bhuanú, ar bhonn cuimsitheach, do na glúnta a bhí le teacht. Bhreac siad na dánta síos ó bhéal cainteoirí a raibh eolas acu ar an ábhar, nó óna gcuimhne féin. Chóipeáil cuid acu ó obair scríobhaithe a chuaigh rompu, cuid acu siúd, b'fhéidir, a bhreac síos véarsaí Raiftearaí lena linn féin. B'fhéidir go raibh duine nó beirt ina measc siúd a scríobh síos an fhilíocht ó bhéal an fhile féin, cé nach bhfuil cruthúnas ar bith againn gur tharla sé sin.

Duine de na chéad daoine a tharraing an modh oibre nua chuige féin ná William Duggan ón Móinteach, lámh le Baile Chláir na Gaillimhe. Sa mbliain 1864, dhírigh sé ar réimse leathan de litríocht bhéil a cheantair dhúchais a bhreacadh ar phár, i bhfogharscríobh Béarla. Tá fáil i Roinn Bhéaloideas Éireann ar leaganacha a bhreac Duggan de réimse leathan amhrán agus dánta, naoi bpíosa le Raiftearaí ina measc. Thug daoine eile faoin obair chéanna: i measc na seoda atá ar fáil i mbailiúchán Roinn Bhéaloideas Éireann i mBelfield tá leagan de *Seanchas na Sceiche* agus é breactha ó thús deireadh i bhfogharscríobh Béarla ag fear darbh ainm Tomás Raftery.

Shanocoss No Skehee an teideal atá aige air agus is mar seo a thosaíonn sé:

> Traa fee loonaso bo yosso horlo,
> Ar wourd Raacun agus ea go maor a bosdoc...

Taighdeoir díograiseach eile a bhí gníomhach in oirthear na Gaillimhe sa dara leath den naoú haois déag ná Seán Mag Fhloinn, nó Seán mac Phádraig mhic Sheáin mhic Mhaolsheachlain mhic Mhicheáil Mag Fhloinn mar a thugann sé air féin i lámhscríbhinn amháin dá chuid, 'ó Mhóinín an Chumair, idir Cnoc Muaidhe is Cnoc Fhinnbhearra Mheá, Cnoc Tuaighe is Tulaigh Bhéal Chláir'. Múinteoir Gaeilge i gColáiste Iarlatha i dTuaim a bhí ann, chomh maith le bheith ina eagarthóir ar cholún Gaeilge sa *Tuam News* ar feadh scór blianta. De bharr díograis na ndaoine sin, agus scríobhaithe eile ar nós Laicigh Ó hÉimhigh, duine de na scríobhaithe a thug faoin obair thall i Meiriceá, agus Micheál Ó Síoda ón bPáirc Gharbh, Carn Mór, fear nár oibrigh mar scríobhaí é féin ach a chuir bailiúchán tábhachtach seanscríbhinní i dtoll a chéile, ábhar a chóipeáil bailitheoirí béaloideasa sna 1950idí, tháinig amach is isteach le leithchéad píosa de chuid fhile Chill Liadáin anuas chugainn. Ní ag brath ar lámhscríbhinní, ar ndóigh, a bhí gach dán agus amhrán dár chum Raiftearaí le teacht slán ón díchuimhne. Scaip riar maith acu sa traidisiún béil ar fud Chonnacht. Cuireadh cuid eile i gcló.

I dtús na fichiú haoise, cheap an fear a bheadh mar chéad Uachtarán ar Éirinn samhail bhreá den tionchar a bhí ag Raiftearaí ar chultúr a mhuintire:

> Nuair caitear cloch i n-uisge, corruightear an t-uisge. Tuiteann an chloch go dtí an tóin agus luigheann sí ansin, acht a bhfad tar éis a tuitime maireann gluaiseacht an uisge agus cítear ar a uachtar an tonn do thóg an chloch.

Agus é ag cur síos ar an gcaoi ar chuir sé eolas ar Raiftearaí, céim ar chéim, ríomhann de hÍde sampla spéisiúil den bhealach ar leathnaigh cáil an fhile tar éis a bháis. Casadh fear dall ar de hÍde lá agus é amuigh ag siúl lámh leis an gCarraig Dhubh, taobh ó dheas de Bhaile Átha Cliath. Fuair an taighdeoir díograiseach amach agus é ag comhrá leis an bhfear go raibh Gaeilge aige, go mba Gaillimheach é agus go raibh eolas aige ar Raiftearaí. Mhol sé do de hÍde cuairt a thabhairt ar Chreachmhaoil agus tuairisc Dhiarmaid Uí Chluanáin a chur, mar gur ina theach siúd a cailleadh Raiftearaí. Agus de réir cur síos an daill, ní údar iontais ar bith do Raiftearaí é gur sa teach sin a d'imigh sé den saol seo:

Is san tígh sin fuair an Reachtabhrach bás, agus bhí fhios aige seacht mbliana roimhe sin, cad é an áit agus an teach agus an lá agus an uair do bhí i ndán dó bás fhagháil.

Cé nach dtugann de hÍde in iúl gur píosa béaloideasa atá sa méid sin, is maith an sampla é den chaoi a raibh miotas Raiftearaí ag fás agus ag forbairt. Pátrún é sin atá le feiceáil sa seanchas i gcás filí go leor eile ar fud na hÉireann.

Ina leabhar cumasach, *An File*, déanann an sárscoláire nach maireann, Dáithí Ó hÓgáin cur síos ar na cineálacha scéalta atá ar fáil i dtraidisiún na hÉireann faoi na filí agus an mianach osnádúrtha a bhaineann le bua na filíochta. Tá trácht ina leabhar, cuir i gcás, ar shuíomh bhua na filíochta i gcolainn an fhile. Is cosúil go n-eascraíonn an leagan cainte 'féith na filíochta' ón bhfocal a chuireann síos ar chuid fhisiciúil den chorp: *vein, sinew, nerve agus fibre* cuid de na bríonna a luann Foclóir an Duinnínigh leis an bhfocal féith.

Luann Ó hÓgáin leaganacha éagsúla de scéal a thugann le fios go raibh féith i gcúl a chinn ag Raiftearaí (i leataobh a chinn a bhí sí, de réir leagain eile) agus nuair a bhí sé ag iarraidh dreas filíochta a chumadh, ní raibh le déanamh aige ach méar a leagan ar an bhféith. Bhí leagan eile den scéal sin luaite leis an gcumadóir ceoil agus amhrán Toirdhealbhach Ó Cearbhalláin ach gur ar a bhaithis a leagadh sé siúd a ordóg leis an sruth cumadóireachta a chasadh ar siúl.

Tá scéalta eile ar fáil faoi mhallachtaí a chuir Raiftearaí ar dhaoine agus an dochar a rinneadh dóibh: chuir sé mallacht ar ghabha i gCreachmhaoil, i ndiaidh don fhile a asal a thabhairt chuige le go gcuirfí dhá chrú faoi. Rinne an gabha ciseach den jab agus ba ghearr go raibh an t-asal bacach. Nuair a leag Raiftearaí lámh ar na crúite, thuig sé an chúis leis an asal a bheith bacach:

'Bhuel,' a deir Raifteirí, 'tá mise caoch, is go bhfeice Dia Donohoe caoch!'

Agus go deimhin is mar sin a tharla, a deir an scéal – chaill an gabha radharc na súl.

De réir mar a thréig muintir an Achréidh an Ghaeilge, tháinig míthuiscintí chun cinn maidir leis an mbrí a bhí le baint as a chuid véarsaí. Scaipeadh rannta leathdhearmadta i measc an phobail agus le himeacht ama, ba chuid de scéalta nua béaloideasa iad.

Is mar sin a tharla i gcás an dáin *Seanchas na Sceiche*:

Raftery, the Irish poet, was travelling between Kilcolgan and Craughwell. A heavy shower of rain fell, and he went under a bush for shelter. After a while the bush began to leak down on top of him. He stood out from the bush, and made a terrible curse in Irish down on top of it. The bush never blossomed green since and is still sound. From that day to this, it is known as a 'Sceach Seirgthe'.

Is ag tagairt don cheathrú i dtosach *Seanchas na Sceiche* atá an scéilín sin, an áit a ligeann Raiftearaí racht feirge uaidh faoin gcaoi nár shábháil an sceach é ó bheith báite go craiceann nuair a chuaigh sé ar a fhoscadh fúithi, oíche stoirme. Agus cé gurbh é ceantar Áth Cinn a luaigh an file féin mar fhód dúchais na sceiche, rinne an béaloideas an tom bocht a athlonnú i ndeisceart an chontae. Bhailigh Lady Gregory leagan eile den scéal céanna ach gur lámh le Ráth Asáin a bhí an sceach ag cur fúithi sa gcás sin.

Cás eile inar spreag véarsa de chuid Raiftearaí scéal faoi i ndiaidh a bháis ná an chéad véarsa den dán a dtugann Ciarán Ó Coigligh *Achainí Raiftearaí ar Íosa Críost* (*An Cholera Morbus* a thugann de hÍde air). Is mar seo a chum an file an chéad cheathrú:

A Íosa Críost agus a Rí na nGrásta,
a chruthaigh an talamh, neamh agus Párthas,
a dhoirt do chuid fola i gcrann na Páise,
sábháil sinn ar an gCholera Morbus.

Leagan truaillithe den véarsa sin a bhí i gceist leis an scéal Béarla a bailíodh mar chuid de Scéim na Scol i 1937:

During the course of Raftery's travels through Galway he came on a village in the south of Gort called the 'Bléantracha Buí'. A severe fever was raging in the village at the time. He went into a house which was not already fever-stricken. On entering the house he prayed as follows: 'A Íosa Críost, a Dhia na ngrásta, A thug chun an talaimh sin neamh agus parthas, Sábhail sin ón ngalar marbhás!'

Tá riar maith ábhair den chineál sin fós ar fáil sa traidisiún béil i gContae na Gaillimhe agus i gContae Mhaigh Eo, anuas go dtí an lá inniu féin. Bailíodh scéalta a thug le fios go raibh smacht ag Raiftearaí ar na francaigh, cumhacht a luaitear go minic leis na filí sa mbéaloideas.

Ach an oiread le Toirdhealbhach Ó Cearbhalláin, is iad na daoine maithe a bhronn air an bua eisceachtúil cruthaitheachta a bhí aige, mar a luadh cheana.

Ar bhealach, ní hábhar iontais é go bhfuil a leithéid sin de scéal ann faoi mar gur taobh le lios fíorálainn, agus fíor-neamhghnáthach a tógadh an file: An Lios Ard, atá suite díreach idir Teach Mór Chill Liadáin agus an Seanbhaile, an áit a raibh an bothán tí ag muintir

Raiftearaí. Ar mhullach cnocáinín atá thart ar fiche méadar ar airde atá an lios: go deimhin, clúdaíonn an lios barr an mhulláin ar fad agus sleasa an chnoic ag dul le fána géar ina thimpeall síos ar chuile thaobh. Caithfidh go raibh sé ar cheann de na dúnta beaga ba shábháilte in Éirinn nuair a chuir na chéad áitritheoirí fúthu ann, cúpla céad bliain roimh aimsir Chríost. Timpeall thart ar bharr an chnocáinín, tá ciorcal crann caorthainn ag fás, agus de bharr iad bheith chomh hard ón gcuid eile den talamh timpeall, bíonn sioscarnach seasta ann i nduilliúr na gcrann os cionn an leasa. Tá amharc aoibhinn uaidh siar ó dheas ar an machaire a dtugann an file 'Plánaí Mhaigh Eo' air sa dán a chum sé faoina bhaile dúchais. Áit dhraíochtúil atá ann ar mhullach an Leasa Aird, *san áit a chaith mé céad lá sínte,* mar a deir an file. Ba dheacair lios níos deise in Éirinn a shamhlú le bua na filíochta a bheith bronnta ar dhuine.

Agus de bharr an bua a bheith ann go tréan, ní bhíodh leisce ar Raiftearaí an fhilíocht chéanna a chosaint ó dhaoine nár thug leo go cruinn í. Tá scéalta ann a bhaineann le holc a bheith air nuair a chuala sé gréasaí ag aithris a chuid filíochta agus ag tabhairt leagan míchruinn den dán uaidh. Bhris Raiftearaí siosúr an ghréasaí ina smidríní, á rá go raibh seisean ag milleadh obair cheardaíochta an ghréasaí mar dhíoltas ar an drochmheas a bhí aige siúd ar cheardaíocht an fhile. Bailíodh leagan eile den scéal céanna i gCathair Dhónaill i gContae Chiarraí, ach ní luaitear ainm an fhile sa gcás sin.

Más é Seaghán Ó Cealla an chéad duine le Raiftearaí a chur i láthair mar phearsa litearta, níorbh é an duine deireanach é. Sa mbliain 1902, cuireadh gearrdhráma de hÍde, *An Pósadh* ar an stáitse den chéad uair ag Feis na Gaillimhe. Bhunaigh an Craoibhín Aoibhinn an dráma ar an dán *Bainis an tSleacháin Mhóir.* Tá beirt ag pósadh atá beo, bocht. Tagann Raiftearaí i láthair agus casann sé ceol dóibh. Meallann a chuid ceoil isteach aíonna eile, a thugann leo bronntanais bhreátha don lánúin bhocht. Ag deireadh an dráma, faigheann an comhluadar amach gur cailleadh Raiftearaí seachtain roimhe sin agus gur taibhse a chas an ceol.

Is é de hÍde féin a rinne páirt Raiftearaí ag an gcéad léiriú, mar go raibh an t-aisteoir a bhí ceaptha é a dhéanamh tinn. Bhí an-ghlacadh leis an dráma. Nuair a foilsíodh leagan Béarla de i mBoston i 1910, fuair saothar An Chraoibhín an-mholadh san iris liteartha *The North American Review*:

> No greater dramatic talent has arisen among the young Irishmen of the late Celtic Renaissance that that of Douglas Hyde. His little dramas are closer to the earth than those of William Butler Yeats and nearer to the life of the people, while in characterization, charm of imagery, and tenderness of conception they outrank his.

Cuireadh an-suim i mórshaothar de hÍde, *Abhráin agus Dánta an Reachtabhraigh*, nuair a foilsíodh den chéad uair é ina eagrán dátheangach sa mbliain 1903. Bhí gá ag an am an t-ábhar a chur ar fáil i bhfoirm dhátheangach, mar go raibh líon na nGael a raibh léamh agus scríobh a dteanga féin acu fós an-bheag. Bhí dóchas ag de hÍde go mbeadh an obair aistriúcháin mar a bheadh droichead ann le heolas a scaipeadh ar dhéantús Raiftearaí agus le daoine a spreagadh leis an teanga a fhoghlaim agus na bunsaothair a bhlaiseadh mar a chuir an file de iad an chéad lá. Is mór an seans gur spreagadh roinnt daoine leis an obair sin a chur i gcrích, ach cuireadh an-suim sna haistriúcháin iontu féin chomh maith. Mar a chonaic muid i gcás *Eanach Dhúin*, rinne cuid de leaganacha Béarla de hÍde a mbealach isteach sa traidisiún béil.

Is léir go raibh ceannach ar an mbileog a foilsíodh in 1844 agus is léir chomh maith go ndeachaigh sí i bhfeidhm ar an traidisiún béil, mar nuair a tháinig leabhar de hÍde ar an saol, agus nuair a chonacthas an dá dhán a bhí leagtha amach mar dhán amháin ar an tseanbhileog agus iad anois scartha óna chéile, bhí daoine ag tabhairt amach agus a rá gur dán amháin a bhí i gceist leis an bpéire, agus gur mar sin ba cheart iad a bheith leagtha amach sa leabhar.

Thairis sin, bhí an-tóir ar leabhar de hÍde. Bhí blas ar leith ar an mBéarla a bhí ar fáil sna haistriúchán ann, agus spreag an chanúint idir-eatarthu sin samhlaíocht lucht na n-ealaíon in Éirinn ag an am, agus iad an-tógtha cheana féin leis an náisiúntacht chultúrtha, gluaiseacht a bhí go mór sa bhfaisean ar fud na hEorpa.

Bliain an-mhór a bhí sa mbliain 1903 maidir le heolas ar shaol agus ar shaothar Raiftearaí a scaipeadh – is sa mbliain chéanna sin a tháinig leabhar Lady Augusta Gregory, *Poets and Dreamers* ar an saol. Sa gcaibidil a dhírigh ar fhile Mhaigh Eo, insíonn Lady Gregory an scéal cáiliúil faoin lá a raibh sí ar cuairt ar Theach na mBocht i nGort Inse Guaire, i ndeisceart Chontae na Gaillimhe. Chuala sí beirt sheanbhan ann ag sáraíocht faoina rogha file – Raiftearaí nó 'Callinan' (is mar dhuine amháin a luadh saothar Mharcais agus Pheatsaí). Spreag an comhrá sin an Bhantiarna le breis taighde a dhéanamh, rud a rinne sí go díograiseach.

Is í Lady Gregory chomh maith a shocraigh go gcuirfí leac bhreá os cionn uaigh Raiftearaí i reilig Chill Fhínín, lámh le Creachmhaoil, trí bliana roimh fhoilsiú a leabhair. I measc an aosa dána i láthair ag an ócáid a d'eagraigh sí leis an leac a nochtadh ar an 26ú Lúnasa 1900, bhí a dlúthchara Dubhghlas de hÍde agus an scríbhneoir agus ceoltóir Edward Martyn, comharsa le Lady Gregory, Caitliceach saibhir, agus fear a bhí páirteach chomh maith i mbunú cuid mhaith tograí cultúrtha in Éirínn i dtús na fichiú haoise, ina measc Amharclann na Mainistreach, an Fheis Cheoil, an Cór Palestrina, agus an chéad cheardlann gloine daite in Éirinn, An Túr Gloine. Bhí an file WB Yeats i láthair i reilig Chill Fhínín chomh maith; an bhliain roimhe sin, bhí aiste faoi Raiftearaí faoin teideal *Dust Hath Closed Helen's Eye* foilsithe aige. Bhí a dhearthair, an péintéir Jack B Yeats ar an bhfód chomh maith céanna, i gcomhluadar John Quinn, aturnae GaelMheiriceánach agus fear a bhí ina phátrún tábhachtach ina dhiaidh sin ar litríocht agus ar nua-ealaín Angla-Éireannach. Seo é an cuntas atá ag an staraí ealaíne Hilary Pyle ar an ócáid i gCill Fhínín ina leabhar sise, *Jack B Yeats: A Biography:*

The road was busy with some one hundred side cars and other vehicles...Five or six hundred people were gathered for the ceremony. From the audience, WB, Jack Yeats and Quinn watched the performers mount the raised platform where Douglas Hyde, Edward Martyn and Lady Gregory sat beneath the green banner with Raftery's image on it: local people competed for prizes in Irish singing, reciting of poems, and storytelling in the Irish tongue, for dancing, flute playing and fiddling. One old man had to be persuaded to go up to speak. He had been present at Raftery's death. He spoke in Irish, gesticulating with a blackthorn stick. The feis continued until after nightfall when Lady Gregory and her friends climbed on to two sidecars and travelled to Coole in the dark night.

Sa mbliain 1916, cheannaigh WB Yeats foirgneamh a bheadh mar theach samhraidh sa gceantar aige ar feadh blianta maithe ina dhiaidh sin. I mbaile dúchais an Phabhsae Ghléigil, Máire Ní Eidhin, a bhí an foirgneamh suite agus *Thoor Ballylee* a thug an t-úinéir nua air. Túr álainn Normanach é agus teach ceann tuí lena thaobh, é suite i ngleanntáinín coillteach, cúlráideach. Chóirigh Yeats é mar fhéirín dá bhean, de réir an véarsa a fuair sé greannta i gcloch le crochadh ar thaobh an túir:

I, the poet William Yeats,
With old mill boards and sea-green slates,
And smithy work from the Gort forge,
Restored this tower for my wife George;
And may these characters remain
When all is ruin once again.

Agus an fhilíocht a chum Yeats ag dul i bhfeidhm ar léitheoirí Béarla i bhfad is i ngearr, bhí an-tóir i gcónaí ar amhráin Raiftearaí sa traidisiún béil in oirthear na Gaillimhe. Agus í ag scríobh réamhrá dá cnuasach *Amhráin Mhuighe Seóla* a tháinig uaithi sa mbliain 1925, dúirt Eibhlín Bean Mhic Choisdealbha an méid seo:

The songs most popular still in Connacht are those of the poet Raftery, who died in 1835. It is really wonderful how this poor blind fiddler poet has set all Connacht singing for the past hundred years, and is likely to continue so doing as long as the language lasts.

Tar éis Chogadh na Saoirse agus bunú an tSaorstáit, tháinig cor eile i scéal Raiftearaí: thosaigh na scoileanna náisiúnta ag cur lena cháil ar fud na tíre. Agus é féin ag caitheamh anuas go tréan ar na scoileanna náisiúnta céanna, aimsir a mbunaithe, is beag a cheap an file siúil go dtiocfadh an lá go mbeadh gasúir na tíre ag déanamh staidéir ar a chuid véarsaí iontu. Ach is mar sin a tharla. Nuair a féachadh le curaclam Gaeilge a dhréachtadh ó bhonn agus le córas na scoileanna náisiúnta a úsáid le tabhairt faoin nGaeilge a thabhairt ar ais do mhuintir na hÉireann, 'to beat the Irish back into us after the English had beat it out' mar a dúirt mo sheanmháthair liom fadó, roghnaíodh corrphíosa le Raiftearaí mar ábhar staidéir. Is ar an gcaoi sin a scaip an liric *Cill Liadáin (Cill Aodáin)* agus *Mise Raifteirí an File* ar fud na tíre. Go deimhin, bhí an dáinín *Mise Raifteirí* chomh mór ina chuid de chuimhní mhuintir na hÉireann ar a gcuid laethanta scoile faoi bhlianta deireanacha na fichiú haoise gur cuireadh véarsa den dán san áireamh in íomhá de sheomra scoile ar chúl an nóta cúig phunt Éireannach a dhear an t-ealaíontóir Robert Ballagh is a d'eisigh Banc Ceannais na hÉireann in Aibreán na bliana 1994.

Saothar a chuaigh i gcion ar phobal i bhfad níos leithne ná dráma de hÍde é an t-úrscéal *Blind Raftery and His Wife Hilaria* le Donn Byrne, a foilsíodh i Nua-Eabhrac agus i Londain sa mbliain 1924. Éireannach a bhí in Byrne, scríbhneoir raidhsiúil a raibh rath mór i Meiriceá air i dtús na fichiú haoise. Asamhlú raidiciúil de shaol agus de shaothar Raiftearaí atá san úrscéal – is beag baint atá ag an scéal le fíricí stairiúla a shaoil. Cumasc atá i gcarachtar Byrne de Raiftearaí agus de Toirdhealbhach Ó Cearbhalláin – cruitire atá ann, agus is ar muin capaill a théann sé timpeall na tíre. Bean Spáinneach atá mar

chéile aige agus baineann an scéal leis an aistear a thugann an file dall
air féin agus é ag iarraidh onóir Hilaria, a bhean chéile, a chosaint.
Is mó an gaol atá ag an saothar le méaldrámaí Donn Boucicault ó
thaobh stíle agus ábhair de ná véarsaíocht Raiftearaí. Is mar seo a
leanas a labhraíonn an file dall lena bhean chéile nuaphósta agus é ag
míniú di faoin saol atá aige mar dhuine dall: má tá na súile gan solas,
tá an dá chluais atá air thar barr:

"..And close to the earth in the darkness, Hilaria, I can hear
the earth's heart beating, the warm generous heart of the
earth pulse with the strokes of a round brazen bell."

"Shall I ever hear that, Raftery? Know the song the trees
sing and hear the heart," she whispered, "of our mother,
the earth?"

"Some night of June, Hilaria, when the little moon is
dying in the west, I will take you to a heather-glade, and
we will rest by some little copse of hazel-trees, and my left
arm will be about your shoulder and your right hand in
my right hand and the tall slim hazel will speak with you,
Hilaria, and under your purple coverlet of the heather,
Hilaria, you will feel our mother move in her sleep,"

"Lord, my Lord Raftery, I am not worthy," she whispered
to herself.

Dhíol an leabhar breis agus 25,000 cóip i Meiriceá agus cuireadh
cló air trí huaire déag idir dáta a fhoilsithe i 1924 agus an t-eagrán
deireanach i 1937. Ach ní i gcónaí a bhí an fháilte chéanna roimh an
saothar abhus in Éirinn. Duine amháin ar chuir scéal Byrne olc ar
leith air ná Dudley Solan, múinteoir scoile ó Choillte Mach a raibh
an-mheas aige ar Raiftearaí agus a rinne go leor i gcaitheamh a shaoil
le cuimhne an fhile a choinneáil beo. Dúirt a iníon, Betty, liom nach
ligfeadh a hathair leabhar Donn Byrne thar thairseach an tí isteach.

Cé go bhfuil úrscéal Donn Byrne as cló le fada an lá, tá leabhar
eile a bhfuil Raiftearaí luaite ann agus é aitheanta ar cheann de

mhórshaothair litríochta Béarla na fichiú haoise: *Ulysses* James Joyce. Ní mé an raibh eolas ag Dudley Solan ar an tagairt, ach má bhí, ní móide gur thaitin sé thar barr ach oiread leis. Sa rannóg *Cyclops* d'úrscéal Joyce, áit a dtugann an t-údar fogha faoi lucht an náisiúnachas cultúir, An Chraoibhín Aoibhinn ina measc, cuireann sé síos ar ghadhar a bhfuil an cumas ann filíocht a aithris:

> We are not speaking so much of those delightful lovesongs with which the writer who conceals his identity under the graceful pseudonym of the Little Sweet Branch has familiarised the bookloving world but rather (as a contributor D.O.C points out in an interesting communication published by an evening contemporary) of the harsher and more personal note which is found in the satirical effusions of the famous Raftery....

I 1952, tháinig an stiúrthóir agus scríbhneoir scannán, John Huston, go hÉirinn agus é ag iarraidh imeacht ón ngéarleanúint a bhí á déanamh ar lucht na scannán thall ag an Seanadóir Joseph McCarthy agus a fheachtas frithChumannach. Roghnaigh Huston teach breá le cur faoi ann in éineacht lena bhean, Enrica, agus a n-iníon óg, Anjelica: Teach Mór St. Cleran's i gCreachmhaoil, an áit ar tharla an t-ionsaí ar an tiarna talún James Hardiman Burke, eachtra ar crochadh Anthony Daly dá bharr.

Ba ghearr go raibh eolas curtha ag Huston ar an scéal sin agus ar chúlra an fhile a rinne comóradh ar an bhFear Ribín a cuireadh chun báis. Thosaigh an stiúrthóir mór ag obair ar script faoi shaol an fhile agus roghnaigh sé an t-aisteoir agus fonnadóir aitheanta Meirceánach Burl Ives le páirt Raifteara í a dhéanamh. Tháinig Ives go hÉirinn, agus thug an bheirt cuairt ar láithreacha éagsúla a bhain leis an scéal, ina measc Teach Mór Chill Liadáin. Is cuimhin le Betty Solan gur tháinig Burl Ives i láthair i dteach tábhairne cáiliúil Gerry Walsh, na Raftery Rooms i gCoillte Mach: má tháinig, is deacair a shamhlú gur éalaigh sé gan stéibh nó dhó a chur uaidh. Cé go raibh

Huston an-tógtha le scéal an fhile, is cosúil nach raibh sé in ann lucht an airgid i Hollywood a mhealladh le hinfheistiú a dhéanamh sa togra. Níor déanadh an scannán sa deireadh.

Mar dhuine daonna, ní raibh Raiftearaí gan locht, ach an oiread le duine ar bith riamh a shiúil clár na cruinne. Cur síos maslach a bhí ag Marcas Ó Callanáin air agus is cosúil go raibh bunús na fírinne le cuid den chur síos céanna: bhí claonadh sa bhfile siúil bheith bagrach, béalach, scéaltach, scannalach bladarach, bréagach go fiú. Agus muid ag breathnú air trí shúile na linne a maireann muid féin ann, d'fhéadfaí a rá gur duine seicteach, biogóideach a bhí ann. D'aithin Raiftearaí é féin agus d'admhaigh sé go poiblí ar a laghad cuid de na lochtanna sin. Ach is iomaí bua a bhí chomh maith aige: daonnacht ar leith, fís neamhspleách, cumas ceannaireachta, spioradáltacht íogair, acmhainn láidir grinn, agus comhbhá don duine a raibh cos ar bolg déanta air. Agus in ainneoin chuile dheacrachta, níor ghéill sé. Choinnigh sé air ag cumadóireacht go deireadh a shaoil, ag casadh na n-amhrán agus ag aithris na ndánta dá phobal. Agus nuair a d'imigh sé den saol, d'fhan na focail sin beo i measc mhuintir an Achréidh. I ndiaidh don chloch bheith caite san uisce, choinnigh an t-uisce air ag corraí.

Sa mbliain 1974, foilsíodh *Clár Amhrán an Achréidh* le Proinsias Ní Dhorchaí, scoláire a rinne catalógú ar na hamhráin ar fad ó cheantar Oirthear na Gaillimhe a raibh fáil orthu i mbailiúchán Roinn Bhéaloideas Éireann faoin mbliain 1968. Is spéisiúil an léargas atá ar fáil ann ar an eolas leathan a bhí sa gceantar ar shaothar an fhile.

I leabhar Uí Choigligh, tá aon phíosa is caoga ar fáil, cúpla ceann a bhfuil amhras ann arbh é Raiftearaí a chum san áireamh. Tá tríocha cúig píosa as liosta Uí Choigligh ar fáil i mbailiúchán Roinn Bhéaloideas Éireann – sin 68.6% de shaothar iomlán Raiftearaí. Nuair a chuimhnítear gur sna 1950idí is mó a bailíodh an t-ábhar (20 amhrán as an 35 iomlán), breis agus céad bliain i ndiaidh a gcumtha, agus nuair a chuimhnítear chomh maith go raibh an teanga inar cumadh iad ag meath go tubaisteach ar an Achréidh ag an am, is léir gur file é Raiftearaí a chuaigh i gcion go mór ar a phobal.

I mí Bhealtaine na bliana 2014, chaith mé cúpla lá ag fánaíocht thart ar dhúichí Raiftearaí: san áit ar chaith sé a óige, i gCill Liadáin, agus sa triantán in oirdheisceart na Gaillimhe ar chaith sé formhór a shaoil mar dhuine fásta. Thug mé cuairt, i gcuideachta an fhile Terry McDonagh, fear a tógadh i mbaile Chill Liadáin, ar an Teach Mór, áit a raibh muintir Taaffe i réim ann tráth den saol, áit ar fhoghlaim an file a chuid ceoil, más fíor don seanchas. Cé nach bhfuil sé ach cúpla bliain ó bhí daoine ina gcónaí ann go deireanach, tá an seanteach ag titim as a chéile. Is mór idir an bhail atá inniu air agus an slacht a bhí ar an áit nuair a tógadh na grianghraif a cuireadh i gcló i leabhar Dermot MacManus, *The Middle Kingdom*, sa mbliain 1959. San áit a raibh faichí slachtmhara agus tomacha glanbhearrtha an uair sin ann, anois tá an áit plúchta le fásra atá imithe chun fiántais ar fad.

Sheas mé féin agus Terry agus Brendan Mullaney, úinéir an chnocáin, ar mhullach an Leasa Aird, an áit ar shamhlaigh an file é féin ag síneadh le taobh Neansaí Walsh, mar a shíníodh sé é féin lá gréine is é ina leaidín óg. Bhreathnaigh muid siar agus bhreathnaigh muid soir, ag baint lán na súl as ardáin agus ísleáin Chonnacht, as portach agus ruaiteach oirthear Mhaigh Eo.

Cuma éagsúil go maith atá ar an talamh i ndeisceart na Gaillimhe: ceantar rathúil feilméireachta atá ann i gcónaí. Casadh tarracóirí móra millteacha ar na cúlbhóithre idir Cill Chríost agus Baile Locha Riach orm nach bhfeicfeá a gcineál go rómhinic thart ar Chill Liadáin.

Taobh istigh den doras i Raftery's Rest, teach tábhairne i gCill Cholgáin, áit atá ainmnithe i ndiaidh an fhile, tá portráid den fhile ar crochadh go feiceálach, íomhá a rinne an t-ealaíontóir Conamarach, Pádraig Reaney. I bhfráma eile lena thaobh, tá cuntas gairid ar fáil ar a shaol is a shaothar. Thug mé sciuird ó dheas ansin chuig Páirc na Cúile, lámh leis an nGort, baile a bhfuil pobal mór Brasaíleach ag cur fúthu ann ar na saolta seo. Is i dTeach Mór na Cúile a chuireadh Lady Gregory fáilte chaoin roimh mhaithe agus móruaisle na litríochta AnglaÉireannaí. Ach an oiread le Teach Mór Chill Liadáin, thit Teach na Cúile as a chéile i ndiaidh do Lady Gregory bás a fháil sa mbliain 1932. Leagadh sna ceathrachaidí an teach agus díoladh an chloch le tógálaí áitiúil. Ach tá an pháirc ann i gcónaí agus é i seilbh an Stáit. Tá ionad turasóireachta anois ann agus siúlóidí taitneamhacha leagtha amach i measc na gcrann a shíneann síos le huisce. D'aimisigh mé ann an crann feá ar ghearr cairde liteartha Lady Gregory a gcuid ainmneacha ann: ina measc, Yeats, Synge, O'Casey, Shaw agus an An Craoibhín Aoibhinn féin.

Thug mé aghaidh ansin ar Bhaile Uí Laoigh, fód dúchais Mháire Ní Eidhin, agus teach saoire aoibhinn Yeats, an túrtheach Normanach, Thoor Ballylee. Lámh le sráidbhaile Chreachmhaoil, tháinig mé ar scioból Dhairbí Uí Chluanáin i gCnoc an tSeanleachta, an áit ar cailleadh an file.

I reilig Chill Fhínín, ar a dtugtar Reilig na bhFilí sa lá atá inniu ann, sheas mé le taobh uaigh Raiftearaí, le hais bhinn an tseanséipéil. Ar leac na n-uaigheanna ina thimpeall, d'aithin mé sloinnte atá luaite thall is abhus sa scéal atá breactha sa leabhar seo: Cloonan, úinéirí an sciobóil inar cailleadh an file; Furey, a raibh Raiftearaí ar cuairt ina theach an oíche a ndearna Peatsaí Ó Callanáin *An Sciolladh* a aithris den chéad uair; Hynes, ar mhol an file cailín spéiriúil dá muintir.

Sínte sa reilig chéanna, tá an bheirt dearthár, Marcas agus Peatsaí Ó Callanáin. Cé nach eol dúinn go cinnte an raibh caidreamh de chineál ar bith idir an bheirt agus an file siúil i ndiaidh na coimhlinte a phléasc amach eatarthu i gcaitheamh na bliana 1828, teachtaireacht an athmhuintearais atá ar fáil ar an leacht atá socraithe le balla an tseanséipéil:

Cáirde móra ab ea na Callanáin agus an file Reaftaraigh,
agus uaireanta bhíodh díospóireacht c[h]rua ar siúl acu le

chéile. Ba cairde iad áfach ar ais arís i ndiaidh gach catha.

Choinnigh mé orm soir ar bhóthar mór an M6, tríd an droichead mór dola ag Ceapaigh an tSeagail, an áit ar thit Raiftearaí amach leis an bhfile Seán de Búrca. Anuas den bhótharbhealach arís liom nó gur thug mé aghaidh ar Eachroim, an áit ar maraíodh seacht míle saighdiúir ar lá samhraidh sa mbliain 1691. Faoi dheireadh, agus an tráthnóna ag druidim isteach, tháinig mé chomh fada le baile Chill Chonaill, an áit a mbíodh bothán ag an bhfile, de réir an véarsa drochmheasúil a rinne Marcas Ó Callanáin faoi.

Istigh Tigh Hickey, ollmhargadh beag i lár an bhaile, chuir mé tuairisc an bhotháin agus an fhile le fear scothaosta a bhí i mbun an tí. Ní raibh mórán eolais ar Raiftearaí aige agus níor chuala sé caint riamh ar an mbothán, ach rith píosa eolais leis a d'fhéadfadh bheith ina chúnamh dom. Amach ar an tsráid a thug sé mé agus dhírigh sé m'aird ar fhothrach mainistreach atá suite i bpáirc ar chúl phríomhshráid an bhaile. Proinsiasaigh a bhíodh i mbun na háite agus ba bhreá an mhainistir í, is cosúil, agus í i mbarr a réime. An fáth go raibh an tUasal Hickey ag iarraidh m'aird a tharraingt ar an bhfothrach ná go mbíodh seomra ar leith, agus doras beag ar leith isteach ann ón taobh amuigh, a bhí curtha ar fáil go speisialta ag na manaigh do lucht bóthair is bealaigh. Ní fhéadfá dul níos faide isteach sa mainistir féin ná an seomra sin agus tú ag dul tríd an doraisín, ach bhí fáil istigh ann ar fhoscadh ón mbáisteach agus ón bhfuacht. Bhíodh lóchrann crochta san oíche os cionn an dorais ag na manaigh le solas na fáilte a chur roimh an taistealaí fáin.

Ar chuala Raiftearaí trácht ar an bhfáilte sin a chuireadh manaigh Chill Chonaill roimh dhaoine ar a nós féin? Arbh in é an rud a thug go Cill Chonaill an chéad lá riamh é? An bhfuair sé dídean ann ó na stoirmeacha a réabadh ina thimpeall?

Is cosúil nach bhfuair: i ndeireadh an 17ú haois a d'fhág na Proinsiasaigh an áit, de réir an chomhartha eolais atá crochta ag geata na mainistreach. Ar chaith an file riamh oíche sa seomra sin a leag na manaigh amach don lucht siúil sular dúnadh go deo an doraisín leis na clocha agus an moirtéal atá anois ann? Cén chaoi ar tharla sé gur i gCill Chonaill a bhí prochóigín bocht de bhothán aige ar aon chaoi? An sa mbothán sin a rugadh ceachtar den dá ghasúr a bhí ag a pháirtí Siobhán, gasúir nár le Raiftearaí féin iad, más fíor don té a dúirt? Mar atá breactha agam sách minic agus mé ag scríobh an scéil seo, ní móide go mbeidh freagra na gceisteanna sin againn go brách. Mar Ghael Caitliceach, neamhliteartha, gan dídean, a rugadh i ndeireadh an ochtú haois déag, mhair an file taobh amuigh de réimeas an taifid oifigiúil Stáit.

Ach ar bhealaí go leor, sin é an tábhacht is mó a bhaineann leis: is é Raiftearaí glór an duine nach bhfuil tásc ná tuairisc oifigiúil ar bith ar fáil air in aon cháipéis Stáit. Is é glór an phobail sin é a bheadh fágtha ar easpa oideachais, ar easpa treorach agus ar easpa misnigh murach iarrachtaí an fhile siúil. Sa saol duairc, dorcha ar mhair an pobal sin ann, b'é an lóchrann ba ghile dóchas ná an véarsaíocht mhisniúil a chum dall gan dídean.

NODA

ADR: Dubhghlas de hÍde, Abhráin agus Dánta an Reachtabhraigh (Baile Átha Cliath 1933, athchló 1935, 1969)

RAD: Ciarán Ó Coigligh, Raiftearaí, Amhráin agus Dánta (An Clóchomhar, Baile Átha Cliath 1987, athchló 2000)

PD: Lady Gregory, Poets and Dreamers, Studies and Translations from the Irish, Hodges, Figgis & Co. Baile Átha Cliath, Charles Scribner's Sons, Nua-Eabhrac, 1903.

CAA: Prionsias Ní Dhorchaí, Clár Amhrán an Achréidh, An Clóchomhar, Baile Átha Cliath 1974

TLG: eag J.E. Caerwyn Williams & Máirín Ní Mhuiríosa, Traidisiún Liteartha na nGael, An Clóchomhar, 1979

THI: Daniel Corkery, The Hidden Ireland, Gill and Macmillan, Baile Átha Cliath, 1924

RBA: Nicholas Williams, Riocard Bairéad, Amhráin, An Clóchomhar, Baile Átha Cliath 1978

F na gC: Seán Ó Ceallaigh, Filíocht na gCallanán, An Clóchomhar, Baile Átha Cliath, 1967, athchló 1985

AF: Dáithí Ó hÓgáin, An File, An Clóchomhar, Baile Átha Cliath, 1982

TAGAIRTÍ

1.

1 *Mhúch Solas agus Tháinig Éiclips:* Agallamh Raiftearaí agus an Bháis, líne 210
2 **An cailín ba shine..**: Cuntas samhailteach atá sa méid seo; ní fios go cinnte an deartháireacha nó deirfiúracha a bhí ag Raiftearaí.
2 **..am éicínt i gcaitheamh na bliana 1784**: dáta bunaithe ar chuntas an staraí James Hardiman ar Raiftearaí atá ar fáil i lámhscríbhinn RIA 23, Acadamh Ríoga na hÉireann, Baile Átha Cliath, cur síos ann in RAD, lch 1
2 **Duine de mhuintir Uí Bhraonáin**: ibid.
3 *Go dtóga Peadar, go dtóga Pól,:* ní fios an raibh an ortha áirithe seo ag máthair Raiftearaí – foilsíodh é in Ó Bhaile go Baile, Learaí Ó Finneadha, Cló Iar-Chonnacht, 1993, lch 111
3 *Aspal Fionn do do leigheas:* ibid. lch 113

2.

6 **In 1882 a breacadh ar phár a thuairisc**: cuntas bunaithe ar RAD, lch 3–5.
6 **Baile cúlráideach é Oswego**: bunaithe ar eolas a bhailigh an t-udar agus é ar cuairt ar an mbaile i samhradh na bliana 2010.
6 **Bhí a fhód dúchais**: cuntas bunaithe ar RAD, lch 3–5
6 *Sa mbliain 1881, cuireadh tús*: an cuntas a leanas ar Mhicheál Ó Lócháin agus An Gaodhal bunaithe ar an iontráil faoi ar ainm.ie
6 *leabharaithris míosamhail*: ibid
8 *Oswego, an t-ochtú lá déag*: An Gaodhal, cur síos ann in RAD, lch 3–5
9 **B'as Contae Mhaigh Eo do mháthair Mhichíl Uí Lócháin**: ainm.ie
9 **Foilsíodh litir fhear Oswego**: cuntas bunaithe ar RAD, lch 3–5
9 **Dar le Ciarán Ó Coigligh**: ibid, lch 4
10 *D'éirigheas amach, lá breágh seaca san ngeimhreadh*: ADR lch 9
10 Is é an t-amhrán rithimiúil *Contae Mhaigh Eo*: ibid. lch. 10
11 *Is beag de neithibh, dar liom-sa*: ibid. lch 26
12 **Lady Augusta Gregory**: cuntas bunaithe ar alt ar ainm.ie
12 *..there is a little sadness*: cuntas bunaithe ar PD, a bhfuil sleachta uaidh ar fáil in Lady Gregory, Selected Writings, Penguin Books, Londain, 1995, lch 123
13 *'Raftery a poet, and he with bracked shins...'* ibid, lch 108
13 *For he [Raiftearaí] was sometimes accused*: ibid
13 *..he [Raiftearaí] wouldn't play:* ibid

243

14 *Rafteridh an poet agus a lurgan breac:* Tá an cuntas seo ar línte Sheáin de Búrca agus a gcosúlacht leis an dán 'Mise Raifteirí an File' bunaithe ar chuntas Chiaráin Uí Choigligh, RAD, lch 4.

14 *'...John Burke...was a good poet too,* PD, lch 107

14 *Níl maith á cheilt*..RAD, lch 122 líne 9–12

15 *Na cosa go gcaille tú:* RAD, lch 123, líne 21–8

15 *...scholars more pedantic than Hyde:* Blind Raftery, Poems Selected and Translated by Criostoir O'Flynn, Cló Iar Chonnacht, Indreabhán, 1998, lch 72

15 *'occasional quatrains':* ibid, lch 212–219

16 In Órán Mór atá mé i mo chónaí... rann a chuala an t-údar ón gcumadóir amhrán, Seán Ó Gráinne, as an Éill i ndeisceart Chontae Mhaigh Eo. Óna athair a fuair seisean an rann.

17 *...no day would* pass: The Hidden Ireland, Daniel Corkery, Gill and Macmillan, BÁC, 1924, lch 18

18 *He learned to play the violin*: Léacht neamhfhoilsithe le Dermot McManus atá i seilbh an staraí áitiúil Betty Solan i gCoillte Mach

Sular tháinig na Rómánsaigh..: http://www.britannica.com/EBchecked/topic/ 188217/English-literature/12976/The-Romantic-period

19 *Is é an chuma atá ar an scéal nach* incidental utterance *de chuid an fhile atá ann:* An tuairim a chuir Ciarán Ó Coigligh chun cinn ina leabhar siúd RAD, lch 5

3.

21 *Áras Dorcha gan Solas gan Léargas:* Agallamh Raiftearaí agus an Bháis, líne 117

21 *Níl pósae in aon ghairdín:* Tomás Ó Dálaigh, RAD, lch 130

21 Le taobh uaigh Raiftearaí: Bunaithe ar chuairt a thug an t-údar ar láithreacha a bhain le Raiftearaí, Earrach 2014

22 *Anthony Rafferty who composed...:* Lámhscríbhinn RIA 23, Acadamh Ríoga na hÉireann, Baile Átha Cliath; cur síos ann in RAD, lch 1

22 *Cén bunús atá leis an mbliain..:* ibid.

23 *B'as an gCéis..:* ibid.

23 *..chuala an staraí áitiúil as Coillte Mach, Betty Solan..:* agallamh a rinne an t-údar le Betty Solan i gCoillte Mach, Bealtaine 2014.

24 *Dar le hathair Betty Solan..:* RAD lch 1

24 *..duine de mhuintir Bhraonáin:* ARD, lch 22

25 *Tá éiginnteacht ann gur le Raiftearaí an dán:* RAD, 187. Bhí Ó Coigligh in amhras faoin dán mar go ndearna sé amach nach raibh an file ach ocht mbliana déag nuair a cumadh é. Ach má rugadh i 1779 é, bheadh ocht mbliana fichead slánaithe aige faoi 1807 seachas ocht mbliana déag, rud a fhágann go bhfuil seans ann gurbh é Raiftearaí a chum.

26 *Molfad go deo..:* An Fíodóir, line 1–4, RAD, lch 47

27 *Bhí ceann dubh catach air..*.: Agallamh Raiftearaí agus an Bháis, líne 9–16, RAD, lch 63

4.

30 *An Baile a bhFásann Gach Ní Ann*...Cill Liadáin, line 13, RAD, lch 44

30 *Is é deireadh na cainte:* ibid, lch 45, líne 71–72

30 *..ní tiarna talún a bhí i bhFrank Taaffe:* agallamh a rinne an t-údar le Betty Solan.

31 *At the end of the seventeenth century*...: Lámhscríbhinn de léacht neamhfhoilsithe a scríobh Dermot McManus, i seilbh Betty Solan.

31 *The first Taaffe, Patrick..*: ibid.

32 *He kept a pack of hounds*...: ibid.

32 *Sampla amháin é an scéal* bunaithe ar ADR, lch 46–7

33 *Shaoil sé [Raiftearaí] breith ar an súgán*...: ibid, lch 47

33 *...an seanchaí Ciarraíoch Bab Feirtéar:* Bo Almqvist agus Roibeard Ó Cathasaigh Coiglimis an Tine, Cnuasach Seanchais agus Scéalta Bhab Feirtéar, Oidhreacht Chorca Dhuibhne, Baile an Fheirtéaraigh, 2010, 'Aogán Ó Rathaille agus an Ceannaí Glic', lch 112

34 **Raftery hadn't a stím.**. sliocht as Poets and Dreamers, Lady Gregory, Selected Writings: Penguin Books, 1995, lch 98

34 *He was a minstrel by profession:* cuntas an staraí James Hardiman ar Raiftearaí atá ar fáil i lámhscríbhinn RIA 23, Acadamh Ríoga na hÉireann, Baile Átha Cliath, RAD, lch 1.

34 **chuir Frank Taaffe mac an fhíodóra** ... agallamh a rinne an t-údar le Betty Solan, Bealtaine 2014

35 *Fear darbh ainm Kilgallon*: ibid

35 *..an t-ábhar file agus an t-ábhar easpaig:* ibid

35 *Some degree of education is also general:* A.W. Hutton (eag) Arthur Young's Travels in Ireland, 1776–1779, Londain agus Nua-Eabhrac 1892 – in Traidisiún Liteartha na nGael, eag J.E. Caerwyn Williams & Máirín Ní Mhuiríosa, An Clóchomhar, 1979, lch 230

36 *An dia darbh ainm Iúpatar:* RAD, líne 1–8, lch 136

36 *In alt nuachtáin..*ó chóip den alt a bhí i seilbh Betty Solan, Coillte Mach

37 *Ag Joe Solan*...alt neamhfhoilsithe le Joe Solan, staraí áitiúil, 1933–2007 a bhí i seilbh Betty Solan, Coillte Mach

38 *Ach bailíodh leaganacha eile:* AF, l. 319

Gairim is ghuím thú a leac, is ná lig Bríd amach,

Nó ghéaródh sí ár ndeoch is náireodh sí ár dteach.

Is ioma saoi gan locht a dtug sí a bhás le tart.

Is anois ó tá tú i bhfeart – damnadh síoraí ort – is tart, tart, tart! (O'Sullivan, Carolan, 94)

38 Níor mhian léi... ADR, lch 45

38 Bailíodh leagan de: CAA lch 68

5.

40 *Fear Gan Radharc Gan Léann a Mhíníos Daoibh an Scéal:* Ar Scoil Lucht Bíoblaí, líne 61, RAD, lch 108

40 *Tosód thíos le Bréachmhaigh:* RAD, lch 93

40 *an bhliain 1601:* cuntas bunaithe ar R.F. Foster, Modern Ireland 1600–1972, Allen Lane, Londain, 1988, lch 25–45

44 *Sa tsibhialtacht Cheilteach:* Eoghan Ó Tuairisc, Religio Poetae agus Aistí Eile, An Clóchomhar, BÁC 1987, lch 13

44 *Poets..had to know Irish genealogy, Irish history and pseudo-history:* Carney, James, The Irish Bardic Poet, Dublin Institure for Advanced Studies, Baile Átha Cliath, 1985

45 *Sula raibh sé i dteideal File a ghairm de féin:* Eoghan Ó Tuairisc, Religio Poetae agus Aistí Eile, An Clóchomhar, BÁC 1987, lch 13

45 Cé go raibh saol gradamúil: cuntas bunaithe ar iontráil faoi ar ainm.ie

46 Is é Dáibhí Ó Bruadair: cuntas bunaithe ar Merriman agus filí eile, Art Ó Beoláin An Clóchomhar, 1985, lch 65–76

47 *..tá samplaí bailithe* TLG, lch 152

48 Duine de na filí deireanacha: Merriman agus filí eile, Art Ó Beoláin An Clóchomhar, 1985, lch 77–87

When he was eighteen: THI lch 188

50 *Is i gConnacht bhí:* TLG lch 227

..go bhrígh go raibhe siubhal rofadadh: TLG lch 229

52 *When he was eighteen:* THI, lch 188

53 *He used to carry a book with him:* PD, a bhfuil sleachta uaidh ar fáil in Lady Gregory, Selected Writings, Penguin Books, Londain, 1995, lch 112

54 *'Sé an chéad abhrán do rinne sé:* ADT lch 21

54 *Tá fál ar an dá leagan*: CAA, lch 146–7

55 Cé go raibh an Bairéadach comhaimsearthach: Cuntas bunaithe ar RBA, lch 16–39

56 *Mr. Barrett is certainly...* RBA lch 17

56 *Mr. Nash introduced us to Mr. Barrett*: ibid lch 18

57 *Apart from his formal schooling:* alt neamhfhoilsithe le Joe Solan, staraí áitiúil, 1933–2007 a bhí i seilbh Betty Solan, Coillte Mach

58 *decanters, plantations, carpet:* cnuasach focal Béarla bunaithe ar leaganacha na ndánta in RAD

59 *Dá mba liomsa Port Omna:* Diarmaid Ó Muirithe, eag. An tAmhrán Macarónach, An Clóchomhar, Baile Átha Cliath 1980, lch 81

59 *Trí Mhuine Gall:* Seanchas na Sceiche, líne 389–390, RAD lch 148

6.

61 *Bíodh Claíomh Agus Sleá Agaibh i bhFaobhar Géar:* An Chúis Á Plé, líne 2, RAD lch 102

61 *Mar is iomdha buachaill maith: RAD,* lch 148, líne 5–8

61 *Ar an dara lá fichead de mhí Lúnasa,* 1798: cuntas ar fheachtas Humbert bunaithe ar T W Moody agus WE Vaughan, A New History of Ireland, 1691–1800, Cambridge University Press, 1986, lch 360–361, R.F. Foster, Modern Ireland 1600–1972, Allen Lane, Londain, 1988, lch 280–1

62 *..ón mbliain 1695:* Cuntas ar na péindlíthe bunaithe ar T W Moody agus WE Vaughan, A New History of Ireland, 1691–1800, Oxford University Press, 1986, lch 16–25

64 *A landlord in Ireland can scarcely...* Arthur Young, A Tour in Ireland, Londain 1780, lch 127–8, luaite in John O'Beirne Ranelagh, A Short History of Ireland, Cambridge University Press, lch 84

67 *The whole body of the peasantry:* ibid, lch 94

68 *An Caiptín Máilleach:* amhrán a d'fhoghlaim an t-údar ón bhfonnadóir agus ceoltóir Joe Byrne as Achadh Mór, Contae Mhaigh Eo.

68 *Brave Irishmen, our cause is common:* Valerian Gribayedoff *The French Invasion of Ireland in '98,* 1890 foilsithe ar líne ag www.libraryireland.com

69 *Mass atrocities were perpetrated:* R.F. Foster, Modern Ireland 1600–1972, Allen Lane, Londain, 1988, lch 280

70 *Liosta le háireamh:* Remembering the Year of the French: Irish Folk History and Social Memory By Guy Beiner, University of Wisconsin Press, 2007, lch 89

71 *A Dhonncha Brún, is deas* Na Buachaillí Bána, líne 1–8, RAD, lch 148

71 *Níl ann ach caolsheans:* RAD, lch 187

71 *Ag so abhrán do fuair:* ADR lch 89–90

72 *...Barrett displayed such activities:* Richard Hayes, The Last Invasion of Ireland, M.H. Gill and Son, Baile Átha Cliath, 1937, lch 247, luaite in RBA, lch 31

7.

74 *Móruaisle na Tíre Ann Ag Imirt is Ag Ól:* Cill Liadáin, RAD lch 44, líne 20

74 *Tá marcaigh ar eachraí:* Cill Liadáin, RAD, lch 44, líne 61–4

75 *Do bhí fleidh agus féasta:* ADR, lch 47

76 *Tig liomsa a mhíniú..:* Caisimirt an Phótaire les an Uisce Beatha, líne 25–8, RAD, lch 82

77 *Ag iarratas a bhí sé:* An Sciolladh, Marcas Ó Callanáin, F na gC, líne 41–4
77 *Ag casadh an naoú haois déag* Foinse T.W. Moody agus W.E. Vaughan, A New History of Ireland, lch 161
78 *In former times:* Máire Níc Giolla Phádraig, Bailiúchán na Cnuasach Bhéaloideas Éireann, UCD: Scoil Náisiúnta Chluain na Coille, Contae Mhaigh Eo, ar fáil ar líne ar duchas.ie
79 *Is de mo bharr bhíos glaoch ar mhuca:* F na gC, An Láí, Marcas Ó Callanáin, líne 21–24, lch 49
80 *Sciúirse feasta ó bheith ag déanamh bréaga:* Ibid. líne 25–32, lch 50
81 *..glórtha binne an Anacreontic Musical Society:* A New History of Ireland: Brian Boydell, Eag T.W Moody agus WE Vaughan lch 608
82 *na cumadóirí Haydn agus Beethoven* ibid lch 605

8.

83 *A grua ar dhath na rós:* Nancy Walsh, líne 3
"abhrán d'á abhránaidh tosaigh é". ADR, lch 55
"cnocáinín atá ar chúl..." ADR ibid
84 *...Maigh Eoch í Nancy:* "Nansaidh" an litriú atá ag de híde ar a hainm. "Neansaí" atá ag Ciarán Ó Coigligh – léiriú níos cruinne, sílim, ar fhuaimniú an ainm.)
85 *...an staraí áitiúil Joe Solan:* Joe Solan, staraí áitiúil, 1933–2007. Alt neamhfhoilsithe a bhí i seilbh a dheirféar, Betty.
84 *My father:* ibid
84 *The use of the English version:* ibid
85 *Tá de híde idir dhá cheann na meá:* ADR, lch 55
87 *Cónaíonn cailín óg:* Neansaí Walsh, líne 1–4
87 *Dá mbeinnse is tú ar Shliabh Cairn:* ibid, líne 13–16
87 *Thug cara le de híde:* ADR, lch 55
88 *Deir Mac Uí Fhinn liom:* ibid
89 *Véineas trí gach ní:* Neansaí Walsh, líne 33–40
89 *One morning as I went:* Paul Brady agus Andy Irvine, Mulligan Records, Baile Átha Cliath, 1976
89 *..an socheolaí Francach Pierre Bourdieu:* cuntas bunaithe ar http://theory. routledgesoc.com/profile/pierre-bourdieu
90 *Some think that Raftery:* WB Yeats, 'Dust Hath Closed Helen's Eye' The Celtic Twilight, 1902
91 *Fear gan radharc gan léann:* Ar Scoil Lucht Bíoblaí, lch 61–64
91 *Solas lasta ina brollach gléigeal:* Máirín Staunton, líne 11–12
91 *Dá bhfeicfeá an spéirbhean:* ibid, líne 9–10
91 *De mhullach sléibhe:* Máire Ní Eidhin, líne 9–10

92 *Bláth na n-úll dá bhfeicfeá ag siúl,* Peigí Bláth na Scéimhe, líne 9–10
92 *Dá bhfeicfeá chugat:* Úna Ní Chatháin, líne 41–42
92 *Leithide mó stóir dá bhfeicfeá:* Neansaí Walsh, líne 25–26
92 *The initial eye problem* Joe Solan. Alt neamhfhoilsithe a bhí i seilbh Betty Solan, Coillte Mach. Dochtúir súl ab ea bean Joe agus bhí ionchur aici san alt seo, a deir Betty Solan
93 *Tá a brollach corrach lán:* Neansaí Walsh, líne 29–30
93 *Ach do réir mar thuigim Gaeilge:* Pádraig Ó Dónalláin, líne 89–92

9.

95 *Molfad go deo an crann eagair is an seol:* An Fíodóir, líne 1
95 *Is de thogha na Milesians:* Liam Ó Ceallaigh, líne 49–52
96 *Tá An Fíodóir ar cheann:* An Fíodóir, líne 1–8
97 *Bhí dá fhichid nó mar sin d'fhigheadóiribh:* ADR, lch 108
97 *Níl agam le rá:* An Fíodóir, líne 37–40
98 *An té a chreidfeadh mo scéal:* An Gréasaí, líne 5–8
98 *Ní ligfinn as láthair:* ibid, líne 17–20
99 *Uachtairí tláith:* ibid, líne 37–40
99 *Má b'fhada an oíche aréir:* líne 41–48
100 *Sháraigh sé an domhan:* líne 69
100 *Go deimhin, a Sweeney:* líne 47–8
100 *..is é deireadh na cainte:* líne 55–6

10.

102 *Nár Dhéana Dia Trua do Lucht Bíobla Bréag:* Election na Gaillimhe, líne 2
102 *Le breathnú sna síonta:* An Cíos Caitliceach, líne 1–4
103 *Thosaigh an scéal seo:* ibid, líne 16–19
104 *D'eascair an scéala seo ó fhoilseachán:* Cuntas bunaithe ar Irish Peasants, Violence and Political Unrest, 1780–1914, Uinversity of Wisconsin Press agus Manchester University Press 1983, lch 108–136
105 *Is peaca an drúis:* líne 9–16
105 *Adhaltranas is drúis :* líne 13–16
Tá súil agam le Críosta: líne 17–20
106 *Ná bígí gan misneach:* líne 397–400
106 *Maireann sí beo mar eagraíocht:* Cuntas bunaithe ar stair na heagraíochta atá foilsithe aici féin ar líne: http://www.biblesociety.ie/about
106 *Thomas Lewis O'Beirne:* cuntas bunaithe ar alt beathaisnéise atá foilsithe ar líne: http://www.libraryireland.com/biography/BishopThomasLewisOBeirne.php
107 *The management of the Hibernian Bible Society:* History of the Diocese of

Meath, John Healy LL.D. Association for Promoting Christian Knowledge, Baile Átha Cliath, 1908 lch 150

107 *Many of our readers have doubtless:* The Evangelical Magazine and Missionary Chronicle, 1824, ar fáil ar líne ag Google Books

108 *Le breathnú sna síonta:* An Cíos Caitliceach, líne 1–8

Tá an revelation in aice: ibid, líne 32–3

109 *That book was written by an English bishop:* luaite in Irish Peasants, Violence and Political Unrest, 1780–1914, University of Wisconsin Press agus Manchester University Press 1983, lch 110

109 **Scaipeadh cóipeanna den tairngreacht:** R.F. Foster, Modern Ireland 1600– 1972, Allen Lane, Londain, 1988, lch 295

109 *Now the year 21 is drawing by degrees:* Georges-Denis Zimmermann, Songs of Irish rebellion: political street ballads and rebel songs, 1780–1900 (Dublin, 1967) lch 22–3, luaite in Irish Peasants, Violence and Political Unrest, 1780–1914, Uiversity of Wisconsin Press agus Manchester University Press 1983, lch 122

110 *mar is fada ó dúradh linn:* líne 39–40

110 *Thug sé cúl do Dhia agus shéan sé a chéad bhean:* Seanchas na Sceiche, líne 333–340

110 *Isibéal a shíl an Eaglais a thabhairt faoi dhlí:* Ar Scoil Lucht Bíoblaí, líne 21–24

111 *Isibéal is Hanraí feicfidh sí in éineacht:* Seo É Críochnú Agus Éachta Pheatsaí agus Mharcais Uí Challáin as Caithrín an Duibhéin, Goile go Muinéal líne 51–4,

Tá Clanna Gall 'nár ndiaidh: Ar Scoil Lucht Bíoblaí, Líne 53–4..th

111 *Tig liomsa a mhíniú:* líne 25–8

112 *Fuair Raiftearaí scríofa:* líne 65–8

112 *Is iomdha sin féirín:* An Táilliúir Drúisiúil, líne 17–24

112 *A tháilliúir 'tá ar fán:* ibid, líne 57–64

113 *Tá Clanna Gall 'nár ndiaidh:* líne 53–4

114 *Is dóigh gur chreid seisean:* ARD, lch 242

114 *..bhí breis agus dhá mhilliún:* T.W. Moody agus W.E. Vaughan, A New History of Ireland, lch 383

115 *At home, the bishops were bitterly divided:* Ireland, 1815–1870: Emancipation, Famine and Religion (History of Ireland) Donnchadh Ó Corráin agus Tomas O'Riordan: Four Courts Press, Baile Átha Cliath, 2011.

II.

116 *Lucht Ribíní in Arm is in Éide:* Na Buachaillí Bána, líne 60

116 *Tráthnóna Aoine an Chéasta:* líne 1–8

117 *Cineál idirthréimhse a bhí sna 1820idí:* Cuntas seo bunaithe ar A Short

History of Ireland, John O'Beirne Ranelagh, Cambridge University Press, 2012, lch 110–111

120 *Our sustenacne is taken away*: The Shamrock Shore, Paul Brady, Brady Molloy People, Mulligan Records, Baile Átha Cliath, 1978

120 *..tháinig roinnt eagraíochtaí éagsúla chun cinn...*: Cuntas ar na Fir Ribín bunaithe ar agallamh leis an scríbhneoir Lochlainn Ó Tuairisg a taifeadadh don scannán Mise Raiftearaí an Fíodóir Focal, Sónta do TG4, 2010.

123 *Ciarraíoch a bhí in O'Connell:* Cuntas bunaithe ar Foster, Modern Ireland 1600–1972, Allen Lane, Londain, 1988, lch 300–302 agus A Short History of Ireland, John O'Beirne Ranelagh, Cambridge University Press, 2012, lch 106–117

125 *Gairm sibh, a dhaoine:* RAD, lch 99, An Cíos Caitliceach, líne 56–66

126 *Gunnaí is lámhach:* líne 41–4

126 *Tá an dá Chúige Mumhan:* líne 17–24

127 *.. Art Mac Cumhaigh, file Ultach:* Ó Fiaich, Art Mac Cumhaigh, Dánta, An Clóchomhar, Baile Átha Cliath, 1973

12.

128 *Smaoinidh ar Éirinn atá i bhfad i ndroch-chaoi:* Election na Gaillmhe, líne 50

128 *Céad agus míle roimh am na hÁirce:* líne 93–6

128 *Bhí neart filí pobail:* Cuntas bunaithe ar Clár Amhrán an Achréidh, Prionsias Ní Dhorchaí, An Clóchomhar, Baile Átha Cliath, 1974

129 *I remember when I was a boy of ten:* PD, ar fáil in Lady Gregory, Selected Writings, Penguin Books, Londain, 1995, lch 111

131 *A sheanasceach chaite:* líne 73–6

131 *Más file thú:* líne 81–4

132 *Céad agus míle roimh am na hÁirce:* líne 93–6

132 *...dar le Ciarán Ó Coigligh, agus scoláire eile:* RAD, lch 16

133 *Ochtar a thriall:* líne 97–100

133 *Creidtear anois gur sagart a bhí in Ó Conaill:* An cuntas sa gcaibidil faoi na tagairtí liteartha atá ar fáil sa Seanchas bunaithe ar an gcaibidil 'Dán 4, An 19ú céad', Ó Chéitinn go Raiftearaí: Vincent Morley, Coiscéim, Baile Átha Cliath, 2011, lch 199–222

133 *Más aon teist iad an líon mór:* ibid lch 68

134 *Tar éis na díleann:* Tuireamh na hÉireann, Séan Ó Conaill, ibid lch 69, líne 5–8

134 *An máistir do bhí :* ibid, líne 49–52

134 *A gcreideamh 's a ndlíthe:* ibid, líne 281–4

Guíghse is guím: ibid, líne 485–488

135 An Síogaí Rómhánach: eag. Cecile O'Rahilly, *Five seventeenth-century political poems*, Institiúid Ard-Léinn Bhaile Átha Cliath, 1952, lch 21, líne 79–84

136 Sliocht Thuatha Dé Danann: Seanchas na Sceiche, líne 129–132

137 The rebels speak much of a dismal and fatal blow: Ó Chéitinn go Raiftearaí: Vincent Morley, Coiscéim, Baile Átha Cliath, 2011, lch, lch 30

138 Bhí cinn agus coirp : Seanchas na Sceiche, líne líne 169–172

138 Easpag beannaithe : Seanchas na Sceiche, líne líne 225–6

138 An dream a thriall: ibid, líne 233–6

139 Dualgas eile i gceann an méid sin: ibid, líne 257–260

139 Ghluais chugainn ó Mhumhain: ibid, líne 269–272

140 ...an chuid de Tuireamh na hÉireann a bhaineann... Tuireamh na hÉireann, líne 321–348:

Dlí beag eile do rinneadh ar Ghaelaibh,
surrender ar a gceart do dhéanamh,
Do chuir sin Leath Choinn trína chéile,
glacaid a n-airm cé cailleadh iad féin leis:
an t-iarla Ó Néill fuair barr féile
is an tiarna Ó Domhnaill ba mhór géilleadh,
Ó Catháin na n-each mbán is na n-éide
is Ó Ruairc ueasal, tiarna Bhréifne,
Mag Uidhir Gallda is Mag Uidhir Gaelach,
Ó Ceallaigh, Ó Baoill is Ó Raghallaigh,
Glas Mac Mathúna is Mac Aonghuis,
Niall Garbh san Túr 's a mha Maonas,
Mac Donnchadha ó Chorainn na Céise
is a raibh as soin ar fad go hÉirne,
Ó Dubhda na gcaisleán aolbhaigh,
mac Somhairle Bhuí cé gur saoradh,
Síol gConchúir fuair clú le daonnacht,
is na trí Mic Suibhne nár ob spéirling,
na trí Murchadh ba leabhair géaga,
Murchadh na dtua, na maor, na méithmhart,
Uaithne do chuir an sop ag séideadh
ó íochtar Laighean ar fad go hÉirne,
Branaigh bheoga is Caomhánaigh chaomha,
ridire an Ghleanna is an ridire gléigeal,
iarla Seanaide, Callaine is Méine,
is iarla Dhúna Baoi na gcaolbharc,
Ó Dochartaigh ina Oisín d'éis na Féinne
do thóg cogadh nár chosain ar aon chor.

142 Eoghan Rua a tháinig: ibid, líne 365–8

142 *Séamas an chaca:* ibid, líne 381–4
143 *Nár bhuartha an tsraith í:* ibid, líne 385–8
143 *Ná bígí gan misneach:* ibid, líne 397–400

13.

145 Scoth Ban Éireann Máire Ní Eidhin, líne 23
145 *Sí Máire Ní Eidhin:* líne 1–4 de réir Uí Choigligh, líne 17–20 de réir formhór leaganacha sa traidisiún béil
146 *..sa leabhar iontach:* Cuntas ar thraidisiún Gaelach na n-amhrán grá bunaithe ar Seán Ó Tuama, An Grá in Amhráin na nDaoine, An Clóchomhar, Baile Átha Cliath, 1960, lch 14–173.
148 *Ag triall ar an Aifreann dom:* Máire Ní Eidhin líne 25. Leagan RAD atá luaite anseo, cé gur fearr eolas ar leagan Chonamara sa traidisiún béil, é taifeadta ag cuid mhaith fonnadóirí, ina measc, Peadar Ó Ceannabháin, ar an dlúthdhiosca Mo Chuid den tSaol, 1998
148 *Bhí an lá ag báistigh:* ibid, líne 26
148 *Casadh bruinneall dom:* ibid, líne 27–8
148 *D'umhlaíos síos di:* ibid, líne 29–32
149 *D'oscail solas ina brollach líonmhar:* Tomás Ó Máille, eag, Micheál Mhac Suibhne agus Filidh an tSléibhe, Baile Átha Cliath, 1934, Máirín Seoighe, lch 6–7, líne 13–16
149 *Socraíodh solas chugam:* Máire Ní Eidhin líne 37 (leagan RAD)
149 *'Deir chuile dhuine nach bhfuil aon duine:* ADR, lch 150
150 *Budh í Máire Ní Eidhin:* ibid, lch 149
150 *Do chómhnuigh sí i n-aice le Gort-Innse-Guaire:* ibid
150 *Bhí dream d'fhearaibh óga:* ibid, lch 150
151 *D'éalaigh sí le duine acub sin: AF* lch 297
151 *Mhol sé [Raiftearaí] Máire Ní Eidhin :* ADR lch 16
152 *Nuair a bhí athair Bhoss Daly:* AF, lth 290
153 *Seacht sórt feola:* Bainis an tSleacháin Mhóir, líne 29–32
153 Rinne Tadhg Dall Ó hUiginn: AF, lth 301.
155 *B'éidir, adubhairt sean-bhean:* ADR, lth 150
155 *Chuala mé go raibh an-fhaitíos:* AF, lth. 298
156 *My father often told me about Raftery:* PD, a bhfuil sleachta uaidh ar fáil in Lady Gregory, Selected Writings, Penguin Books, Londain, 1995, lth 99

14.

157 *Bíodh Fianaise an Cháis ar Gach Duine* Fiach Mharcais Uí Challáin, líne 20
157 *Síleann fear mar Mharcas:* líne 9–12
158 *Chuir an síceolaí Abraham Maslow:* cuntas bunaithe ar The Third Force, The

Psychology of Albert Maslow, Frank G. Noble, 1970

159 *I gCill Chonaill gan dídean:* F na gC, An Sciolladh, Marcas Ó Callanáin, lch 83

160 *Seans gur le teann éada é:* Tá an cuntas seo ar an aighneas idir Raiftearaí agus na Callanáin bunaithe, den chuid is mó ar an gcaibidil 'Na Callanáin agus Reaftaraigh', F na gC, lch 16–29

161 *To you, Miss Mary Hynes:* F na gC, lch 123, líne 1–8

161 *Callinan was a great deal better than him [Raiftearaí]:* PD, a bhfuil sleachta uaidh ar fáil in Lady Gregory, Selected Writings, Penguin Books, Londain, 1995, lch 98

162 *Tá cailín spéiriúil:* F na gC, lch 47, líne 1–16

163 *Bhuail mé ag labhairt:* Máirín Staunton, líne 45–8

163 *Lena cheart a thabhairt do Raiftearaigh :* F na gC, lch 24

164 *Tá gile 's lasadh inti:* Máirín Staunton, líne 5–8

164 *Is de mo bharr bhíos glaoch ar mhuca:* F na gC, lch 49, An Láí, líne 17–20

165 *Chonaic mé céachta déanta uaidh:* ibid, lch 145, An Ciníneach, líne 5–6

165 *Buachaill barrúil saothrúil é:* ibid

165 *Is oibrí maith an Ciníneach:* Seán Ó Bránáin, líne 81–4

166 *Is dá leagtaí an obair chugamsa:* ibid, líne 85–92

166 *Dá dtéadh a cháil sa nuaíocht:* ibid, líne 93–6

166 *Féach éanlaith an aeir:* ADR lch 187, líne 17–21

165 *Chonaic mé céachta déanta uaidh:* F na gC, An Ciníneach, líne 5–8, lch 145
Buachaill barrúil saothrúil é: ibid, líne 9–12

166 *Féach éanlaith an aeir :* ADR, lch 187

167 *The fiddle and the spade:* F na gC, lch 23

167 *Dá mbeadh Peatsaí tuisceanach :* RAD, lch 114, Comhairle Raiftearaí don chompastóir Peatsaí Ó Calláin as Caithrín an Duibhéin, líne 1–8

168 *Bean ná céile :* ibid, líne 13–16

168 *Bearradh crosach:* RAD, lch 123 líne 33–40,
File ar bith sa gcúige : RAD, lch 137, An Dia darbh ainm Iúpatar, líne 23–4

168 *Nach suarach an t-ábhar :* Fiach Mharcais Uí Challáin, líne 1–4

169 *Síleann fear fánach :* ibid, líne 9–12

169 *Is uair insa ráithe:* ibid, líne 25–8

170 *Maidir le láí :* ibid, líne 21–4

170 *Níl aon teach tábhairne :* ibid, líne 37–40

170 *Ag tígh Chonaill, an tábhairne:* ibid, líne 49–52

172 *Bearradh crosach :* Fiach Sheáin Bhradaigh, líne 33–40

173 *Siúd mar tharla ins an aimsir chéanna :* F na gC, An Sciolladh, lch 77, líne 5–8

173 *Mar siúd a thréithe, bagarach béalach :* ibid, líne 13–16

173 *Is mar siúd atá a chréachta :* ibid, líne 21–4

174 *Tá cosa faoi mar mhaide bacaigh :* ibid, líne 25–8

174 *Ag iarratas a bhí sé :* ibid, líne 37–48

175 *Ní le dímhúineadh ar bith :* ibid, líne 73–6

175 *...luaitear an bholgach i litríocht an leighis :* Mary Lindemann, Medicine and Society in Early Modern Europe, Cambridge University Press, 2010, lch 71

176 *Mar bhí Donncha :* ibid, líne 77–80

176 *D'éirigh sé suas :* ibid, líne 162–9

177 *Cuing a gcléibh ag tíocht le chéile :* ibid, líne 170–3

177 *Ansin a labhair Siobhán :* ibid, líne 174–181

178 *Is mura bhfagha seisean dídean :* ibid, líne 196–7

178 *Ní bhainfidh sé béic :* ibid, líne 202–5

179 *File ar bith sa gcúige :* An dia darbh ainm Iúpatar, líne 23–4

179 *D'ainneoin a chumhachta :* An Sciolladh, líne 238–9

179 *I gcaitheamh do shaoil :* ibid, líne 240–3

180 *Tá a fhios ag an saol :* Críochnú Uachta agus Éachta Pheatsaí agus Mharcais, líne 13–14

180 *Clár Amhrán an Achréidh:* CAA, lch 101

181 *I knew Raftery's daughter:* RAD, lch 36

181 *She was a poor travellin' woman:* ibid

15.

183 *Screadach is Caoineadh:* Eanach Dhúin, líne 11

184 *Ansiúd Dé hAoine:* líne 25–8

It is with unaffected sorrow : The Connaught Journal, 4 Meán Fómhair, 1828, luaite in RAD, lch 34 agus san aiste Antaine Raiftearaí – A Shaol agus a Shaothar, Nollaig Ó Muraíle, Carachtair Áitiúla, Tionchar Náisiúnta, eag. Eoghan Mac Cormaic agus Pádraig Ó Baoill, Gaeilge Locha Riach agus Glór na nGael, 2008, lch 44

185 *....10 sheep, a quantity of lumber:* ibid

186 *Ansiúd Dé hAoine:* Eanach Dhúin, líne 25–8

186 *Nár mhór an t-ionadh:* ibid, líne 9–12

186 *An uair a shíl tú:* ibid, líne 61–4

187 *..difríochtaí ann idir na mionsonraí:* An cheist seo tarraingthe anuas ag Nollaig Ó Muraíle in Carachtair Áitiúla, Tionchar Náisiúnta, eag. Eoghan Mac Cormaic agus Pádraig Ó Baoill, Gaeilge Locha Riach agus Glór na nGael, 2008, lch 44–5

189 *Ocht gcinn de lámhscríbhinní:* an cur síos seo ar na lámhscríbhinní bunaithe ar RAD, lch 185

190 *...báitheadh naoi ndaoine dhéag acu:* ARD lch 69

190 *Do fríth na corpáin uile as an uisce: ibid,*

190 *Fuair mé an chuid is mó de na bhéarsaibh:* ibid

191 *Pat always maintains:* Amhráin Mhaigh Seóla, Talbot Press, Baile Átha Cliath, 1923 agus Cló Iar-Chonnacht, 1990

193 *And Mary Ruane, too:* Aistriúchán de hÍde, a foilsíodh in eagrán dátheangach 1903 de ARD, leagan fuaime ar fáil ar YouTube á chasadh ag Dolly MacMahon: https://www.youtube.com/watch?v=bULfyxCVEvw

193 *Bhí Máire Ní Ruáin ann:* Eanach Dhúin, líne 65–8

193 *It was in the 1840s it happened:* Taifeadadh fuaime de chur i láthair Liam Clancy ar fáil ar YouTube: https://www.youtube.com/watch?v=ikSEJ3EL5ww

195 *But to Raftery, who wrote the song:* ibid

16.

196 **Go Coillte Mach rachad: Cill Liadáin,** líne 7

196 *Dá mbeinnse i mo sheasamh ann :* líne 15–16

198 *Anois, teacht an earraigh:* líne 1–4

198 *Trí leagan de na chéad línte sin :* CAA, lch 89

199 *Tar éis na Nollag:* Úna Ní Chatháin, líne 1–4

200 *Tá an láir is an searrach:* Cill Liadáin, líne 49–56

201 *Bíonn searrach ag láir ann:* Béal Átha na hAbhann, líne 59–64

201 *Tá an bradán is an ballach:* Cill Liadáin, líne 29–32

202 *You may strain your muscles:* Amhrán a d'fhoghlaim an t-údar ó thaifeadadh a rinne an fonnadóir agus fidléir Seamus Creagh

202 *Faoistin is logha:* Béal Átha hAbhann, líne 13–16

203 *Maor géim a bhí ann:* ADR, lch 49

203 *Sháraigh sé an domhan:* Cill Liadáin, líne 69–72

203 *I leagan eile den scéal:* ADR, lch 48

203 *Nuair a bhí sé ráidhte:* ibid

203 *I leagan eile fós:* ibid

204 *Acht anois tá sé imthigthe:* ibid

204 *Dá mbeinnse i mo sheasamh ann:* líne 15–16

17.

206 *An Gruagach Caol Dubh:* Agallamh Raiftearaí agus an Bháis, líne 4

206 *Nuair a bheas do chnámha trína chéile:* Achainí Raiftearaí ar Íosa Críost, (teideal RAD), An Cholera Morbus (teideal ARD) líne 65–8

206 *Ba chinniúnach an dáta:* Cuntas bunaithe ar The Cholera Epidemic in Ireland, 1832–3: Priests, Ministers, Doctors Hugh Fenning Archivium Hibernicum, Vol. 57, (2003), lc 77

206 *Ní gan choinne:* Cholera's seven pandemics, *Canadian Broadcasting Corporation*, 2008.

207 *an t-eolaí Gearmánach Robert Koch:* http://www.nobelprize.org/nobel_
prizes/medicine/laureates/1905/koch-bio.html

207 *Is éard atá sa gcalar:* World Health Organisation: 10 facts on cholera, http://
www.who.int/features/factfiles/cholera/facts/en/index1.html

207 *Bhí geilleagar na hÉireann:* Tá an t-eolas seo agus an cuntas a leanann é
bunaithe ar The 'blessed turf' cholera and popular panic in Ireland, June 1832,
Irish Historical Studies, xxiii, no. 91 (May 1983)

208 *Such was the anxiety:* ibid

209 *...running into this town:* ibid

209 *Faoi dheireadh na na bliana:* http://viking305.hubpages.com/hub/Irishhistory

209 *For much of the century:* Harvard University Library Open Collections Program:
Historical Views of Diseases and Epidemics: Contagion, http://ocp.hul.harvard.
edu/contagion/cholera.html

210 *A Íosa Críost:* Achainí Raiftearaí ar Íosa Críost (teideal RAD), An Cholera
Morbus (teideal ARD) líne 1–4

210 *Ag gabháil a luí duit:* ibid, líne 77–80

211 *Féachaidh an fear:* ibid, líne 17–20

211 *Cá mbeidh do bhróga:* ibid, líne 53–60

211 *Ach an fear a shantaíos:* ibid, líne 97–100

212 *..paimfléad a cuireadh i gcló sa mbliain 1848:* RAD, lch 175

213 *Le críochnú na haithrí:* ibid

213 *Bhí seanchas cloiste ag de hÍde:* ARD, lch 166

214 *A lucht an pheaca:* Achainí Raiftearaí ar Íosa Críost (teideal RAD), An Cholera
Morbus (teideal ARD) líne 13–16

214 *Ach umhlaigh agus géill:* ibid, líne 81–4

214 *Tá mé in aois:* Achainí Raiftearaí ar Íosa Críost (teideal RAD), Aithrí Raifteirí
(teideal ARD), líne 133–136 (uimhreacha línte RAD)

215 *Nuair a bhí mé óg:* ibid, líne 145–8

215 *Níorbh fhearr liom suí:* ibid, líne 149–152

215 *Seo mé anois:* ibid, líne 141–144

216 *Bhí ceann dubh catach air:* RAD, Agallamh Raiftearaí agus an Bháis, lch 9–16

217 *Do theanga bhinn bhlasta:* ibid líne 57–60

217 *A grua thrí lasadh:* Máire Ní Eidhin, líne 21–22

217 *Do ghrua is do lasadh:* ibid, líne 61–4

218 *Le beagáinín lóin:* ibid, líne 169–172

218 *Trí bliana eile:* ibid líne 189–198

219 *I mí na Nollag na bliana 1835:* cuntas ar bhás Raiftearaí, bunaithe ar PD, a
bhfuil sleachta uaidh ar fáil in Lady Gregory, Selected Writings, Penguin Books,
Londain, 1995, lch 125 agus ar F na gC, lch 30–32

220 *He had no pain:* ibid

220 *But my mother:* ibid lch 126

18.

222 *Ólaidh as láimh anois sláinte Raiftearaí:* An Chúis á Plé, líne 47

222 *Ach anois níl gar:* Amhrán Chill Chluaine, líne 113–116

222 *Is de mo bharr:* F na gC, lch 49 An Laí, líne 17–18

223 *Nach é seo an scéal docharnach:* ibid, lch 67, Na Fataí Bána, líne 13–14

223 *Sa mbliain 1844:* RAD, lch 175

224 *Chuaigh an leagan dátheangach sin:* CAA, lch 117

224 *...blianta beaga i ndiaidh a bháis i 1835:* RAD, lch 195, luaitear lss. ann a rinne Liam Ó 1863, i bhfogharscríobh Béarla den dán 'Seanchas na Sceiche'

224 *William Duggan ón Móinteach:* CAA, lch 235

225 *Traa fee loonaso bo yosso horlo:* Cnuasach Bhéaloideas Éireann, ls 844, lch 236–251

225 *Taighdeoir díograiseach eile:* RAD, lch 195–6

225 *Nuair caitear cloch i n-uisge:* ARD, lch 10

226 *Is san tígh sin fuair an Reachtabhrach bás:* ibid, lch 11

226 *..déanann an sárscoláire Dáithí Ó hÓgáin:* AF, lch 56

227 *'Bhuel,' a deir Raifteirí:* ibid. 335

227 *Raftery, the Irish poet:* ibid, lch 349

228 *A Íosa Críost agus a Rí na nGrásta:* Achaíní Raiftearaí ar Íosa Críost, líne 1–4

228 *During the course of Raftery's travels:* ibid 367

229 *..san áit a chaith mé céad lá sínte:* Neansaí Walsh, líne 14

230 *No greater dramatic talent:* North American Review, Vol 193, No. 667, Meitheamh 1911

231 *The road was busy:* Hilary Pyle, Jack B. Yeats, A Biography, Routledge and Kegan Paul, London, 1970

233 *The songs most popular still:* Eibhlín Bean Mhic Choisdealbha, Amhráin Mhuighe Seóla, Talbot Press, Baile Átha Cliath, 1923 agus Cló Iar-Chonnacht, 1990

234 *"..And close to the earth:* Blind Raftery and His Wife Hilaria, Donn Byrne, Nua-Eabhrac agus Londain, 1924, lch 90–1

235 *We are not speaking:* James Joyce, Ulysses, Páras, 1922, lch 233

235 *I 1952, tháinig an stiúrthóir:* Cuntas bunaithe ar John Huston, *Essays on a Restless Director,* Ed. Tony Tracy, Roddy Flynn, McFarland & Co, 2010

237 *na grianghraif a cuireadh i gcló:* Dermot Mac Manus, The Middle Kingdom, Max Parrish and Co. Buckinghamshire, 1959, lch 96–7

240 *..is é Raiftearaí glór an duine:* an pointe seo pléite ag Gearóid Denvir sa scannán Mise Raiftearaí an Fíodóir Focal, Sónta do TG4, 2010.

Leabharliosta

Bo Almqvist agus Roibeard Ó Cathasaigh, Coiglimís an Tine, Cnuasach Seanchais agus Scéalta Bhab Feirtéar, Oidhreacht Chorca Dhuibhne, Baile an Fheirtéaraigh, 2010

Donn Byrne, Blind Raftery and His Wife Hilaria, Nua-Eabhrac agus Londain, 1924

Daniel Corkery, The Hidden Ireland, Gill and Macmillan, Baile Átha Cliath, 1924

Samuel Clark and James S. Donnelly, Jr, eag. Irish Peasants, Violence and Political Unrest, 1780–1914, University of Wisconsin Press agus Manchester University Press 1983

Dubhghlas de hÍde, Abhráin agus Dánta an Reachtabhraigh (Baile Átha Cliath 1933, athchló 1935, 1969)

Gearóid Denvir, Litríocht agus Pobal, Cló Iar-Chonnacht, Indreabhán, 1997

R.F Forster Modern Ireland 1600–1972, Allen Lane, Londain, 1988

Lady Gregory, Poets and Dreamers, Studies and Translations from the Irish, Hodges, Figgis & Valerian Gribayedoff *The French Invasion of Ireland in '98*, 1890

Lady Gregory, Selected Writings, Penguin Books, Londain, 1995

Richard Hayes, The Last Invasion of Ireland, M.H. Gill and Son, Baile Átha Cliath, 1937

John Healy LL.D. History of the Diocese of Meath, Association for Promoting Christian Knowledge, Baile Átha Cliath, 1908

Anna Heussaff, Filí agus Cléir san Ochtú hAois Déag, An Clóchomhar, Baile Átha Cliath, 1992

Eugene Hynes, Knock, The Virgin's Apparition in Nineteenth-Century Ireland, Cork University Press, 2008

James Joyce, Ulysses, Páras, 1922

Declan Kiberd, Idir Dhá Chultúr, Coiscéim, Baile Átha Cliath, 1993

Mary Lindemann, Medicine and Society in Early Modern Europe, Cambridge University Press, 2010

Eoghan Mac Cormaic agus Pádraig Ó Baoill, eag. Carachtair Áitiúla, Tionchar Náisiúnta, Glór na nGael agus Gaeilge Locha Riach, 2008

Dermot McManus, The Middle Kingdom, Gerard Smythe Press, Buckinghamshire, 1959 agus 1973

Eibhlín Bean Mhic Choisdealbha, Amhráin Mhaigh Seóla, Talbot Press, Baile Átha Cliath, 1923 agus Cló Iar-Chonnacht, 1990

Vincent Morley, Ó Chéitinn go Raiftearaí: Coiscéim, Baile Átha Cliath, 2011

Colette Nic Aodha, Raiftearaí i gCeartlár a Dhaoine san Aonú hAois is Fiche, Coiscéim, Baile Átha Cliath, 2009

Prionsias Ní Dhorchaí, Clár Amhrán an Achréidh, An Clóchomhar, Baile Átha Cliath 1974

Frank G. Noble, The Third Force, The Psychology of Albert Maslow, 1970

John O'Beirne Ranelagh, A Short History of Ireland, Cambridge University Press,

Art Ó Beoláin, Merriman agus filí eile, An Clóchomhar, 1985

Seán O'Boyle, The Irish Song Tradition, Gilbertt Dalton, Baile Átha Cliath, 1976

Seán Ó Ceallaigh, Filíocht na gCallanán, An Clóchomhar, Baile Átha Cliath, 1967, athchló 1985

Ciarán Ó Coigligh, Raiftearaí, Amhráin agus Dánta (An Clóchomhar, Baile Átha Cliath 1987, athchló 2000)

Frank O'Connor, Kings, Lords and Commons, Macmillan and Co, Londain, 1961

Donnchadh Ó Corráin agus Tomas O'Riordan Ireland, 1815–1870: Emancipation, Famine and Religion (History of Ireland): Four Courts Press, Baile Átha Cliath, 2011.

Learaí Ó Finneadha, Ó Bhaile go Baile, Cló Íar Chonnacht, 1993

Tomás Ó Fiaich, Art Mac Cumhaigh, Dánta, An Clóchomhar, Baile Átha Cliath, 1973

Criostóir Ó Floinn, Mise Raifteirí an File, Sairséal agus Dill, Baile Átha Cliath, 1974

Criostoir O'Flynn, Blind Raftery, Poems Selected and Translated, Cló Iar Chonnacht, Indreabhán, 1998

Cormac Ó Gráda, Éire Roimh an nGorta, An Gúm, Baile Átha Cliath, 1985

Dáithí Ó hÓgáin, An File, An Clóchomhar, Baile Átha Cliath, 1982

Diarmaid Ó Muirithe, An tAmhrán Macarónach, An Clóchomhar, Baile Átha Cliath 1980

Eoghan Ó Tuairisc, Religio Poetae agus Aistí Eile, eag. Máirín Nic Eoin, An Clóchomhar, Baile Co. Baile Átha Cliath, 1987.

Seán Ó Tuama, An Grá in Amhráin na nDaoine, An Clóchomhar, Baile Átha Cliath, 1960

Oliver Sacks, Musicophilia, Borzoi Books, Nua-Eabhrac, 2007

Tony Tracy, Roddy Flynn, eag. John Huston, *Essays on a Restless Director*, McFarland & Co, 2010

Thomas F. Walsh, Favourite Poems we learned in school as Gaeilge, Mercier Press, Corcaigh, 1994

J.E. Caerwyn Williams & Máirín Ní Mhuiríosa, eag. Traidisiún Liteartha na nGael, An Clóchomhar, 1979

Nicholas Williams, Riocard Bairéad, Amhráin, An Clóchomhar, Baile Átha Cliath 1978

INNÉACS

Nóta: Is ionainn 'R'. agus giorrúchán ar 'Raiftearaí'.